手にとるように心理学がわかる本

目白大学教授
渋谷昌三
Shibuya Shozo
目白大学教授
小野寺敦子
Onodera Atsuko

かんき出版

はじめに

「どうして私は、すぐにクヨクヨしてしまうのだろう？」
「どうすればあの人に好きになってもらえるのだろう？」
「なぜあの人は、いつも怒ってばかりいるのだろう？」
「人間関係を上手に築くために、なにをしたらよいのだろう？」

誰もが、こんな疑問や悩みを抱えているのではないでしょうか。

元気が出ないとき、恋人の気持ちがわからなくなったとき、上司とウマが合わないとき、家族と心が離れているように感じたとき、また、なんとなく人生に不安や焦りを覚えたとき、私たちは周囲の人間関係や自分自身について考え、なんとか解決策を見つけようとします。

しかし、一人で悩んでいても、なかなかうまい答えは出てこないものです。独りよがりな考えに陥って、かえって周りの状況が見えなくなることも少なくありません。

心理学には、こうした悩みや疑問を解決するためのヒントが詰まっています。心理学がわかると、いままで知らなかった自分の一面や、気づかずにいた相手の気持ちが見えてくるのです。

心理学とは一言でいえば、「心を科学的に分析する学問」です。さまざまな状況で人はどのような行動を示すものなのか、そこに働く心理の不思議を解明しようとするものです。自分や他者の気持ちを論理的に、客観的に、段階を踏んで理解することを目指します。

友人の何気ない一言にムキになったり、落ち込んだりしてしまうのは、その一言にあなたのコンプレックスが隠れているからかもしれません。そこから、あなたが抱える本当の問題が見えてくることもあるでしょう。

すっかり忘れていた古い知り合いが突然夢にあらわれたのは、その人が今のあなたの心の状態を象徴しているからかもしれません。自分の心を見つめ直すことで、現状を打開する方法が見つかることもあるでしょう。

ちょっとしたことですぐに怒鳴る上司は、心のバランスを崩していているのかもしれませんし、怒りっぽい性格なのかもしれません。「なぜ人は怒るのか」を知ることで、上司への対策が見えてくることもあるでしょう。

本書は、こうした心理学のエッセンスを、かわいいイラストとわかりやすい図解で解説したものです。身近な話題から心理学用語までを取り上げ、心理学の基本を楽しく知ることができます。

本書が皆様の生活になんらかのヒントを提供し、知的好奇心に応えることができるよう願っております。

２００６年４月

渋谷昌三
小野寺敦子

＊本書は１９９９年刊『手にとるように心理学がわかる本』、２００２年刊『手にとるように心理学用語がわかる本』に大幅な加筆修正をしたものです。

目次 ● 手にとるように心理学がわかる本

はじめに……3

プロローグ 「心理学」ってなんだろう?

【心理学とは?】
人間の心を「分析する」とはどういうことだろう?……22
- 心を科学的に探求するのが「心理学」
- 人間の存在するところには心理学がある

【さまざまな心理学】
心理学にはどんな分野があるのだろう?……24
- あらゆる分野に存在する心理学

【心理学の歴史①】
心の研究はアリストテレスにはじまった……28
- 心理学のはじまり
- 自然科学と心理学の発展の軌跡
- 「心理学の父」ヴントの学説

【心理学の歴史②】
現代心理学の基礎となる科学時代の心理学……32
- 行動主義心理学の挑戦
- 条件反射でなんでもできる?
- ゲシュタルト心理学の台頭
- フロイトの登場〜精神分析学
- 日本の心理学の歴史

PART 1 「人間の感覚」と心理学

【脳と心】
脳と心にはどんな関係があるのだろう？ …38
- 脳がわかれば、心もわかる？

【認識のしくみ】
人間はものごとをどうやって認識しているのだろう？ …40
- 同じものを見ても、人によって見え方が違う
- 「認知心理学」は人間の知的活動を分析する

【情報の処理】
さまざまな情報を人はどうやって処理しているのだろう？ …42
- 無意識に行われる情報処理
- 頭の中にあるネットワーク

【記憶①】
瞬間保存から長期保存まで、記憶の保存方法はさまざま …44
- すぐ忘れる記憶と忘れにくい記憶がある
- さまざまなかたちの記憶がある

【記憶②】
覚えたはずなのに、思い出せないのはなぜだろう？ …50
- 思い出せない記憶、失われた記憶

【記憶術】
記憶のメカニズムを利用して効果的な記憶方法を身につけよう …52
- 記憶力をよくする5つの方法

【顔の記憶】
人は他人の顔をどうやって識別しているのだろう？ …54
- 個々の顔をどう識別している？
- 子どもと大人で顔の識別能力が異なる

【視覚】
「目に映ったそのもの」ではなく、もともと知っている通りに知覚する……56
●目に映るものは意外とあいまい
●錯覚にもいろいろある

【残像現象】
相手に気づかれないうちに潜在意識に働きかけることができる？……60
●刺激が感覚として残っている
●サブリミナル効果で人間の行動を操れる!?

【色彩】
「色」と「心」の関係を探る色彩心理の世界……62
●色が感情に影響を与える
●色はさまざまな場所で活用されている
●日本人が好む色とは？
●色の好みで性格がわかる？

【音楽】
心の健康に音楽を。音楽心理学の世界……66
●音楽は心を健康にする
●音楽療法の方法とその効果は？

PART 2 「人間の成長」と心理学

【発達心理学とは？】
誕生から死に至るまでの心身の変化を解明する……70
●人間の発達を心理学的に分析してみる

【発達の基本】
子どもが発達でたどる道筋……72
●子どもの発達における主な特徴

COLUMN●人間は未成熟な状態で生まれてくる

目次

【愛着の発達】
親子の絆はいつからはじまる？……76
- 乳児期の母親との関係が人間関係の基礎となる
- 感情は2歳までに急速に発達する
- 母親との愛着関係があるから人見知りする
- COLUMN● 微笑みにも発達段階がある
- COLUMN● 赤ちゃんはぬくもりで愛着を抱く
- COLUMN● 親と子の絆は刷り込みでつくられる？

【乳幼児期】
赤ちゃんには限りない可能性を秘めた能力がある……82
- 赤ちゃんはなにを見ている？
- COLUMN● 赤ちゃんにもさまざまな個性がある

【自己の確立】
子どもはどうやって自己を確立していくのだろう？……84
- 赤ちゃんが持つ母親との一体感
- 少しずつ自己を確立していく

【知的発達】
生まれた瞬間から知的発達がはじまる……86
- 子どもから大人までの知的発達の過程

【頭のよさ】
「頭がよい」＝知能指数が高い」は本当？……88
- 「頭がよい」ってなんだろう？
- IQが高ければ頭もよい？
- 天才の家系はあるのか？

【知能と創造性】
知能が高ければ創造性も高い？……92
- 創造性は思考の柔軟性に負うところが大きい
- 知能と創造性の関連性は低い
- 「創造性豊かな人」とはどんな人？
- 頭のよさだけでなく心の豊かさも大切

【やる気と行動】
やる気はどこから湧いてくるのだろう？……96
- 「やる気」とはなんだろう？
- 本物のやる気は内側から湧いてくる
- パヴロフとスキナーが発見したメカニズム
- 失敗続きで無力感に陥ることも……
- COLUMN● 嘘でもいいから高い評価を!?

COLUMN●期待がやる気を引き起こす――ピグマリオン効果

【子どものしつけ】
子どもはマネをして成長していく……102
●親の態度が子どもの性格に影響する
●子どもにとって親は一番身近なモデル
●モデリングによる〝しつけ〟

【ギャング・エイジ】
子ども同士の遊びの中で
社会のルールを身につける……104
●遊びの中で社会性が育まれる
●道徳観が生まれ社会のルールを学ぶ
●消えつつあるギャング集団

【反抗期】
子どもの成長には
反抗期が欠かせない……106
●第一反抗期は正常な発達の証し
●第二反抗期は大人への登竜門
●大人であるための条件

【発達のつまづき】
軽度発達障害は
早めの発見と適切な援助が大切……108
●軽度発達障害とは？

【青年期】
アイデンティティを確立し
子どもから大人へ脱皮する……112
●アイデンティティの確立は青年期の重要課題
●大人になることを先延ばしにする
●「モラトリアム人間」は現代社会の象徴!?
COLUMN●青年期に起こる身体の変化「第二次性徴」
COLUMN●青年期を卒業できない現代人

【成人期】
人生で最も充実するはずの成人期には
ストレスも多い……116
●成人期は人生の正午
●成人期の発達課題とは？
●体力の衰えと責任の増大でストレスが生まれる
●ストレスによる出社拒否や帰宅拒否
●中年期クライシスから脱却するためには？
COLUMN●男性にも増えている更年期障害
COLUMN●増加し続ける熟年離婚

目次

【高齢期】
幸福に年齢を重ねていくために大切なこととは？ ……122

- 生涯発達における「高齢期」のとらえ方
- 幸福な老いを迎えるための3つの理論

COLUMN● サクセスフル・エイジングとプロダクティブ・エイジング

COLUMN● 年齢とともに大きくなるアフォーダンス知覚と現実のズレ

PART 3
「性格や感情」と心理学

【性格とは？】
人は仮面を付け替えるかのように人生を演じている？ ……128

- パーソナリティとキャラクター
- 「個性」とはなんだろう？

【性格の分類】
性格の分類方法にもいろいろある ……130

- 2つの性格分類「類型論」と「特性論」
- ユングの性格分類──内向型と外向型
- 体型で性格がわかる!?

COLUMN● 五大特性で人間を捉えるビッグ・ファイブ説

【フロイト】
フロイトは人間の心を
どのようにとらえていたのだろう?……134

- 心理学上の新見地を確立したフロイト
- フロイトは意識を三層で考えた
- 自我防衛機制は自分を守る心の動き
- フロイトが唱えたリビドーとは?
- 夢からわかる心の動き

【ユング】
フロイトと袂を分かち、
分析心理学を立ち上げたユング……138

- ユングとフロイト〜出会いと別れ〜
- 「コンプレックス」はユングがつきとめた
- 内向型・外交型「タイプ論」の裏話
- フロイトとは異なるユングの無意識説
- 人は誰でも無意識の仮面をかぶっている

【夢①】
現実では満たされない思いを
充足させるために夢を見る……142

- 睡眠はレム睡眠とノンレム睡眠の繰り返し
- 一晩に4〜5回の夢を見る
- 夢を見られなければイライラが……
- 夢は睡眠の保護者

COLUMN●どうして同じ夢を何度も見るのだろう?

【夢②】
フロイトとユングは
夢から心を分析しようとした……146

- フロイトは抑圧された願望を読み取った
- ユングは夢の解釈法にこだわった
- ユング派の夢分析の特徴

COLUMN●正夢は本当にある?
COLUMN●ステッキは男性器、箱は女性器のシンボル!?

【夢③】
自分の夢を分析してみよう……150

- 夢にはメッセージが隠されている

【遺伝と性格】
性格は遺伝と環境が
作用し合ってつくられる……152

- 性格は生まれつき?
- 双生児研究が明らかにしていることとは?

【きょうだいと性格】
兄は兄らしい、

目次

妹は妹らしい性格になる理由は？……154
- 親の接し方が性格をつくる
- きょうだいの役割に応じた性格になる
- COLUMN●きょうだいはナナメの関係にある

【性格テスト】本当の自分がわかる？性格テストの種類と方法……158
- 性格テストは大きく3つに分けられる

【男らしさ・女らしさ】男は「男らしい」、女は「女らしい」ほうがよい？……162
- 異性から見た男らしさ、女らしさ
- 「らしさ」は時代とともに変化する
- 「男らしさ」も「女らしさ」も大切
- COLUMN●社会によってつくられる性差「ジェンダー」

【血液型と性格】「B型は自分勝手」「A型は神経質」は本当？……166
- 血液型性格判断に科学的な根拠はない
- 血液型性格判断が人気の理由は？

【嘘】なぜ人は「嘘」をつくのか？……168
- 人間は誰でも嘘をつく
- 嘘は身体にあらわれる
- COLUMN●子どもの嘘は自立への第一歩
- COLUMN●「すっぱいブドウの論理」

【感情】一番最初に生まれた人間の感情は「恐怖」だった……172
- 「恐怖」は命を守る感情の働き
- 学習によって感情も身についていく

【怒り】アドレナリンの分泌が引き起こす怒りとイライラ……174
- 満員電車でイライラする理由は？
- 男性は狭いところにいると怒りっぽくなる
- COLUMN●いつも怒っている人は早死にする!?

【欲求不満】満たされない欲求を持つから上を目指そうとする……178
- 生きるために必要な欲求

●大切なのは自分の人生に意味を見出すこと

【コンプレックス】嫉妬や恐怖心の裏にはコンプレックスがひそんでいる……180
●コンプレックスは誰にでもある

PART 4 「社会・人間関係」と心理学

【情報化社会】「都会の人間が冷たい」のは氾濫する情報から身を守るため……188
●情報が多過ぎて処理しきれない
●他人との関わりを避けて身を守る

【他人】赤の他人と知り合いの間のファミリア・ストレンジャー……190
●見慣れた他人、ファミリア・ストレンジャー
●あいさつを交わす仲になれば親しみを持てる
COLUMN●匿名性が人を大胆にさせることも

【集団心理】集団思考にとらわれると真実が見えなくなる……192
●結束の堅さを強さと混同する
●みんなでやれば怖くない？
COLUMN●多数決が正しいとは限らない
COLUMN●少数派の力――マイノリティ・インフルエンス

【同調性】知らず知らずのうちに考えや行動を集団に合わせている……196
●所属する集団の色に染まっていく
●多数派の意見に流されてしまう

【援助行動】集団が大きくなればなるほど人を助けなくなっていく……198

目次

- 「誰かが助けるだろう」という心理
- 顔見知りの相手なら助けるけど……
- COLUMN●集団は個人の意見を極端にする

【パニック】
不安や好奇心があおられ、恐怖が伝染する? …202

- 火星人襲来!? 本当にあった大パニック
- 人がパニックに陥る理由は?
- 暴動の引き金を引く「アジテーター」
- 協力して行動する冷静さが必要
- COLUMN●流言もデマも社会不安から広まっていく
- COLUMN●群集が暴動を起こすとき

【集団のかたち】
それぞれの集団にはそれぞれのネットワークがある …208

- 人が集まれば人間関係が生まれる
- 作業に最適な集団のかたちとは?
- COLUMN●集団心理を研究したモレノ
- COLUMN●集団形成の条件とは?

【対人恐怖】
相手にどう思われているか気になってしかたがない …212

- 「あがり」はなぜ起きる?
- 他人が怖い「対人恐怖症」

【パーソナル・スペース】
対人関係をよくするための絶妙な間合いがある …214

- パーソナル・スペースに侵入すると嫌われる?
- パーソナル・スペースが生理にも影響を与える
- 集団生活のストレスが身体にも及ぼす影響
- COLUMN●握手戦術で人の印象はこうも変わる
- COLUMN●言葉遣いも距離感が大事

【相手の気持ち】
本音を知るための心理テクニック …220

- 感情や表情とはなんだろう?
- 表情から相手の気持ちを見抜くのは難しい
- 瞳の大小で相手の本心を見抜く
- 視線の合わせ方で相手の性格を見抜く
- COLUMN●人の気持ちを理解するために大切な非言語コミュニケーション
- COLUMN●コミュニケーションを豊かにするパラランゲージの力

【印象】
人の印象はどのように決まるのだろう?……224
●たった一言で印象が大きく変わる
●言葉の順番でも印象は変わる
●矛盾したイメージを受け入れられる?
●自分のイメージをよくするためには?
COLUMN●会ったこともない有名人を友人のように語ってしまう理由は?
COLUMN●ステレオタイプに要注意
COLUMN●人は地位や肩書きに左右される

【説得の心理】
相手の意見や態度を変えさせるテクニック……230
●説得により相手を変える
●説得のテクニック

【取引・交渉】
最大の利益を得る戦略を探る「ゲーム理論」……234
●零和型ゲームでは得点の和が常にゼロになる
●非零和型ゲーム「囚人のジレンマゲーム」
COLUMN●宣言すればやらざるを得ない?

【リーダーシップ】
よいリーダーは環境が育てる……238
●リーダーは環境でつくられる
●リーダーシップは「PM理論」で説明できる
●状況に応じてPとMを使い分ける
●あなたのリーダーシップ類型は?

【人心掌握術】
人は「平等」よりも「公平」を求めている……242
●「公平分配」と「平等分配」は異なる
●不公平感を感じた者はどんな行動をとるか?

【会議】
どの席に座るかで会議の行方が変わってくる……244
●参加者の気持ちが席順に出る
●正面の相手には要注意
●おいしいもので会議や交渉を有利に
COLUMN●バンドワゴン・アピールで発言に花を添える?

目次

【商売の心理】
商売のウラにある顧客の心をつかむためのテクニック……248
●商売はテクニック!?

【広告宣伝の効果】
同じCMを何度も繰り返す理由は?……252
●CMは繰り返すことに意味がある
●おもしろい宣伝は視覚的にも選別される

【いじめ】
「いじめ」には複雑な背景がある……254
●子ども同士のいじめの背景とは?
●「いじめる心理」と「いじめられる心理」
COLUMN●生徒の心をケアするスクール・カウンセラー

【恋と性欲】
恋は〈生理的興奮→性的興奮〉で生まれる!?……256
●恋愛感情を芽生えさせるコツがある?
●ドキドキの勘違い
●青年期は一目惚れが起こりやすい?
COLUMN●得難いものほど価値がある――ロミオとジュリエット効果

COLUMN●知れば知るほど好きになる――単純接触の効果

【カップル】
自分と似ているけど違う人に愛情を感じる……260
●人間は分相応の相手を選ぶ
●似ていればよいというものではない
COLUMN●結婚から3年経つと女性は幸福でなくなる!?
COLUMN●愛と憎しみは紙一重

PART 5 「心の病気」と心理学

【ストレス】
身体的・心理的な刺激によって体にさまざまな障害が起きる……266
- 外部の刺激で心と体が歪む
- ストレスは行動のエネルギーでもある

【心と体】
性格や心の状態から病気になることもある……268
- 身体の病気に隠された「心の病気」
COLUMN● 「笑い」で健康になる

【精神疾患】
人はなぜ心を病むのだろうか？……274
- さまざまな精神疾患

COLUMN● 神経疾患の診断マニュアル——DSM-Ⅳ-TR とは？

【パーソナリティ障害】
世の中にいる、ちょっと風変わりな人々……280
- 性格の偏りのため、生きにくい

【アディクション】
アルコール、買い物、人間関係……さまざまなものに依存する……282
- アディクションは、大きく3つに分けられる
- 物質嗜癖の代表——アルコール依存症
- プロセス嗜癖の代表——買い物依存症
- 人間関係嗜癖の代表——共依存症
COLUMN● 生きにくさを乗り越える「アダルト・チルドレン」
COLUMN● 夫婦・恋人間の暴力——ドメスティック・バイオレンス

【トラウマ】
強いショックやストレスはトラウマやPTSDとなる……286
- つらい経験がトラウマを引き起こす
- 外傷体験を再体験するPTSD

【流行症候群】
時代が生み出すさまざまな流行症候群 …288
- 時代と共に移り変わる

【自殺】
自殺の深層心理を探る …294
- 死にたい・殺したい・殺されたい欲求
- 自殺未遂者は青年に多い
- 自殺者の半数はサインを送っている

【心理療法】
心の健康を取り戻すためのさまざまな心理療法 …296
- 心理療法の種類はさまざま

COLUMN●カウンセラーに対する特殊な感情「転移」

【カウンセラー】
心の病を癒すカウンセラーという仕事 …306
- カウンセラーに必要な「聴く」技術とは？

COLUMN●心理学に関する仕事にはなにがある？

50音順索引＆人物解説 …319

装丁　重原隆
イラスト　秋田綾子
本文デザイン　柳瀬玲美（TYPE FACE）

プロローグ

「心理学」ってなんだろう?

人間の心を「分析する」とはどういうことだろう?

心を科学的に探求するのが「心理学」

心理学とは、ひと言でいえば「目に見える行動」と、そこから推論される「心の動き」を、科学的に研究する学問です。

たとえば、恥ずかしいと感じると顔が赤くなったり、怖いと感じると体が震えたりします。人間の心そのものは目に見えなくても、行動という形になってあらわれます。つまり、目に見える行動から心の動きを推論することができるわけです。

心理学を科学として成立させるには、研究結果が一定の条件で再現できたり、誰が実験を行っても同じような客観的な結果を得られなければなりません。そこで心理学は、心が目に見える形となってあらわれる「行動」を研究の対象としたのです。

人間の存在するところには心理学がある

心理学は、「人間とはいったいなにか」を科学的に研究していくことを目的としています。したがって、人間に関するあらゆる分野について心理学の研究があり、人間の存在するところには必ず心理学があるといってよいでしょう。それだけに、心理学の扱う領域は広く、いろいろなテーマがあるのです。

現在、心理学は、大きく基礎心理学と応用心理学とに分けられています。

基礎心理学とは、心理学における一般法則を研究するものです。一方の応用心理学は、心理学が得た法則や知識を実際の問題に役立てるのが目的です。

心の動きは行動となってあらわれる

心理学にはどんな分野があるのだろう？

あらゆる分野に存在する心理学

前述のように、人間の存在するところには、必ず心理学があります。そのため、一口に心理学といっても、さまざまなものがあります。ここでは、主な心理学を紹介していきましょう。

◎実験心理学

物理学などの実験方法を心理学の感覚や知覚の研究に適用した心理学です。ドイツの生理学者ヘルムホルツによる視覚・聴覚の研究や、同じくドイツの物理学者**フェヒナー**による精神物理学などを源流としています。

◎認知心理学

人間は物事や事象を目で見たり、手で触れたりして感じたことをどのように認識して自分の中に取り込み、またどのようにそれを保存しているかを研究する心理学です。認知心理学では図と地（P58参照）に代表される形の知覚、奥行き知覚、記憶などが取り上げられます。

◎発達心理学

かつて人は成人すれば発達はしないものだと考えられていました。しかし、最近では生まれてから亡くなるまで成長、変化していくという考え方がとられるようになり、**生涯発達心理学**という言葉が使われるようになってきました。

発達心理学とは、人間の発達の特徴を身体的変化、精神的変化、社会的変化の観点から見ていく心理学です。乳児心理学、幼児心理学、児童心理学、青年心理学、中高年の心理学、高齢者の心理学など、年齢によってさらに領域が分かれています。

◎教育心理学

教育活動を心理学的に研究し、教育実践上の課題の解決などを目的とする学問です。学習、動機づけ、学級集団の心理、教材、カリキュラム、指導、評価、不登校、いじめなどが研究の領域です。

◎性格心理学

人の性格はさまざまです。性格心理学ではどのようにしたらその人を理解できるようになるかを学んでいきます。性格の分類方法、性格形成の過程、性格測定の方法などがテーマになっています。

◎臨床心理学

臨床心理学の対象は、①精神病、神経症など精神医学の諸問題、②犯罪・非行・自殺などの社会病理の諸問題、③知能・性格・身体障害などの諸問題、④児童の成長、発達の諸問題、⑤人間の不適応などの諸問題です。

カウンセリングや精神分析など、心理療法（Ｐ２９６参照）を中心として治療を行います。

◎犯罪心理学

犯罪者や犯罪行動の心理、および犯罪と社会との関わりを研究します。①人間はなぜ犯罪を犯すのか、②犯罪を犯す人、犯さない人の違い、③犯罪者が罪を償って社会復帰した場合の迎え方、などが対象になります。

犯罪心理学には、犯罪の根絶や犯罪者の人格改善と社会復帰に貢献するというばかりでなく、人間の心に秘められている異常性や本性を研究するという側面もあります。

◎社会心理学

個人や集団、組織、群集、大衆などの行動、それらの相互関係や相互作用などを研究するのが社会心理学です。人はなぜ恋をするのか（対人魅力研究）、リーダーシップ、流言（デマ）などが社会心理学で扱われるテーマの一例です。

◎産業心理学

産業心理学では組織（会社、学校、政府）に関係している人間（経営者、管理者、消費者など）がどのような行動をとっているかを明らかにし、組織の発展をめざすにはどうしたらよいかを考えていきます。

商品の市場調査を行ったり、消費者行動を研究するマーケティングリサーチはこの分野に関わっています。

◎交通心理学

交通心理学では、人と交通との関わりについていろいろな角度から研究しています。ドライバーの心理、歩行者の心理、高齢者の交通行動、幼児期の交通安全教育などが研究テーマの一部です。

◎化粧心理学

女性の多くはいくつになっても美しくありたいという気持ちを持っているでしょう。化粧心理学では、化粧が人に与える心理的影響について考えています。たとえば、病気療養中の患者さんや高齢者の女性が化粧をすることで、心理的に勇気づけられる過程を明らかにしようとする研究もはじめられています。

◎健康心理学

心理学の応用分野のひとつであり、最近注目されている心理学です。健康心理学では健康の維持・増進・疾病《しっぺい》の予防・治療などについて扱っています。ストレスと健康との関係、ストレスに対する対応の仕方であるコーピングの問題は、現代人の健康について考える上で非常に重要なテーマとなっています。

◎比較文化心理学

日本人の国民性はどのようなものなのか、アメリカ人と日本人、中国人との違いはどこにあるのか、といった異なる社会や文化の問題についてみていく心理学です。異文化間での教育問題（帰国子女問題）や異文化への適応などもテーマとして扱われます。

◎コミュニティ心理学

地域精神保健や臨床心理学との関わりの中で、社会システムの問題に焦点をあてている心理学です。人と社会環境とを適合させていくためにはどうしたらよいかについて考えていきます。

◎家族心理学

近年、多くの人々が家族についての問題に苦しんでいます。家族心理学は、家族が抱える問題についてさまざまな角度から研究していく心理学です。夫婦関係、親子関係、きょうだい関係など、家族に関わる人間関係が研究領域です。現代の家族が直面している危機の克服をめざし、親子・夫婦への心理的援助が重要な課題です。

◎スポーツ心理学

スポーツ技術の訓練法・教授法から試合前の不安や緊張をやわらげてくれるメンタルケアーにいたるまで、あらゆる角度からスポーツ選手の心理について研究しています。

スポーツ観戦をする側の心理についても、社会心理学のテーマのひとつである群衆の心理などにおいて取り上げられています。

心理学の歴史①

心の研究はアリストテレスにはじまった

心理学のはじまり

ここで、心理学の歴史を簡単に振り返ってみましょう。

人間の心を理論的に考えようとしたのは、古代ギリシャの哲学者アリストテレス（BC384〜BC322）が最初です。アリストテレスは『霊魂論』という本の中で、感覚、記憶と想起、睡眠と覚醒など、現代の心理学にも通じる主題を論じました。

しかし、アリストテレスに「精神こそ研究意義の最も高いものである」といわしめたギリシャ時代の哲学的心理学は、継承する人がいませんでした。再び心理学的考察が行われるようになるのは、16世紀半ばのルネッサンス期になってからです。

17世紀になると、イギリスでは**経験主義心理学**が生まれ、やがて**ロック**や**ヒューム**らによって提唱された**連想心理学**へ発展していきます。同じ頃、ドイツでは**理性主義心理学**が生まれ、**デカルト**、**ヴォルフ**らによって提唱された**能力心理学**へと発展しました。

ただし、この2つの心理学は「人間は生まれながらに才能を備えているかどうか」という点において、出発点から異なるものでした。

「連想心理学」は、人間は生まれたときは白紙の状態であると仮定し、連想によって感覚と観念、観念と観念が結びついていって、やがてまとまった観念体系が形成されると考察しています。

一方の「能力心理学」は、人間は生まれながらに

心理学と自然科学は互いに影響し合っている

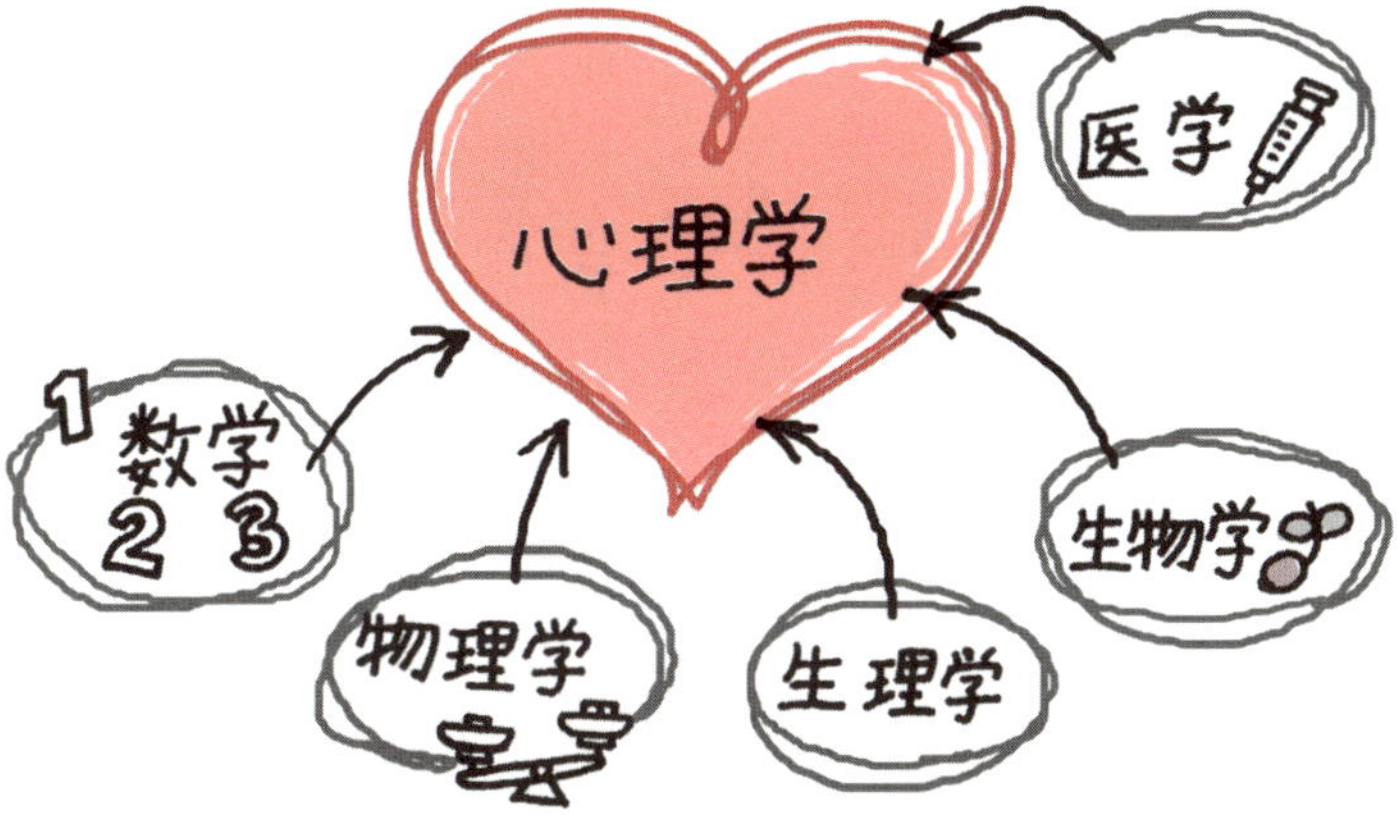

特定の能力や才能があるとして、精神構造を知・情・意の３つに分けて分析する方法をとっています。

自然科学と心理学の発展の軌跡

18世紀になると、天文学、数学、物理学、生理学、生物学、医学などの自然科学が著しい進歩をみせました。これらの諸科学の影響を受けて、心理学は哲学的思索から脱して、ひとつの科学として独立していくことになります。

たとえば、生物学のダーウィンの進化論によって人間と動物の進化の過程が同一視されたことで、**動物心理学**や**比較心理学**が発達していきました。

また、生理学や物理学は感覚や知覚の研究を刺激し、医学や大脳生理学は精神疾患や催眠術の研究を盛んにしました。さらに諸科学と心理学とは互いに提携し、影響を与え合い、今日でも多くの研究が行われています。

「心理学の父」ヴントの学説

19世紀末頃には**ヴント**が登場します。彼ははじめ生理学を学んでいたのですが、その後ライプチヒ大学で哲学の教授となります。そして１８７９年、同大学に世界ではじめて心理学実験室をつくりました。世界各地から集まってきた学者の中で最高の権威者として君臨する時代が訪れます。

彼は哲学の主観的な手法を排し、当時の自然科学の研究方法を取り入れて、心を科学的に探求することを目指しました。現代の「心理学の父」と考えられています。

ヴントの学説を簡単に説明しましょう。彼は、人間の心にはいくつもの「心的要素」があり、これが結合することで「心的要素の結合体」が形成されるとしました。

たとえば、「みかん」という言葉を聞いてなにを連想するでしょうか。視覚からの「黄色」「丸い」、味覚からの「酸っぱい」「甘い」、嗅覚からの「芳香」、触覚からの「冷たい」「すべすべ」などの心的要素に分解できます。人間の五感が刺激されることで感覚が生じて、観念が成立し、これらの観念が結合して、「みかん」という認識が成立するというわけです。

つまり、この認識が成立する結合の法則を解明することで、人間の心の動きを探ることができるというのがヴントの考えです。

単に自分の心を見つめ、意識を観察するのではなく、意識を構成している要素を取り出し、分析する**内観法**《ないかんほう》がヴントの特徴といえます。この分析法から、彼の学説は**構成主義**といわれています。

ヴントの心理学自体は要素主義、構成主義との批判を受けることになりますが、彼の門下からは多くのすぐれた心理学者が誕生しています。

心理学の父とされるヴントの学説

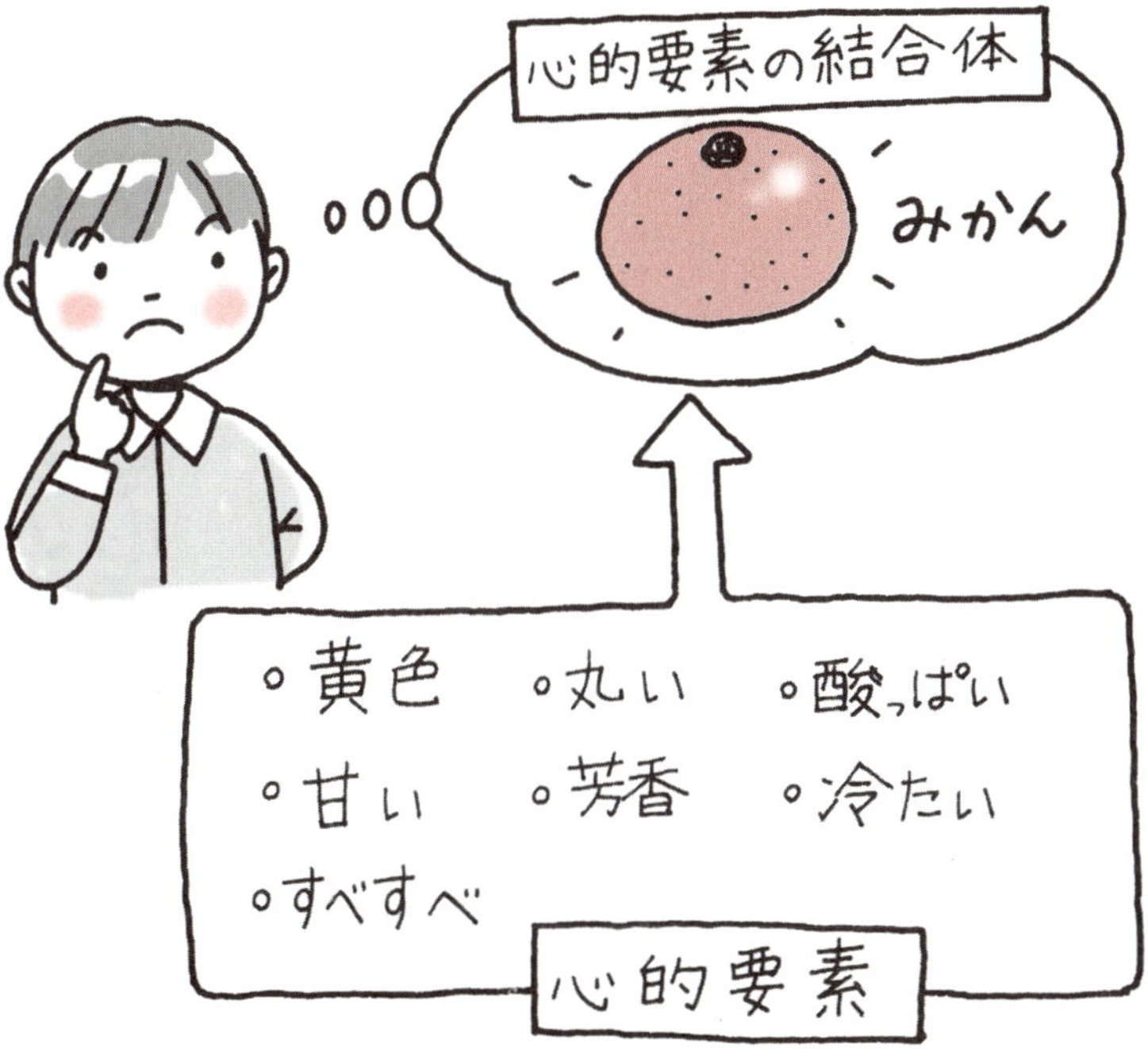

ヴント

現代心理学の基礎となる科学時代の心理学

行動主義心理学の挑戦

20世紀に入ると、現代の科学的な心理学の基礎となる**行動主義心理学**、**ゲシュタルト心理学**、**精神分析学**が唱えられました。

まず、意識こそ心理学の本質としてきた通念に対して、真っ向から対立する意見が登場しました。それが**ワトソン**によって提唱された「行動主義心理学」です。

彼は心理学を〝行動の科学〟であると定義し、「科学としての心理学を追究するには、主観的な内観による意識の分析だけではダメで、科学的測定に耐え得る行動の分析がなければならない」とヴントの築いた心理学を否定したのです。

実は、ワトソンの考え方に大きな影響を与えたのが、１９０４年にノーベル賞を受賞したロシアの生理学者**パヴロフ**の条件反射説でした。

〝パヴロフの犬〟で有名な研究ですが、そもそもはパヴロフが犬に肉片を与えて消化機能に関する大脳生理学の研究をしている中で、犬が肉片を見たり、肉片を運ぶ人の足音を聞いただけでも唾液が分泌されることに気がついて発見されたものです。

この条件反射説は、後に**古典的条件づけ**の考え方を生み出しました（Ｐ１００参照）。

条件反射でなんでもできる？

さてワトソンはというと、条件反射を利用すれば、どんな行動でも身につけることができるとして、

プロローグ ●「心理学」ってなんだろう？

ヴントの構成心理学からの流れ

ヴント

> 私の心理学に対する批判や異論をもとに、さまざまな心理学が誕生したのだ

ヴントの構成心理学

- **ありのまま**を重視
  - 現象学心理学（シュプランガー、フランクル、マズロー）
- **無意識**を重視
  - 精神分析学（フロイト、ユング）
- **全体性**を重視
  - ゲシュタルト心理学（ケーラー、コフカ、ヴェルトハイマー）
- **行動**を重視
  - 新行動主義心理学（トルーマン、ハル、スキナー）
  - 行動主義心理学（ワトソン）

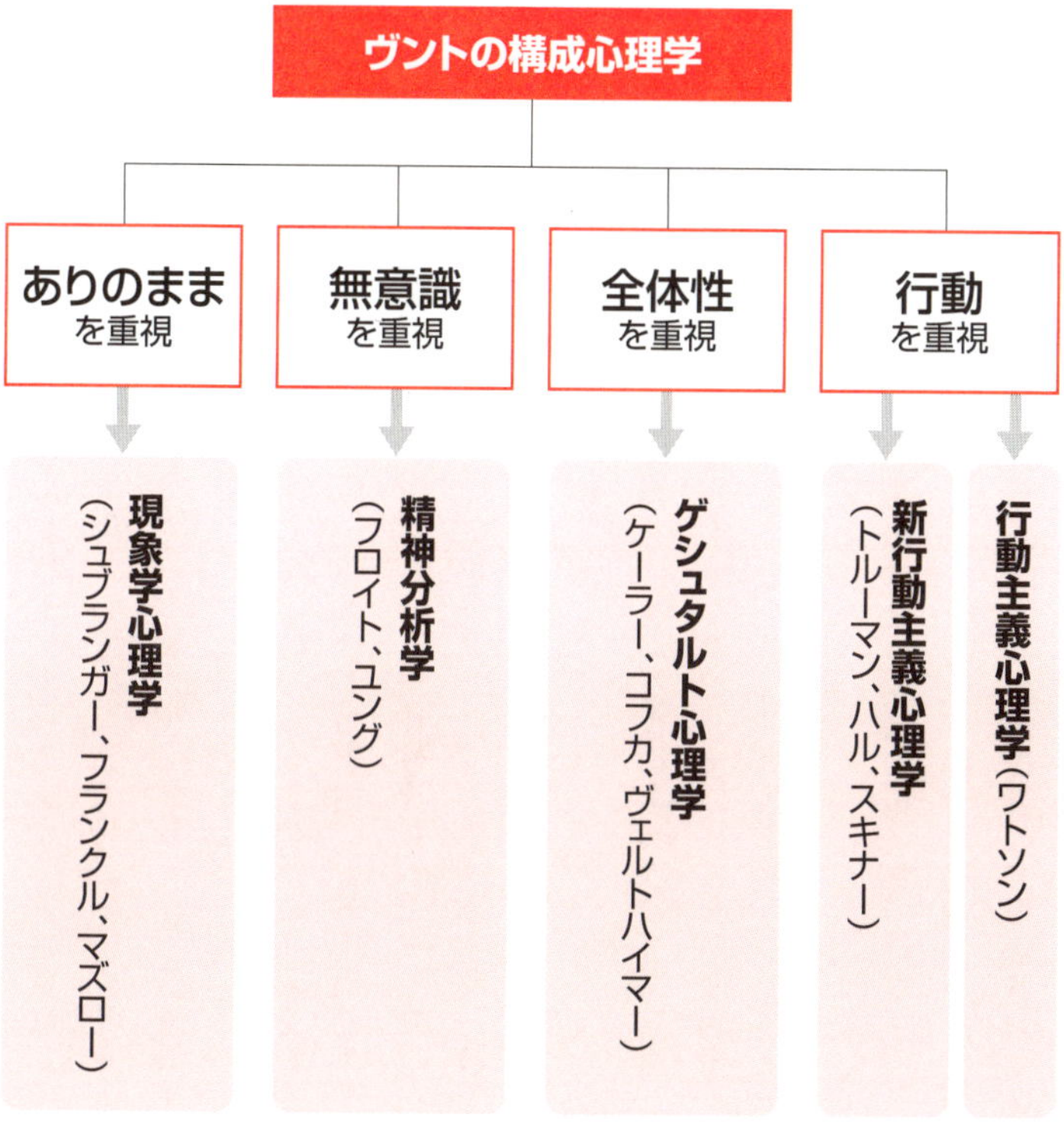

「私に12人の子どもを与えてくれれば、先生にも、弁護士にも、医者にも、泥棒にも育てることができる」とまで公言していたそうです。

しかし、ワトソンの行動主義心理学は、外部にあらわれる行動を極端に限定し、刺激に対してあらわれる反射だけを取り上げたため、後に批判される結果となり、さらに個人的なスキャンダルのために学会を去っています。

その後登場してきた、**トールマン**、**ハル**、**スキナー**らは、行動の主体（人や動物）の関わりも含めた視点から研究したので、ワトソンの行動主義と区別して**新行動主義心理学**と呼ばれています。

なかでもスキナーは、スキナーボックスと呼ばれる実験装置を使って、ネズミの能動的な行動を利用した**オペラント条件づけ**（Ｐ１００参照）を発表しています。

ゲシュタルト心理学の台頭

ワトソンが行動主義心理学を提唱した時期と相前後する１９００年代のはじめ、ドイツの**ケーラー**、**コフカ**、**ヴェルトハイマー**らによって主張されたのが、**ゲシュタルト心理学**です。〝ゲシュタルト（Gestalt）〟とは、「形態」や「全体」などを意味するドイツ語です。

ゲシュタルト心理学は、ヴントの構成主義を批判し、心の動きは、いくつもの事柄による相乗効果の影響を受けているという全体性を重視しました。

たとえば人が景色を見るにも、木一本、葉一枚を見るのではなく、全体としての木や山、空を見るという考え方です。

また、五線譜上に並んだ音符をバラバラに演奏しても意味がありませんが、一定のリズムで演奏すると全体のまとまりが生まれ、情感に訴える音楽になることからもわかるでしょう。

つまり、全体は単なる要素の集合体ではなく、それ自体がなんらかの法則性を持った構造となっており、１つひとつの部分は全体によって規定されているという考え方です。

フロイトの登場〜精神分析学

フロイトによって**精神分析学**が唱えられたのも、同じ頃でした。彼もヴントの学説に異論を唱える1人でしたが、神経症患者の治療を行なう過程で「**無意識**こそ心理学が扱うべきテーマだ」と考えました。フロイトはそれまで注目されることがなかった人間の無意識に注目し、夢などによって表現される無意識を体系的に理論化しました。

また彼は、人の心は**エス**、**自我**、**超自我**によって構成されていると考え、本能的衝動理論（リビドー理論）や性の発達理論、自我防衛機制を提唱しています。こうしたフロイトの理論は、**ユング**や**アドラー**の理論に多大なる影響を及ぼしていきました。

その後、アメリカではフロイトの精神分析理論に影響を受けた**ホーナイ**、**フロム**、サリヴァンによる新フロイト派が台頭していきました。

また、1960年代以降、心理学はもっと真の人間らしさの追及に貢献するべきであるという考えからアメリカ合衆国を中心に人間性心理学が広がりをみせていきました。人間性心理学者として知られているのは、自己実現理論を提唱した**マズロー**、クライエント中心療法の**ロジャーズ**、ゲシュタルト心理療法の**パールズ**などです。

日本の心理学の歴史

日本における心理学の研究は、明治以後に行なわれた欧米の心理学の紹介からはじまります。1889（明治22）年、わが国で最初の心理学教授として**元《もと》良《ら》勇《ゆう》次《じ》郎《ろう》**が東京帝国大学哲学科で心理・倫理・論理の講座を開きました。その後、**松《まつ》本《もと》亦《また》太《た》郎《ろう》**が2代目の心理学教授となり、東京大学と京都大学に日本初の心理学実験室を設立しています。

第2次世界大戦後はアメリカ文化の影響を受けて、各種研究機関が創設されました。さらに、産業・司法・教育などの現場で心理学専攻者が必要とされるようになり、さまざまな分野における心理学研究が、日本でも急速に広がっていったのです。

PART 1

「人間の感覚」と心理学

脳と心にはどんな関係があるのだろう？

脳がわかれば心もわかる？

近年、脳の研究によって、心理学の領域で扱われてきた情動（怒りや恐れ、喜びや悲しみ、快・不快など）は、大脳辺縁系《だいのうへんえんけい》の働きと関係していることがわかってきました。

また、理性的な判断をしたり、創造したり、愛したり、計画したり、やる気を起こすなど、人間の高等な精神活動を支えているのは大脳新皮質《だいのうしんひしつ》の前頭葉《ぜんとうよう》だとされ、心理的な活動と関係していると考えられています。

ただし、脳の研究が進めば、心理学が必要なくなるだろうと考えるのは早計でしょう。

脳に生理的な変化をもたらすきっかけは、心理的なものであり、生命や種の維持という合理的な基準だけで情報の取捨選択が行われているわけではありません。たとえば、命がけで人を助けるなど、生命や種の維持と矛盾するような自己犠牲の行動も見られるからです。

また人が、嬉しい、悲しいなどの感情を覚えるときには、本人の意識とは関係なく、必ず神経系に変化があらわれます。そこで神経組織や体の組織にあらわれる生理的な変化から心の動きを読み取る**生理心理学**が誕生しました。この研究は、**ポリグラフ**（うそ発見器）にも活用されています。

今後、脳の研究と心理学の実験や調査結果との関連性が明らかにされていく中で、〝心とはなにか〟という命題も解明されていくことでしょう。

脳の構造と機能

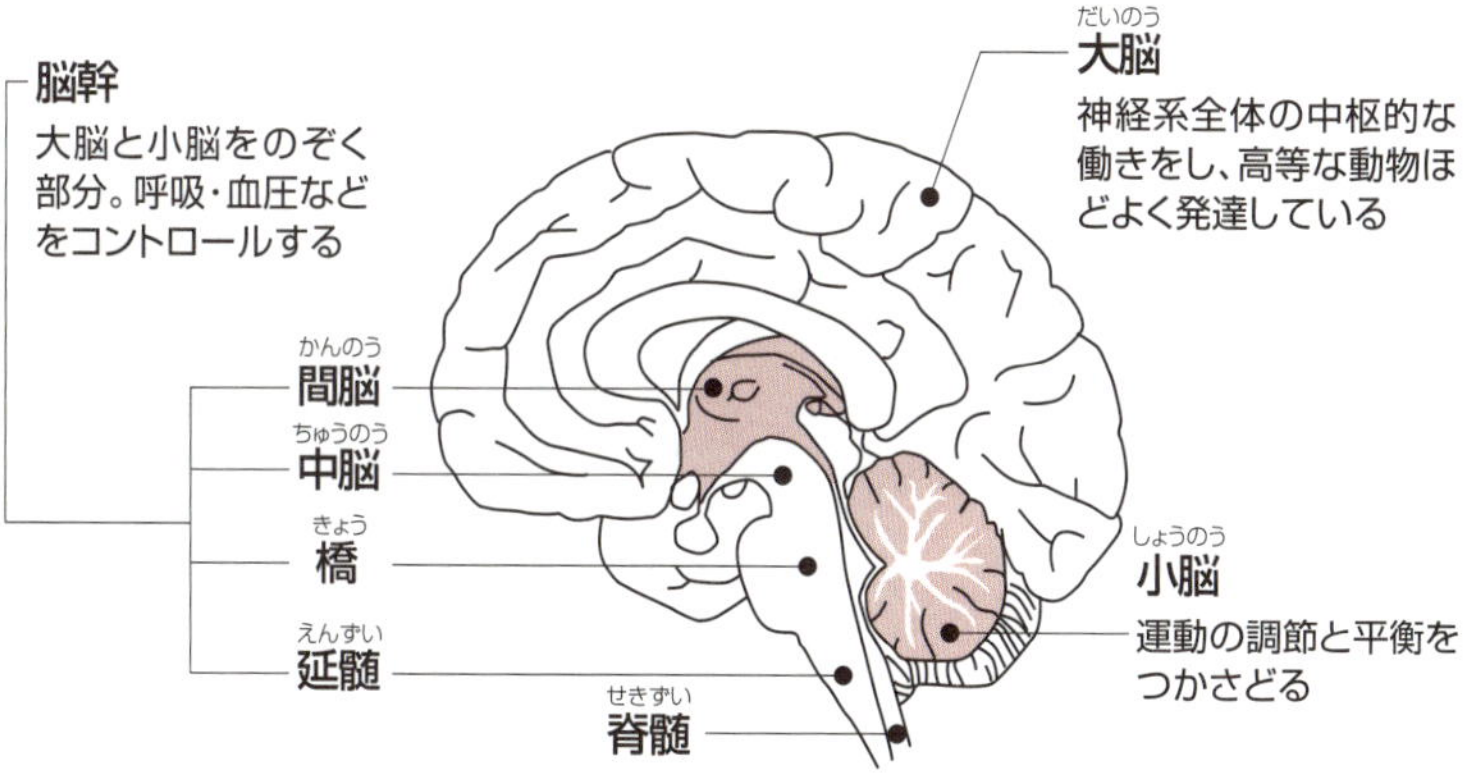
脳幹
大脳と小脳をのぞく部分。呼吸・血圧などをコントロールする
間脳《かんのう》
中脳《ちゅうのう》
橋《きょう》
延髄《えんずい》
脊髄《せきずい》
大脳《だいのう》
神経系全体の中枢的な働きをし、高等な動物ほどよく発達している
小脳《しょうのう》
運動の調節と平衡をつかさどる

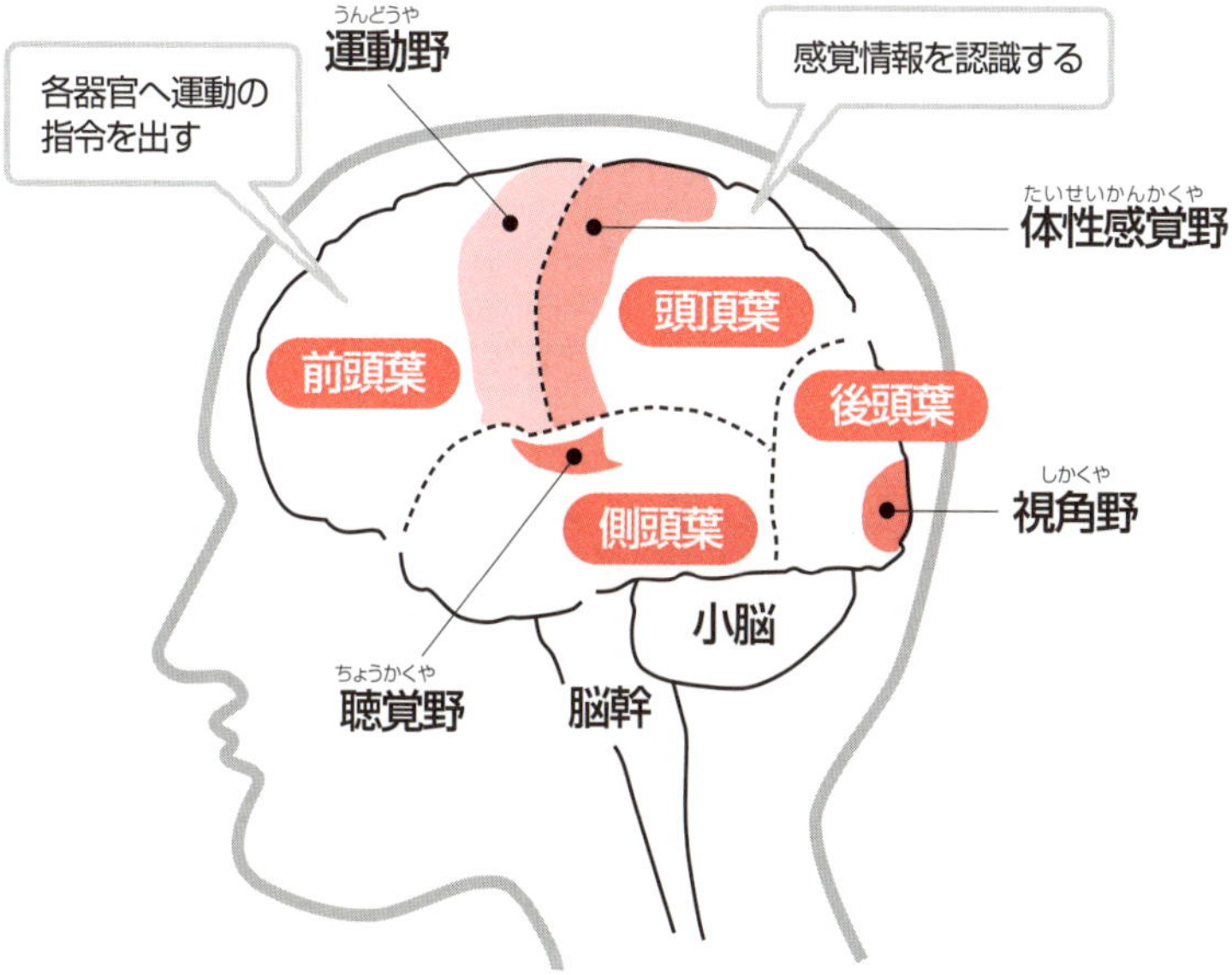
運動野《うんどうや》
各器官へ運動の指令を出す
感覚情報を認識する
体性感覚野《たいせいかんかくや》
頭頂葉
前頭葉
後頭葉
視角野《しかくや》
側頭葉
小脳
聴覚野《ちょうかくや》
脳幹

人間はものごとをどうやって認識しているのだろう？

同じものを見ても、人によって見え方が違う

私たちは、常に五感（視覚・聴覚・触覚・嗅覚・味覚）を働かせてあらゆる情報を取り込んでいます。たとえば、あなたが自分のほうに向かって猛スピードで近づいてくるオートバイを見たら、急いでよけようとするでしょう。これはごく当たり前の行動です。

この当たり前の行動をとるまでに、人間の行動にはどのようなメカニズムが働いているのでしょうか。

まず、オートバイにあたる光が反射して目に映り、この目に映った像が神経を伝わって大脳の視覚中枢《しかくちゅうすう》に届き、オートバイだとわかります。これが視覚です。ここまでは「感覚」の分野です。次に、オートバイだとわかったときに、どのような行動をとるかは「知覚」の働きによります。

実は、私たちは現実の周囲の環境を、そのまま受け止めているわけではありません。今までの経験やそのときの心理状態などによって知覚が働き、その情報が重要かそうでないかを選択して認識しているのです。ですから、同じ絵を見ても、自分が感じることと、他人が感じとっているものが全然違うということが起こるわけです。

また、自分の経験が加わって見たり感じている環境と、実際のいわば客観的な環境にはズレが生じているともいえます。ものを見たり聞いたりする知覚は、心と深い関係にあるのです。

感覚と知覚はどう違う?

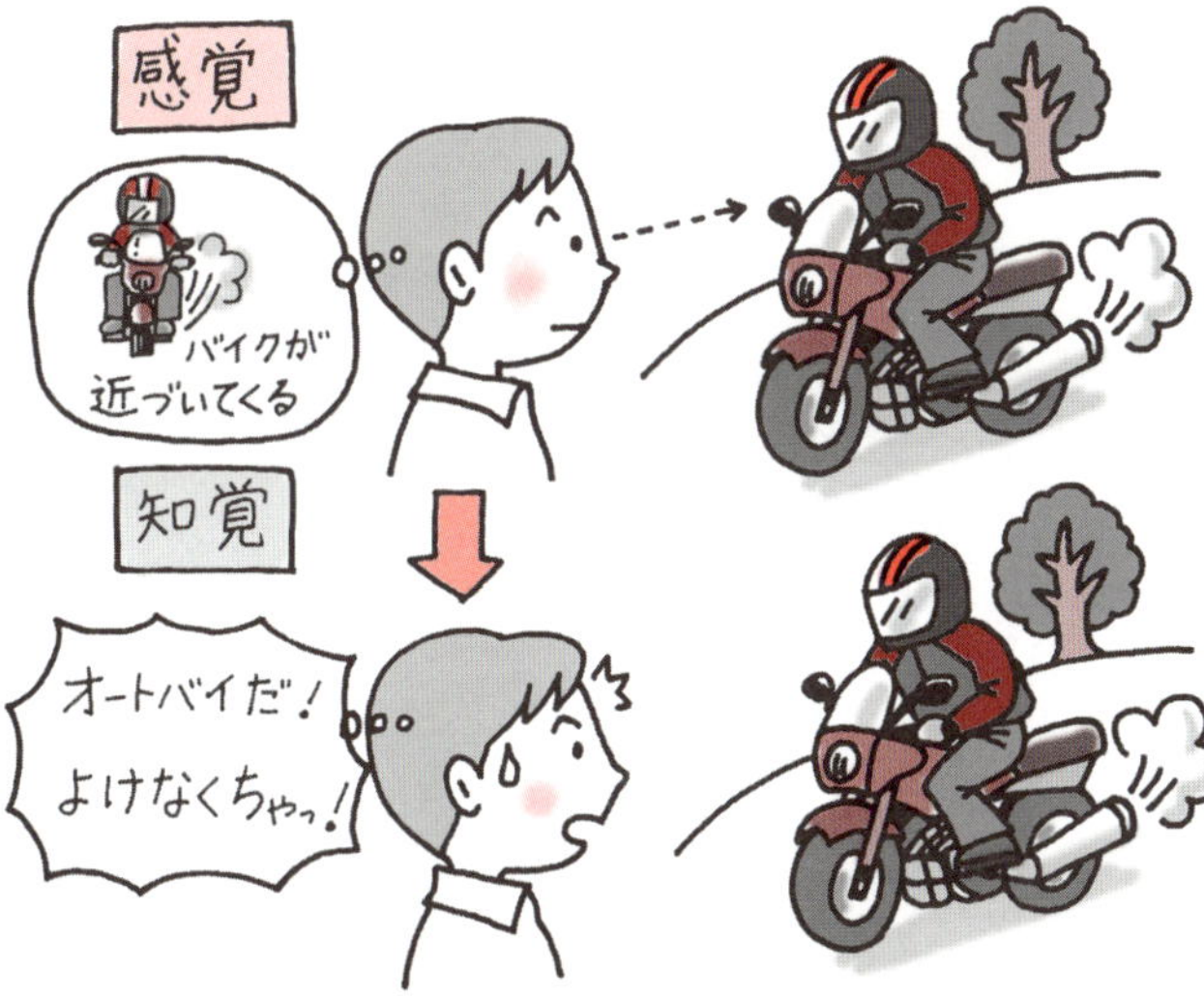
感覚
バイクが
近づいてくる
知覚
オートバイだ！
よけなくちゃっ！

「認知心理学」は人間の知的活動を分析する

ものを認識したり、覚えたり、思い出したり、考えたりというさまざまな活動は、すべて**認知心理学**の領域とされます。

認知心理学は、比較的新しい分野の心理学ですが、ここでいう認知は「知覚、記憶、思考など、人間の頭の中で行われる心的機能の総称」と定義されています。簡単にいえば、人が行う知的活動のことです。

認知心理学は人間を複雑な情報処理システムと考え、人の心を、脳というコンピュータで作動しているソフトウェアのようにとらえているのが特徴です。そして情報が伝達、記憶、処理されるプロセスを解明するとともに、その働きを目に見える形でモデル化することを目指しています。

また、記憶の研究と並んで、人が推論を働かせる過程の分析も重要なテーマのひとつです。

さまざまな情報を人はどうやって処理しているのだろう？

無意識に行われる情報処理

さて、今あなたは駅のホームで誰かと話をしているとします。構内アナウンスや周りの人の話し声が多少大きくても、あなたは相手との会話に集中しているのであまり気にならないはずです。

というのも、実は私たちは一種のフィルターを無意識に働かせて、関心のある情報以外はシャットアウトしているのです。その状況をテープに録って聴いてみれば、耳に入らなかった周囲の音もしっかりと録音されているはずです。

こうした無意識のうちに行われる情報処理を、**カクテルパーティ効果**と呼びます。ただし、本人が意識していない情報が、完全に遮断されているわけではありません。車の騒音が激しい道端でも、名前を呼ばれれば、大半の人は気づくはずです。

つまり、私たちは意識していない情報でも、その内容が重要かどうかを、無意識のうちに処理しているのです。

頭の中にあるネットワーク

あるひとつの概念に関連があるものはその近辺に、関連の薄い概念は遠くにというように、人間の記憶はさまざまな概念や知識がネットワーク状に配置されていると認知心理学では考えています。そして、それぞれの概念（ノード）は、リンクによって結ばれているとしています。

ところが、先に入ってきた情報処理のしかたによ

人間の記憶はネットワーク状に配置されている

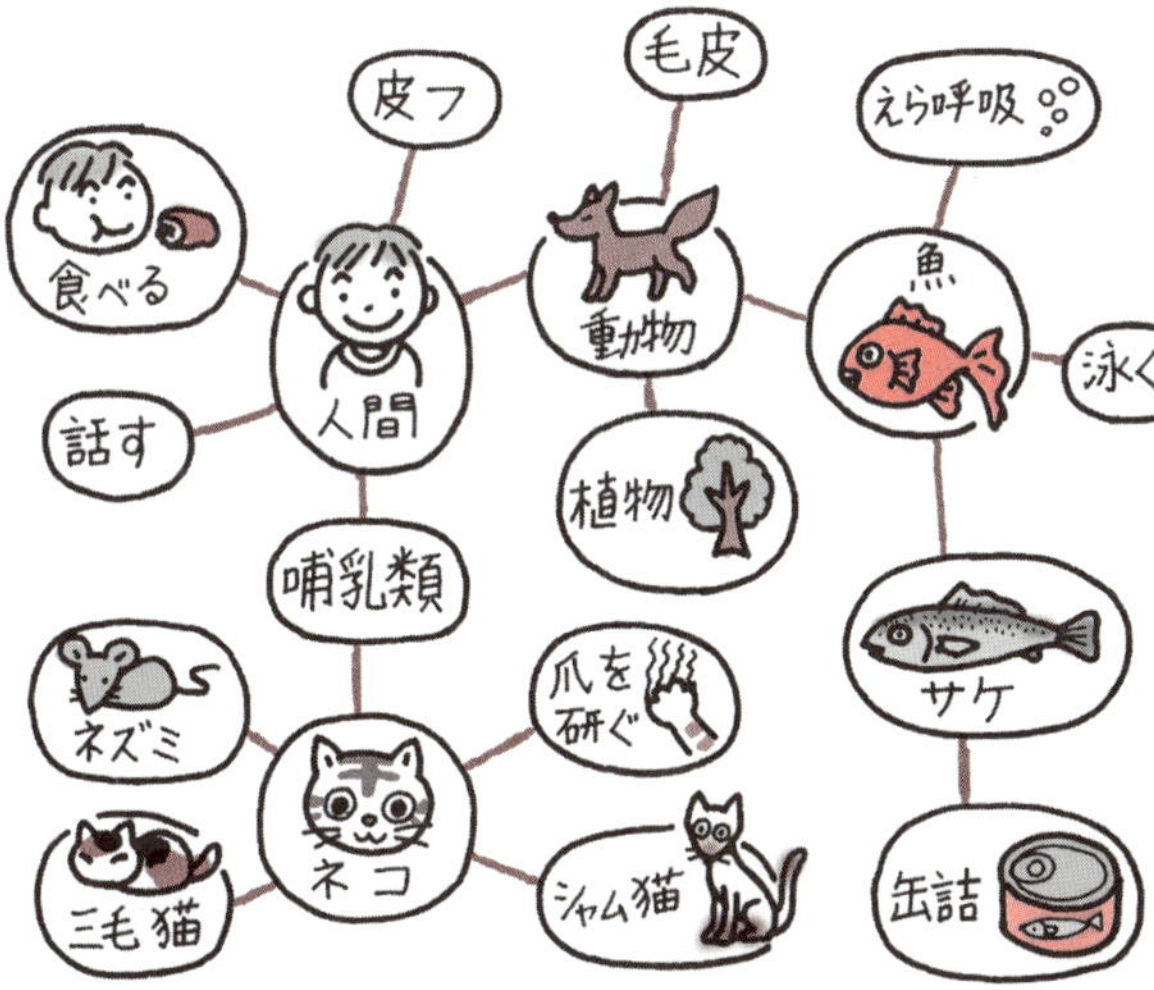

って、後から入ってきた情報の処理速度に影響があることが証明されています。これを**プライミング効果**といいます。

たとえば、単語完成テスト（例：しん□□く）を行う場合、答えになる語（例：しんりがく）を事前に見せた場合は、見せていない場合と比べて正答率が高くなります。

また、ある語（例：しんりがく）を呈示した後に自由連想テスト（例：「カウンセラー」からはじめる連想など）を行うと、呈示された語は呈示されていない語に比べて出現率が高くなります。

逆に先行刺激が後続刺激の処理に抑制効果をもたらし、思い出しにくくなる場合もあります。

つまり、人間はひとつのプライムを処理すると、無意識のうちにそれに近い概念を活性化させ、リンクを伝わってネットワークを広げているのです。

このため活性化された概念は、ほかの概念に比べて処理されやすくなるのです。

瞬間保存から長期保存まで、記憶の保存方法はさまざま

すぐ忘れる記憶と忘れにくい記憶がある

過去に経験したことを、必要に応じて思い出せるように保持することを**記憶**といいます。しかし、人は経験したことをすべて記憶として保持し、自由に思い出せるわけではありません。

幼なじみの名前のように昔に覚えたことはいつまでたっても思い出せるのに、数分前に会ったばかりの人の名前は簡単に忘れてしまうといった経験は誰にでもあることです。

このように記憶とはとても不思議なもので、心理学の分野では、古くから多くの研究者が記憶を研究対象としてきました。

その代表者が**アトキンソン**とシフリンです。一般的に記憶は、彼らの研究にしたがって、「感覚貯蔵の記憶」、「短期記憶」、「長期記憶」の3つに分けて考えられています。

◎感覚貯蔵の記憶…次々と忘れていく短命な記憶

感覚貯蔵の記憶とは、見たまま、聞いたままを保持する記憶です。たとえば、「あたたかい」という文字を見たときに、感覚貯蔵の段階では、「あ」と「た」と「た」と「か」と「い」のように、バラバラの文字が視覚的な情報として入力されます。

私たちは常に、見たり、聞いたりして、多くの情報にさらされていますが、注意を向けられた情報だけが、次の記憶過程である短期記憶に貯蔵されます。注意を向けられなかった情報は瞬時に忘れてしまい

記憶にはさまざまな種類がある

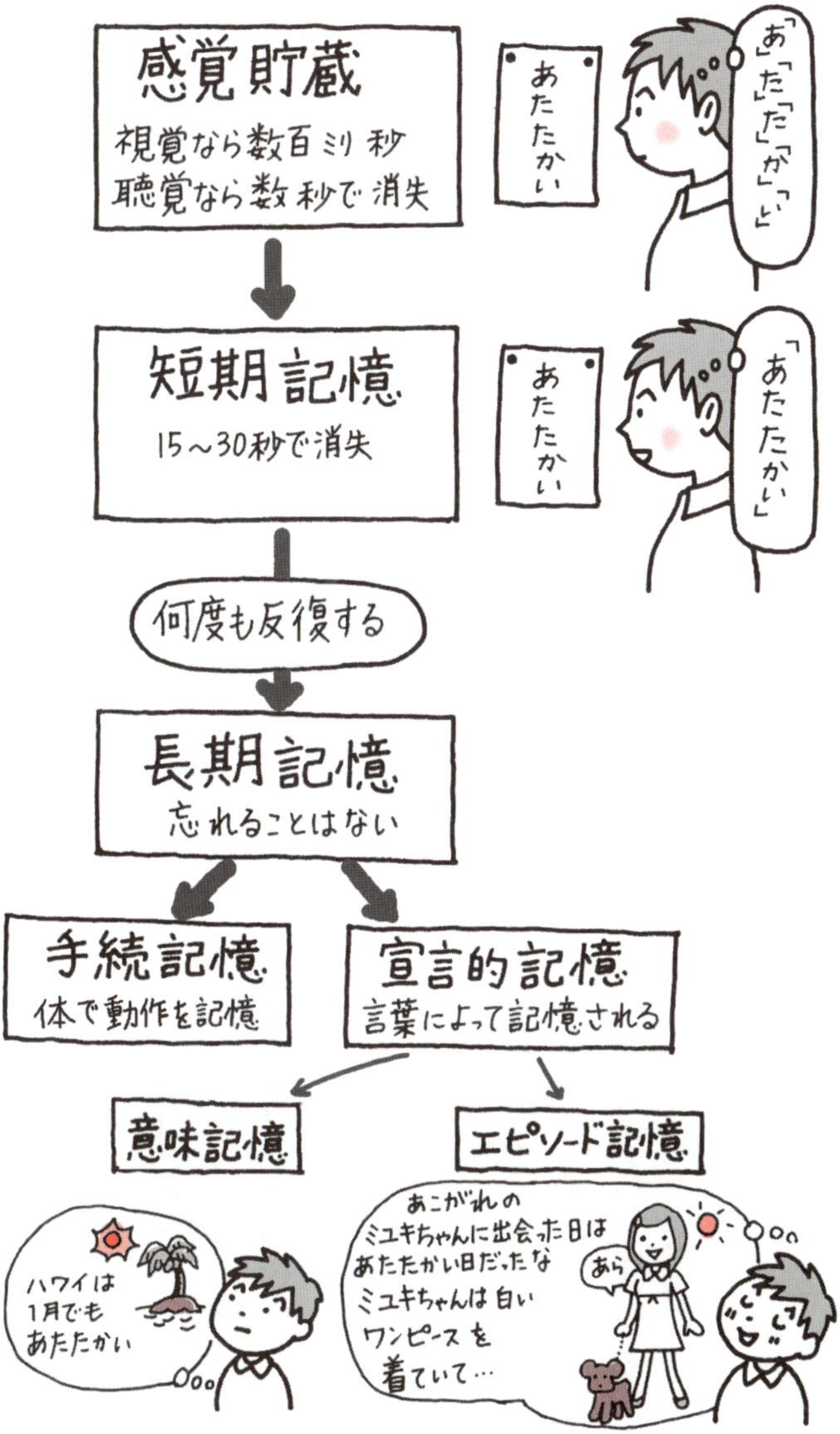
感覚貯蔵
視覚なら数百ミリ秒
聴覚なら数秒で消失
あたたかい
「あ」「た」「た」「か」「い」
短期記憶
15〜30秒で消失
あたたかい
「あたたかい」
何度も反復する
長期記憶
忘れることはない
手続記憶
体で動作を記憶
宣言的記憶
言葉によって記憶される
意味記憶
エピソード記憶
ハワイは
1月でも
あたたかい
あこがれの
ミユキちゃんに出会った日は
あたたかい日だったな
ミユキちゃんは白い
ワンピースを
着ていて…
あら

ますが、その速さは視覚情報なら数百ミリ秒以内、聴覚情報なら数秒以内といわれています。

◎短期記憶……一時的に保持する記憶

認知的な作業をするために、一時的に保持する記憶を短期記憶といいます。視覚的な情報として入力された「あ」と「た」と「た」と「か」と「い」の文字が、この段階ではじめて「あたたかい」という意味を持って理解されます。

短期記憶は私たちが、計算したり、本を読んだり、あるいは推理をしたり、あらゆる認知的な課題を遂行するために、記憶を一時的に保持する作業台のようなもので、「作動記憶」とも呼ばれます。

また、短期記憶は覚えた直後はすぐに思い出すことができますが、必要がなくなると忘れてしまいます。感覚貯蔵の記憶ほど短命ではありませんが、15秒から30秒以内には消失します。

短期記憶を長い間記憶にとどめておくためには、この時間内に何度も記憶を反復する（リハーサル効果）などして、長期記憶に送り込む必要があります。また、短期記憶として一瞬で記憶できる容量は4～7文字程度といわれています。

◎長期記憶……長期的に保持する記憶

いつまでたっても必ず思い出すことのできる永続的な記憶を長期記憶といいます。ときとして思い出すのに時間がかかることもありますが、一度長期記憶に落ちた記憶を忘れることはありません。

幼い頃の友人の名前や昔住んでいた家の住所などは、いつまでたっても覚えているものです。仮に忘れたと思っても、それは思い出せないだけなのです。すっかり忘れていたことを、あるきっかけでハッと思い出したという経験はよくあるでしょう。私たちが日常いう「記憶する」とは、この長期記憶を指しています。

また、長期記憶はその内容によって2つに分けられます。ひとつは言葉によって記憶される**宣言的記憶**です。一方、自転車の乗り方のように言葉では記憶されないものを**手続記憶**といいます。

さらに宣言的記憶は、一般的な知識としての記憶である**意味記憶**と、ある特定の出来事に関して記憶される**エピソード記憶**に分類されます。

さまざまなかたちの記憶がある

このほかにも、記憶にはさまざまな種類があります。ここで、代表的なものをいくつか紹介していきましょう。

◎フラッシュ・バブル記憶……写真のように焼き付けられる

フラッシュ・バブル記憶とは、劇的で感情的な出来事が、そっくりそのまま、写真のように焼き付け（閃光）られる記憶のことです。

有名な例として、ケネディ大統領の暗殺事件があげられます。ニュースで事件の映像を見た人々の多くは、暗殺場面のショッキングな光景が脳裏に焼き付けられ、まるで写真を見ているかのように鮮明かつ詳細にその場面を思い出すことができました。

このような記憶は他の記憶とは違ったメカニズムによるものと考えられますが、ショッキングな場面で起こりやすいので、後に**トラウマ**（Ｐ２８６参照）になる危険も含まれています。

◎自伝的記憶……自分の将来を振り返って再現する

人が自分の生涯を振り返って再現する個人的な記憶を自伝的記憶といいます。

強い感情や個人的な意味を含んでいて、アイデンティティと密接に関係しています。そのため、再生された記憶は必ずしも事実として正しいとは限りません。無意識のうちに辛い記憶は抑圧され、多分に創作に満ちた記憶になってしまいます。

たとえば、夏休み直後では、よい思い出も悪い思い出も両方を記憶していますが、「夏休みは楽しかった」と自覚すると、時間を追うごとに悪い思い出は消失し、よい思い出だけが記憶に残るようになります。

また、一般的に自伝的記憶として想起されることは、10歳から30歳までの出来事が多いようです。それだけ、その年代が人生にとって大きな意味を持っているということでしょう。

◎記憶錯誤…思い込みで記憶がゆがめられる

経験したことが誤って追想されたり、空想が混同されたりして記憶が歪曲《わいきょく》されることを記憶錯誤といいます。

アメリカの心理学者である**オルポート**は、イメージ操作の研究のため、ある実験を行いました。それは電車の中の風景を描いた絵を被験者に短時間だけ見せ、誰がナイフを持っていたかを質問するというものです。

絵の中の乗客は、１人だけがアフリカ系アメリカ人で、後は全員白人でした。実際にナイフを持って描かれていたのは白人でしたが、質問に答えたアメリカ人の半数以上は、ナイフを持っていたのはアフリカ系アメリカ人であると答えました。人々の心にある偏見が、記憶をゆがめてしまったといえるでしょう。

このように、人がいろいろなものや出来事を見るときには、その人の経験やある種の偏見に基づいて対象をゆがめてしまう可能性があります。

ちょっとした思い込みで記憶はゆがめられちゃうから、注意が必要だね

与えられる情報の違いで記憶錯誤が起こる

記憶②

覚えたはずなのに、思い出せないのはなぜだろう？

思い出せない記憶、失われた記憶

せっかく覚えた記憶も、保存方法や引き出し方によってなかなか思い出せないことがあります。ここでは、主な例をあげていきましょう。

◎メモリーブロック……喉まで出かかっているのに、思い出せない！

喉まで出かかっているのに、どうしても人の名前が思い出せない、という経験は誰にでもあるでしょう。これを、**メモリーブロック**といいます。

メモリーブロックは緊張しているときや疲れているとき、体調の悪いときに起こりやすくなる現象です。若い人よりは高齢者に多く見られます。

メモリーブロックのとき、若い人は相手の名前が思い出せなくても、相手がなにをしている人なのか、どこに住んでいる人なのかなど、相手にまつわるいろいろな情報を思い出すことができます。ところが、高齢者はその人に関する記憶がそのまますっぽりと消えてしまいます。

たしかに年をとると、手がかりなしに記憶を再生する能力は落ちるようです。しかし反対に、手がかりによって思い出す記憶の再認は衰えることがありません。

メモリーブロックが起こったら、高齢者は無理やり思い出そうとはせずに、気楽に待ったほうがいいようです。

◎アルコール・ブラックアウト……酒の失態は、酒の席で思い出される

飲み過ぎた次の日に起きてみると、飲んだときの記憶がすっかりなくなっていた、という経験がある人は多いのではないでしょうか。

深酒によって記憶を失うことを、**アルコール・ブラックアウト**といいます。

体重1キログラムあたり2・2ミリリットルのウォッカを空腹時に10分間で飲み干し、酔いが回ったところで地図の路線を覚えるという実験がありました。

その結果、酔った状態で記憶したものをしらふのときに思い出そうとすると、記憶の再生能力が落ち、反対に、しらふのときに記憶したものは酔った状態では思い出しにくくなることがわかりました。この実験結果によると、嫌なことを酒で忘れようとするのも一理あるわけです。

ところがおもしろいことに、酔ったときに記憶したものを再び酔った状態で思い出す場合には、記憶の障害はほとんどありませんでした。

ちなみに、酒を飲んで記憶したことを酒を飲んで思い出す場合と、しらふのときに記憶したことをしらふのときに思い出す場合とでは、記憶の再生に大きな差はありません。つまり、飲酒時に起こった嫌なことは酒で忘れることはできず、かえって思い出しやすくなってしまうというわけです。

酔った勢いで犯した失態が、宴会のたびに話題になるのはこういうことだったのです。

記憶のメカニズムを利用して効果的な記憶方法を身につけよう

記憶力をよくする5つの方法

記憶力のよい人を見て、脳の構造が違うのではないかと疑ったことはないでしょうか。しかし、心理学の研究結果では、記憶力の良し悪しに生まれながらの能力の差は認められません。ただ、記憶の達人といわれる人たちは、皆それぞれに独自の記憶術を編み出しています。そしてその記憶術とは、意外と簡単に習得できるものばかりです。

代表的なものを5つあげるので、さっそく試してみてはいかがでしょうか。

◎物語構成法

記憶しなければいけない事柄をつなげ、ストーリーにまとめて記憶する方法です。

◎場所法

自分の部屋などなじみ深い場所と、記憶しなければならない事柄を、頭の中で結びつけて記憶する方法です。

思い出すときに部屋の風景を思い描くだけで、記憶が再生されやすくなります。これは「対連合学習」という学習法の一種です。

◎数の止め釘法

あらかじめ「1がイチゴ」「2がニンジン」というような具合に、1から10までの数字とある事物を結びつけてよく覚えておきます。あとは記憶しなければならない事柄をその事物と結びつけて順番に記憶するだけです。

イチゴ、ニンジン……と1から10までの事物を思い出すだけで記憶が再生されやすくなります。これも場所法と同じく「対連合学習」です。

◎チャンキング

数字の羅列《られつ》などを記憶する場合、記憶に残りやすいように3つから7つに区切りを入れて覚える方法です。

アメリカの心理学者ミラーは、実験の結果、この最大量を3～7程度であるとし、**マジカルナンバー**と呼びました。

たとえば、8ケタの電話番号をそのまま覚えようとしてもなかなかうまくいきません。そのため、電話番号は〇〇〇〇・〇〇〇〇と4ケタで区切り、覚えやすくしてあります。このように覚えやすく区切られた意味のあるまとまりを「チャンク」と呼びます。

4ケタの車のナンバーや、一般的に4～5文字の姓名もひとつのチャンクです。また、3～7でまとめることは、人の記憶に訴えやすくなることから、企画書などはこの数の項目でまとめると理解しやすくなるでしょう。

◎ごろ合わせ

歴史の年号を覚えるときによくやる方法です。鎌倉幕府が成立した1192年を「イイクニつくろう鎌倉幕府」とごろ合わせする記憶法は誰にでもなじみのあるものです。

記憶術を活用すれば記憶の達人も夢じゃない!?

人は他人の顔をどうやって識別しているのだろう？

個々の顔をどう識別している？

個々人の顔の構成要素やその配置は、非常によく似ているものです。私たちは日常生活を送る上で、その微妙な差異を間違いなく判別し、誰であるのかを瞬時に認識しなければなりません。そのためには、大勢の人の顔が的確に記憶されていることが必要になります。

いったい私たちは、どうやってそれだけ多くの人の顔を記憶し、思い出しているのでしょうか。顔にも記憶しやすいもの、記憶しにくいものがあるのでしょうか。顔の記憶には次の3つの特徴があげられます。

◎孤《こ》立《りつ》効《こう》果《か》

ほかの人とは違った形状を持つ顔、たとえば馬面であるとかおちょぼ口であるなどといった特徴を持っていると記憶されやすくなります。また、形状の違いだけではなく、魅力的な顔であることも記憶されやすい効果を持ちます。

◎意《い》味《み》処《しょ》理《り》優《ゆう》位《い》性《せい》効《こう》果《か》

顔から受ける印象を性格特性と結びつけると記憶されやすくなります。たとえば、「外向的でしっかりしていそうな人」と見受けた人の顔は、「外向的」「しっかりしている」という性格をあらわす言葉を聞いただけで思い出しやすくなります。

◎既知《き》知《ち》性《せい》効《こう》果《か》

はじめて会う人よりは、見たことのある人の顔のほうが思い出しやすくなります。

子どもと大人で顔の識別能力が異なる

子どもと大人とでは、人の顔の識別能力が違います。大人は顔全体を統一されたイメージとして記憶し、その人を認識（再認）することができますが、そのような能力は10歳程度になるまで完成されません。それまでは、目や鼻や口などの顔の部分ごとに着目して人の顔を判断しています。これを**モンタージュ**（再生）といいます。

いつもはかけないメガネをかけただけで、子どもは見慣れているはずのその人が誰なのか判断できなくなることがあります。それは人の顔を全体のイメージで確認することができず、ある一部分だけで判断しているからです。

このように顔を部分で識別する能力は、生後5カ月くらいから発達します。その頃になると、赤ちゃんはお母さんの写真が見知らぬ他人の写真と違うことを判断できるようになります。

赤ちゃんが人の顔をのぞき込むようにじっと見つめているのは、部分から顔の違いを判断しようとしているからです。

「目に映ったそのもの」ではなく、もともと知っている通りに知覚する

目に映るものは意外とあいまい

私たちは、目に映るものは「現実である」と考えています。しかし、目でキャッチする情報（主観的世界）と、実際の事物（客観的世界）は、必ずしも一致しません。

その典型的な例が**錯覚**です。心理学でいう錯覚とは、主観的世界と客観的世界のズレがわかっていながら、知覚がそのズレを修正できない状態をいいます。

イギリスの心理学者グレゴリーは、錯覚の原因は物を見るときに無意識にその物との距離を考え、距離に合わせて対象物の大きさを認識していることにあるといいます。また、距離が倍になれば網膜《もうまく》に映る遠ざかる人の映像も、当然半分の大きさになっているのに、私たちはそんなに小さくなったとは感じません。これは人間の視覚に、対象を同一人物として認識するために安定して知覚される「恒常性《こうじょうせい》」の傾向があるためです。

つまり、私たちが知覚しているのは、「目に映ったそのもの」ではないのです。もともと知っている通りに、ものを知覚しようとしているのです。

このほかにもいくつかの説がありますが、まだ統一された原理は確立されていません。

錯覚にもいろいろある

日常生活の中でも錯覚はいろいろなものに利用されています。たとえば、狭い場所を広く見せようと

するときに、壁に遠近感のある絵を描いたりします。また、女性がアイシャドーを塗るのも、顔に凹凸があるように錯覚させるためでしょう。

　このような視覚による錯覚のことを、心理学では**錯視**《さくし》と呼んでいます。そのうち、幾何学的な図形によって錯覚が起きるものを**幾何学的錯覚**といいます。錯覚画家エッシャーの有名な『上昇と下降』のように、階段を上っているはずなのに、なぜか元の位置に戻ってしまうという作品なども、この幾何学的錯覚を利用したものです。

　心理学でおなじみの幾何学的錯覚をいくつか紹介しましょう。

直線が曲線に見える

図形AとBに描かれている2本の線は、曲がっているように見えるが、実は直線。背景の影響を受けて錯覚が生じているために起こる。

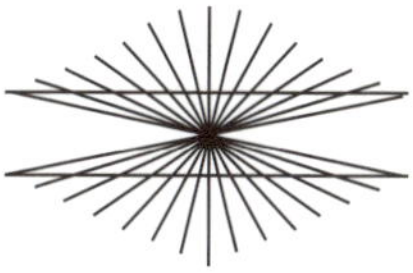

（ヘリングの錯視）

（ヴントの錯視）

怪奇な直線

下の直線はすべて平行だが、背景にある矢羽根の影響を受けて平行には見えない。

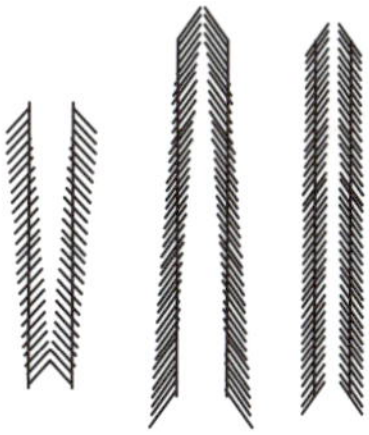

（ツェルナーの錯視）

aとb、cとdも直線だが、長方形が線の一部を隠したために折れているように見える。

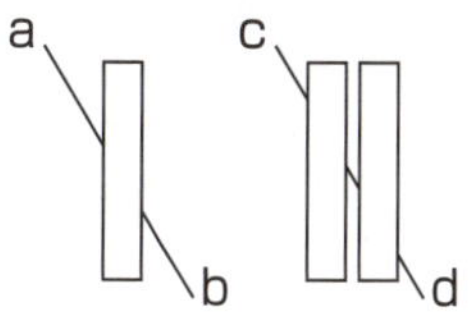

（ポッグンドルフの錯視）

図と地

2つ以上の領域が知覚されるとき、どれかひとつの領域が浮かび上がって輪郭をなし、それ以外の領域は背景として退いて意識されないまま処理される。ルビンは、この浮かび上がって知覚される領域を「図」、背景に退く領域を「地」と呼んだ。

はじめに杯に見えた図も人の横顔を意識して見ると、しだいに向かい合った人の顔として浮かび上がり知覚される。その反対もある。どちらを意識するかで、杯と横顔は反転する。

（ルビンの盃）

縦縞と横縞のトリック

縦縞も横縞も正方形を等分しただけだが、横縞のほうが正方形よりも縦長に見えるだろう。太った人は縦縞の服を着れば痩せて見えるというが、この図形によれば効果的なのは横縞ということになる。

実在不可能な図形

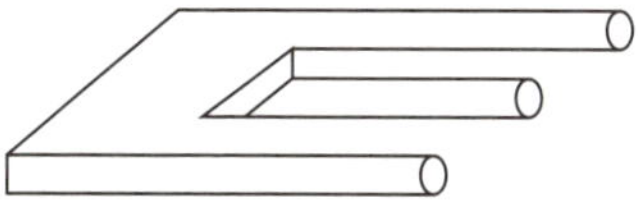

左の図形は、ぱっと見ると奥行きのある三次元の立体のように見えるが、よく見ると奇妙な二次元の図だとわかる。人間の目が立体としてとらえようとするために錯覚が生じるが、人間の目ではなかなか二次元に見ることができないようだ。

奥行きのいたずら

左の絵の3人の女性は、実は皆同じ大きさとなっているが、背景の奥にいる女性ほど背が高く見えるだろう。これは背景の奥行きを無意識に判断して、網膜状に結ばれる像の大きさと対比させて背が高いと見てしまうためである。反対に小さい像ほど、遠くにあるように見える。

ゆがんで見える四角形

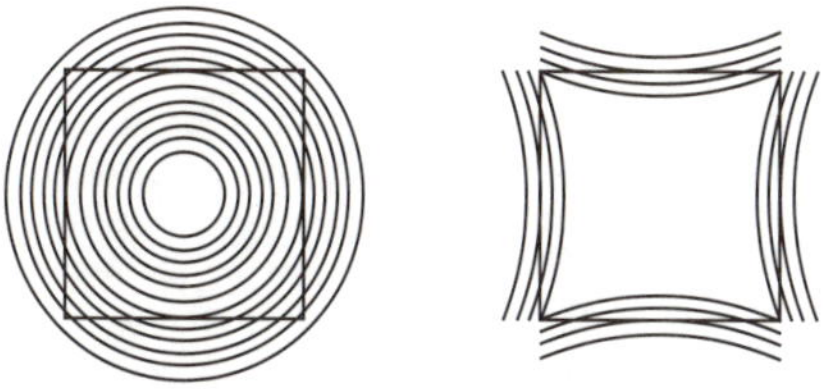

上に描かれた図形は、すべて正方形だが、背景になっている図形の影響で、辺の長さが違っていたり、辺が曲がっているように見える。

相手に気づかれないうちに潜在意識に働きかけることができる？

刺激が感覚として残っている

左ページの図のような渦巻きの回転盤を回してみると、回転方向によって広がったり縮んだりして見えるはずです。しばらくこれを見つめた後に、回転を止めるか、静止したものに視線を移すと、この渦巻きとは逆方向の拡大や収縮が見られます。

このように、前に見た刺激がなくなってからも、その感覚が残っていることを**残像《ざんぞう》**といいます。前述のような物理的運動をともなう残像を**運動残像**といいます。ただし、物理的な運動がなくても、心理的な運動知覚によっても起こります。

残像現象が起こる原因は、目の生理的なしくみによります。人間の脳は、動くものなどを見つめていると、視神経から送られてくる情報に刺激され、興奮状態となります。興奮が続いているうち、つまり脳の視覚野が前の像を認識し続けている状態で、目から別の情報が送られると、動いていないものが動いているように見える錯覚が起こるわけです。

サブリミナル効果で人間の行動を操れる!?

サブリミナル効果という言葉を聞いたことがある人も多いでしょう。これは残像現象を利用して、相手に気づかれないうちに潜在意識に働きかけ、行動に影響を与えるものです。

１９５６年、アメリカのニュージャージー州の映画館で、映画フィルムの１コマに「コーラを飲め」とか「ポップコーンを食べろ」という文字を入れて

渦巻きを回してみよう

回転盤を回しながらしばらく見つめていると、
回転を止めた後には逆方向に回って見える

上映が行われました。ほんの1カットですから、観客は文字を読んだ意識もなければ、見たことすら気がつきません。ところが、その日の売上げがコーラは2割、ポップコーンは5割も伸びたといわれています。

　また、人間の潜在能力を発揮させるという「サブリミナルテープ」が発売されて話題を呼びました。ふつうの音楽に、人間には聞こえない超低周波か超高周波の音声メッセージを重ねて収録されているというテープを継続して聞くと、メッセージが潜在意識に働きかけ、聞く人のコンプレックスを解消したり、性格を積極的にする効果があるそうです。

　アメリカの人気テレビドラマ「刑事コロンボ」でも、心理学者がサブリミナル効果を利用して相手の行動をコントロールすることによって殺害するという話がありました。

　ただし、サブリミナル効果は話題のおもしろさが優先しており、実際に人間の行動にどれほどの影響を与えるのか実証されているわけではありません。人間の深層心理を解明するための研究課題のひとつとなっています。

「色」と「心」の関係を探る色彩心理の世界

色が感情に影響を与える

カーテンや壁紙の色を変えると気分が一新したり、明るい色の服を着ると気持ちまで明るくなったりします。こうした色の持つ心理的効果は、誰もが思いあたることでしょう。

色と感情の関係に、はじめて注目したのはドイツの詩人・作家であるゲーテです。

ゲーテは、すべての色は白と黒との対立であらわされるという『色彩論』を著しています。その中で黄色は明るく・強く・熱く・近く見える「プラスの性質」を、青は暗く・弱く・冷たく・遠く見える「マイナスの性質」を持ち、互いに対立する色であるとしています。

色はさまざまな場所で活用されている

色のイメージには人類に共通な部分が多く残されていることもたしかです。身につけている衣装の色でその人の印象がある一定のものへと変化したり、本人自身にもある共通した影響を与えることがあります。

たとえば、赤い色はあたたかさや熱さを感じる色です。この色の洋服を着ている人は、活動的でエネルギッシュな印象を与えます。また、赤い下着を身につけることは、血のめぐりをよくして、冷えから身体を守るとされています。

黄色は解放感や希望などの明るいイメージを与えます。『黄色いリボン』や『幸福の黄色いハンカチ』

など、黄色は映画の中でも洋の東西を越えて幸せのシンボルとして扱われてきました。新陳代謝《しんちんたいしゃ》をよくして、食欲を増進させる効果もあるようです。

また、緑は森林浴と同じ鎮静効果のある色とされています。

こうした色による心理効果は、ファッション産業のみならず、医療現場でも早くから積極的に取り入れられてきました。

たとえば、かつては手術用には白布や白衣が使用されていましたが、現在では血の色が目立たないように緑色になっています。手術後の患者の神経を鎮めるために、壁に緑色が使われていることも多いようです。

人の第一印象は、視覚から入ってきた情報が影響します。とくに洋服の色は、その人のイメージを構成する大きな要素となりえます。ＴＰＯに合わせて色を使い分けることは、印象操作にも一役買ってくれることでしょう。

日本人が好む色とは？

以上のような色のイメージはある程度普遍的なものですが、国や文化、個人によってイメージが異なることがあります。

たとえば、日本では紫を高貴な色と考えますが、中国では黄色が高貴な色として扱われます。さらにそれは個人にとってもさまざまです。

では、日本人はどのような色を好むのでしょうか。日本人は基本的に中庸《ちゅうよう》を好む傾向があります。とくに、服装などの色には自己主張の意味があるので、自分だけが目立たないように、ほかの人と同じ色を身につけるようになります。これは**同調行動**のひとつです。

サラリーマンのスーツにグレーや紺など目立たない色、はっきりしない色が多いのも、中庸を好む気持ちのあらわれといえます。

さらに、ある調査で日本人の色の好みを分析した結果、年齢や男女差によって、次のような特徴が見られました。

①年齢が低いほど明るく鮮やかな色が好まれ、加齢とともに暗くにぶい色に好みが移る。

②年齢差は色の種類ではなく、明度や彩度にあらわれる。

③低年齢層では特定の色に好みが偏る傾向にあり、加齢とともに好みが分散していく。

④女性は紫から赤にかけての色、男性は青系の色を好む。

⑤女性は淡いトーン、男性は鮮やかなトーンや暗いトーンを好む。

⑥女性の好みは分散しているが、男性は特定の色に集中しやすい傾向がある。

ただし、毎年、流行色が変わるように、色の好みは移ろいやすいものです。最近では、ファッション界や化粧品業界が流行色をつくり出している風潮が見られます。

色の好みで性格がわかる？

スイスの心理学者ルッシャーによれば、色の好みには心理学的な意味が隠されているそうです。

朝、なにを着ていこうかと悩むとき、今日は気分がいいなという日は明るい色、体調がすぐれず頭の痛い課題を抱えているときは暗い色を選ぶというのも、心理的な影響といわれています。ただし、皆さんそれぞれに、基本的にこの色が好き、嫌いといった好みがあるはずです。

どんな色を好むかによって、その人の性格的傾向を読み取ることができることも報告されています。参考までに、代表色である青・緑・赤・黄・紫・茶・黒・灰色による性格分析を次ページに載せておきます。果たして、あなたの好きな色と性格は一致するでしょうか。

好きな色で性格がわかる？

青　穏やかな海を象徴し、物静かな性格、女らしさなどをあらわす。この色が好きな人は安定した性格の持ち主。周囲の人との信頼関係に気を配り、礼儀を大切にした対人関係を心がけている。

緑　堅固さ、自負心、優越感などをあらわす。この色が好きな人は、我慢強く、堅実な考え方の持ち主だが、自己主張すべきときは冷静に主張することができる。

赤　欲望や征服欲、男らしさをあらわす。この色が好きな人は、さまざまな欲望の持ち主で、それらを積極的に手に入れようとする行動派。仕事に対しては積極的だが、時々興奮して仲間を攻撃したり、怒ったりすることがある。

黄　快活さ、明朗さ、あたたかさをあらわす。この色が好きな人は、野心に満ち、大きな夢を追うような勤勉家。ただし、いつも快活で個性的にふるまおうと無理をしないようにすること。

紫　神秘性、感覚的、エロチックなものをあらわす。この色が好きな人は、繊細で感受性が強く、ロマンチストで心の豊かな人。

茶　暖炉、家庭、家族に象徴される安全性をあらわす。この色が好きな人は、協調性があり、人づき合いがよいので、人から相談されることが多い。

黒　拒否、断念、降伏、放棄などをあらわす。この色が好きな人は、思うようにならない現状を変えようと努力するが、飽きっぽい面もあり、その葛藤に悩むことがある。

灰色　我関せずといった気持ちをあらわす。この色が好きな人は、優柔不断で自己中心的、他者依存的なところがある。

心の健康に音楽を。音楽心理学の世界

音楽は心を健康にする

音楽は、心の健康に効果があるといわれています。『旧約聖書』にはサウル王がダビデのハープによって心を慰められた話が描かれ、また神聖ローマ皇帝カール6世は、ファリネリの歌声を聴いてうつ病が治ったといわれています。

音楽心理学は、ベルリン大学のシュトゥンプの音の研究にはじまり、第一次大戦後、アイオワ大学の**シーショア**が音楽才能の心理学的研究によって**シーショア・テスト**（音楽才能検査）を考案し、古典的名著といわれる『音楽心理学』を著しました。

第二次大戦後は、音楽の機能性の研究とその応用が急速に進み、単調作業や騒音、不安などのストレス環境を和らげ、生活しやすい能率的な状況をつくるために**環境音楽**が生まれました。

さらに、それを精神病などの療法に使うＢＧＭ療法、即興演奏などによる抑圧感情の解放、合奏による集団療法、音楽的心理劇などの音楽療法が登場しています。

音楽療法の方法とその効果は？

音楽療法とは、治療者が音楽を手段として患者の自由な自己表現をうながし、行動の変化を引き起こそうとするもので、**芸術療法**（Ｐ３００参照）のひとつです。受動的に聴くだけの音楽鑑賞と、歌唱・コーラス・器楽演奏・作曲などに能動的に関わる方法とに分かれます。

音楽鑑賞で元気になる

たとえば失恋した時には…
♪さよ〜〜なら〜〜♪
うぅっ
♪グッバ〜イ マイ ラ〜ブ♪
失恋ソングに思いっきりひたってみる
＝同調
さっぱり

音楽鑑賞の療法には、患者の精神状態に近い音楽を用いる場合と、反対の音楽を用いる場合とがあります。落ち込んでいるときにはテンポのよい曲を聴いて元気が出ることもありますが、気分にマッチした曲を聴いたほうがいい場合もあります。悲しみを共感すること、つまり**同調**により気持ちが浄化されるからです。悲しい映画を見ながら思いっきり泣くと、気持ちがさっぱりするのと同じ心理です。

音楽療法の対象と考えられているのは、子どもでは精神発育遅滞、自閉症、学習障害など、大人では気分障害、神経症、心身症、アルコール依存症などです。ただし、病状の重い場合や自我の弱い患者に対してはあまり効果が見られない場合もあります。

最近は、認知症やホスピスにおける音楽効果も注目されています。さらに、ビジネスパーソンを対象にしたリラクゼーションなども音楽療法のひとつといえます。

アメリカでは、かなり以前から音楽療法が行われています。

PART 2
「人間の成長」と心理学

発達心理学とは?

誕生から死に至るまでの心身の変化を解明する

人間の発達を心理学的に分析してみる

発達心理学とは、人間が生まれてから死ぬまでの、心身の変化や行動などを解明するものです。

人として母親の胎内《たいない》に受胎したときから死に至るまでの長い一生の間の発達のことを、**生涯発達**（Life-Span Development）といいます。

実は、人の一生を生涯発達の視点に立って見るようになったのは、１９７０年代以降のことです。それまでは人間の寿命はせいぜい60年と考えられ、成人すれば人格的な成長・変化はなく、一生を終えていくだろうと思われていました。

しかし、平均寿命の延長にともない高齢者研究に対する関心が高まったこともあって、中年期・高齢期を通じた生涯発達的研究が本格的に行われるようになったのです。

87年にアメリカ人の心理学者バルテスは、「発達は全生涯を通じて常に獲得（成長）と喪失（衰退）とが結びつき起きる過程である」と述べています。これは、人の発達は成長し発達するばかりでなく、衰退していくもの（たとえば加齢とともに記憶力が衰え、足腰が弱る）も含めて考えるべきであるという、人の発達を捉える上での新しい視点となっています。

人間の一生を発達段階に分けてみる理論は数多くありますが、ここでは**エリクソン**の心理社会的発達理論を紹介します（左ページ参照）。

エリクソンの心理社会的発達理論

段階	心理的危機	重要な 対人関係	特徴
乳児期 0～1歳	**信頼** 対 **不信**	母親	誰か（親）を心から信頼できるという気持ちを持てるようになることが大切な時期。
幼児前期 1～3歳	**自律性** 対 **恥、疑い**	両親	自分の意思で排泄や生活をコントロールできることを学ぶ時期。
幼児後期 3～6歳	**自主性** 対 **罪悪感**	基本的家族	自分で考えて自分で行動することを覚える時期。大人は子どものやろうとする気持ちを大切に育てる必要がある。
児童期 6～12歳	**勤勉性** 対 **劣等感**	近隣、学校	やればできるという体験をして、勤勉に努力することを覚える時期。
青年期 12～ 20歳代半ば	**自我同一性** 対 **同一性拡散**	仲間集団、 リーダーシップ のモデル	自分はどのような性格なのか、将来どのような生き方をしたいかを模索しながらアイデンティティを確立していく時期。
成人前期 20歳代後半～ 30歳代半ば	**親密性** 対 **孤独**	友情、性、 競争、協力の 相手	特定の異性と親密な関係を持つことで相手を尊重し、大切に思う気持ちを育む時期。結婚して家庭を築く人が多い。
成人後期 30歳代後半～ 60歳代前半	**世代性** 対 **停滞**	分業と共有の 家族	次の世代の人々（子ども、孫、生徒など）のために知識・経験・愛情を継承していく時期。
高齢期 60歳代後半	**自我の統合** 対 **絶望**	人類	今までの人生を振り返り、自我の統合をはかる時期。

子どもが発達でたどる道筋

子どもの発達における主な特徴

「人間は生理的に早産の状態で生まれてくる」と述べたのは**ポルトマン**ですが、この言葉は人間が他の動物に比べて非常に未熟の状態で生まれてくることを意味しています（P74コラム参照）。

人間はいつの時代、どこの文化圏で生まれようともヒトという生物である以上、その発達の道筋には共通の特徴があります。発達における主な特徴を見ていきましょう。

◎第1の特徴「体の各部分は異なる時期に異なる割合で発達する」

脳神経系の発達は乳児期において著しい発達をし、脳重量でいうと6歳ですでに成人の約90％に達しています。また、生まれたときの頭部と全身との比率は1対4（4頭身）ですが、10代になると脚が伸びはじめ、8頭身へと近づいていきます。

◎第2の特徴「頭部から下部へ」

子どもは頭部から下部へと発達を進めていきます。たとえば乳児をうつ伏せに寝かせると、生後1カ月頃頭を持ち上げ、2カ月頃頭と肩までを腕でささえられるようになります。7カ月頃お座りをし、12カ月頃ひとり立ちができるという段階を経て発達をしていきます。

◎第3の特徴「中心から末端へ」

子どもは中心から末端へ、つまり胴体から肩、腕、指先へという方向性を持って発達していきます。子

子どもの発達に共通する5つの特徴

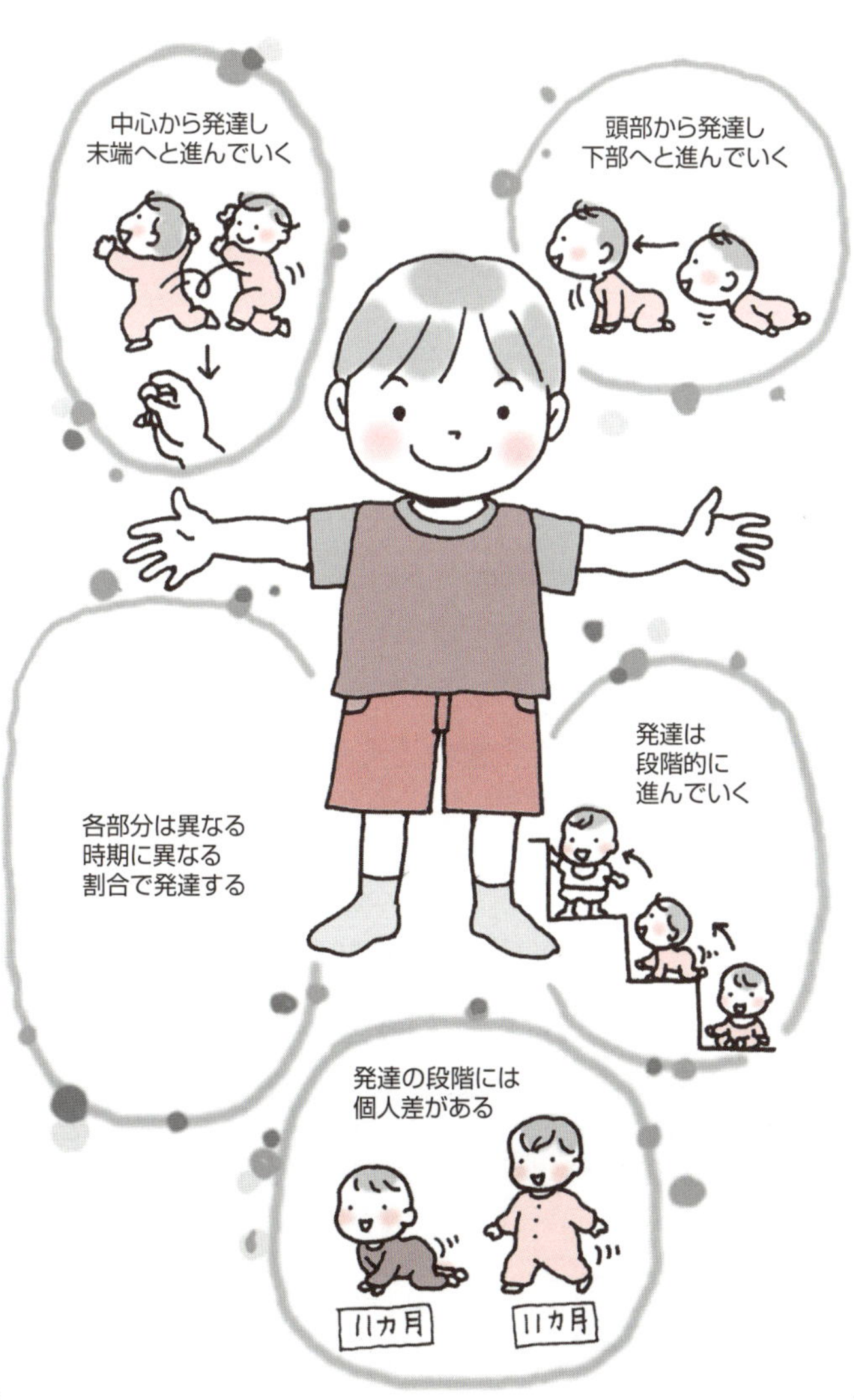
中心から発達し
末端へと進んでいく
頭部から発達し
下部へと進んでいく
発達は
段階的に
進んでいく
各部分は異なる
時期に異なる
割合で発達する
発達の段階には
個人差がある
11カ月
11カ月

どもは寝返りをうったり、腕を振り回すことができるようになってから、手のひら全体を使ってものをつかむことができるようになり、やがて親指と人差し指で小さなものをつまみ上げられるようになります。

◎第4の特徴「発達は連続的である」

発達は成熟へ向かって段階をふみながら少しずつ進むものであり、いきなりひとり歩きをし出すなど、突然の飛躍が起きるということはありません。

◎第5の特徴「発達には個人差がある」

生後10カ月で一人歩きをする子どももいれば、1歳半頃になってようやく歩く子どももいるように、発達の速度には個人差があります。

以上にあげた特徴は、遺伝的要因と環境要因とが複雑に重なり合いながら、高度な人間の発達を促進していきます。

人間は未成熟な状態で生まれてくる

スイスの動物学者**ポルトマン**は哺乳動物を2つに大別しました。ひとつは**離巣性**《りそうせい》です。比較的長い妊娠期間を経て脳髄が発達して生まれてくる、生まれる子どもの数が少ない、生まれた子どもがすぐに親と同じような行動をとるなどの特徴を持っており、ウマ、サルなどの高等哺乳動物が属しています。もうひとつは**就巣性**《しゅうそうせい》です。妊娠期間が比較的短く脳髄が未成熟で生まれてくる、多数の子どもが一度に生まれる、感覚器は閉じていて目も見えず耳も聞こえないなどの特徴を持っており、リス、ウサギ、イタチなどが属しています。

人間は離巣性の特徴を有しながらも未熟の状態で生まれ、出生後1年近くが過ぎないと歩行したり、言葉を話したりできません。人間がほかの動物に比べて未成熟な状態で生まれてくることを、「生理的早産」「高等哺乳」「子宮外の胎児期」などといいます。

赤ちゃんの平均的な発達の進み方

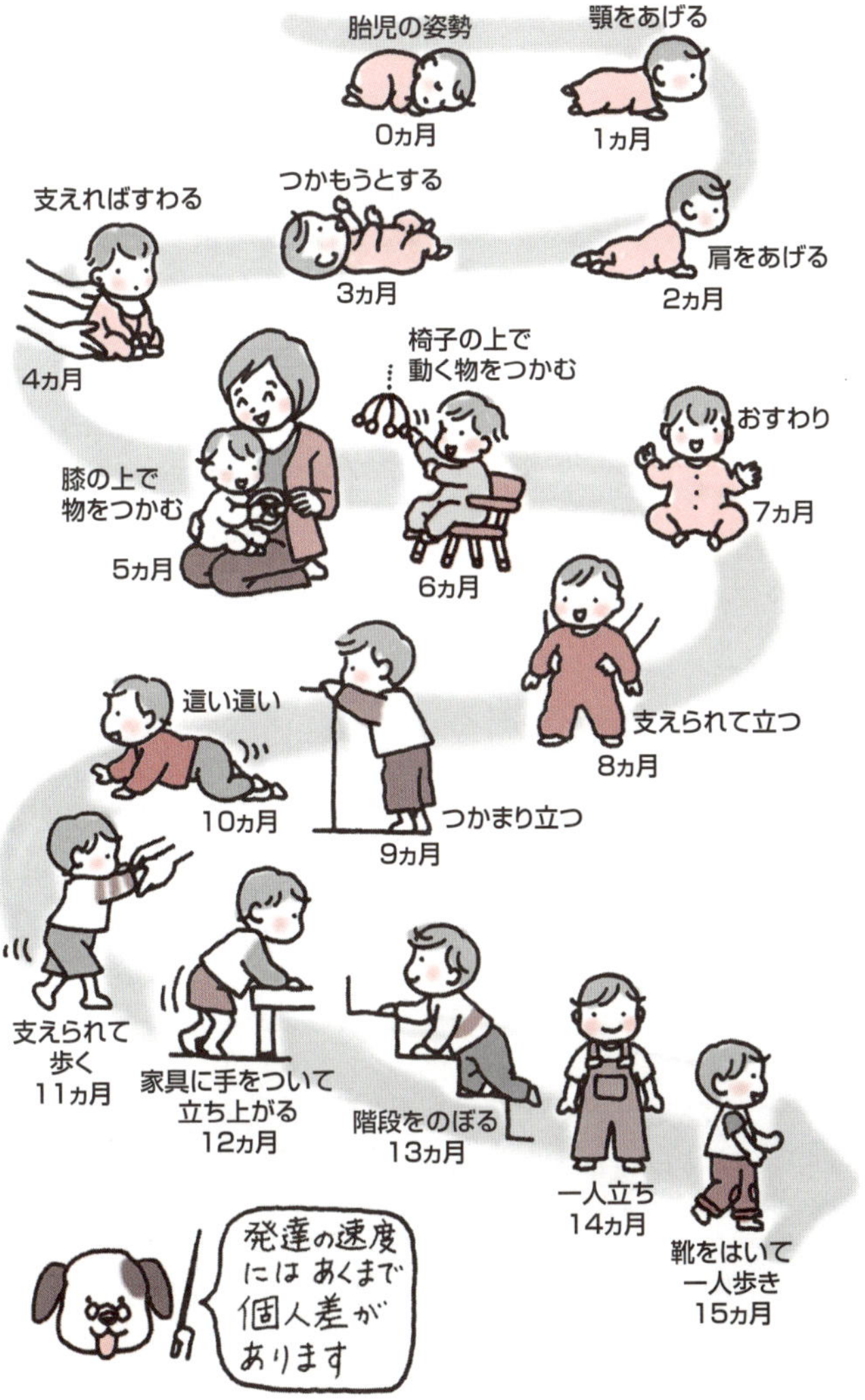
胎児の姿勢
0ヵ月
顎をあげる
1ヵ月
肩をあげる
2ヵ月
つかもうとする
3ヵ月
支えればすわる
4ヵ月
膝の上で
物をつかむ
5ヵ月
椅子の上で
動く物をつかむ
6ヵ月
おすわり
7ヵ月
支えられて立つ
8ヵ月
つかまり立つ
9ヵ月
這い這い
10ヵ月
支えられて
歩く
11ヵ月
家具に手をついて
立ち上がる
12ヵ月
階段をのぼる
13ヵ月
一人立ち
14ヵ月
靴をはいて
一人歩き
15ヵ月
発達の速度
には あくまで
個人差が
あります

親子の絆はいつからはじまる？

乳児期の母親との関係が人間関係の基礎となる

子どもが順調に発達していくためには、愛情や信頼で結ばれた信頼関係を持っていることが前提となります。このような人間関係の基礎となるのが、乳児期に形成される**アタッチメント**（愛着）です。

一般的に、アタッチメントは子どもが母親に対して持つものですが、対象は必ずしも母親とは限りません。小児科医であった**ボウルビィ**によると、アタッチメントは乳児が泣いたり笑ったりする行動に、タイミングよく反応してくれる人に対して成立するといいます。彼は、アタッチメントは左のように4つの段階を経て形成されていくとしています。

微笑みにも発達段階がある

子どもの微笑みにも発達段階があります。

生後5週間目までは「自然発生的で、反射的な微笑みの段階」であり、お腹がいっぱいで気持ちがいいといった生理的満足感に起因し、睡眠時によくあらわれるものです。これを「無選択的な社会的微笑の段階」といいます。

しかし、3カ月頃になると「選択的な社会的微笑の段階」になります。この頃から、あやしかけに対し目を細めて微笑むことができるようになり、見慣れた人を選択して、その人にとくに微笑むようになります。その後、微笑みは人とのコミュニケーションの大切な指標になっていきます。

ボウルビィの愛着の発達過程

第1段階（誕生から生後8〜12週頃まで）	**誰に対しても同じような反応を示す** にっこりしたり、じっと見つめたり、目で追ったり、そばの人に手を伸ばしたり、つかんだりする反応が見られるようになるが、特定の人にこうした反応や行動をなげかけているわけでなない。
第2段階（生後12週頃から6カ月頃まで）	**特定の相手に愛着を抱きはじめる** 特定の人（母親や父親）に対して、他の人よりもにっこり微笑んだり、よく声を出して反応したりする。特定の人が“好き”という反応がみられるようになる。
第3段階（6カ月頃から2、3歳頃まで）	**特定の人に愛着を持ち、常にその人と一緒にいたいという態度を示す** 多くの乳児は特定の人（例えば母親・父親）の姿が見えないと、悲しくなって泣き出すが、母親が戻ってくると嬉しそうに近づいていき、泣き止む。このような特定の人に対して接近し、接触を求める行動を示す。
第4段階（3歳頃から）	**離れていても心の中に特定の人との絆ができてくる** 心の中に特定の人の姿（母親・父親）を思い浮かべ、その人との絆を心の中に持ち続けることができるために、母親の姿が見えなくても第3段階までのようには泣かなくなる。

ボウルビィの愛着理論が一般的に認められる以前にも、親子の愛着の成立過程を説明する理論はありました。たとえば、シアーズが提唱した2次的動因説では「お腹がすいた」「暑くて不快である」といった赤ちゃんの生理的欲求（1次的動因）を満たしてくれるから母親に愛着を持つようになるという考え方をしていました。また、**ハーロー**は「接触の快」の理論（下記コラム参照）によって、**ローレンツ**は**インプリンティング**の理論（P80コラム参照）によって愛着の形成を説明しています。

感情は2歳までに急速に発達する

感情発達の研究をしていた**ブリッジス**は、新生児から2歳までの乳幼児についての観察記録から、情緒の発達段階を明らかにしています。

「情緒」とは、喜び、悲しみ、驚き、恐れ、怒りに代表されるような主観が強く揺り動かされた状態のことをいいます。情緒と似た言葉には「感情」や「情操」があります。

左ページの図でわかるとおり、生まれたばかりの赤ちゃんはぼんやりした興奮からはじめて、2歳までに著しく情緒を発達させていきます。このように

赤ちゃんはぬくもりで愛着を抱く

ウィスコンシン大学霊長類研究所の**ハーロー**は、赤毛ザルの子ザルを使った実験をしました。

檻の中に母ザルの代わりに2体の人形を置きます。1体は木製の頭がついている円筒形の胴体に針金を巻いて45度の角度に寝かせ、哺乳瓶からミルクが出るようになっているものです。もう1体はミルクは出ませんが、同じ円筒形の胴体をビロードの布で包んだものです。

すると子ザルは、ほとんどの時間を布製の人形に抱きついており、ミルクを飲むときだけ針金の人形の母に近づきますが、飲み終わると再び布製母人形に戻っていることが観察されました。

子どもは身体的な接触（スキンシップ）と母親のぬくもりによって、母親に愛着を抱くようになるのです。

人としての感情は2歳までにできあがる

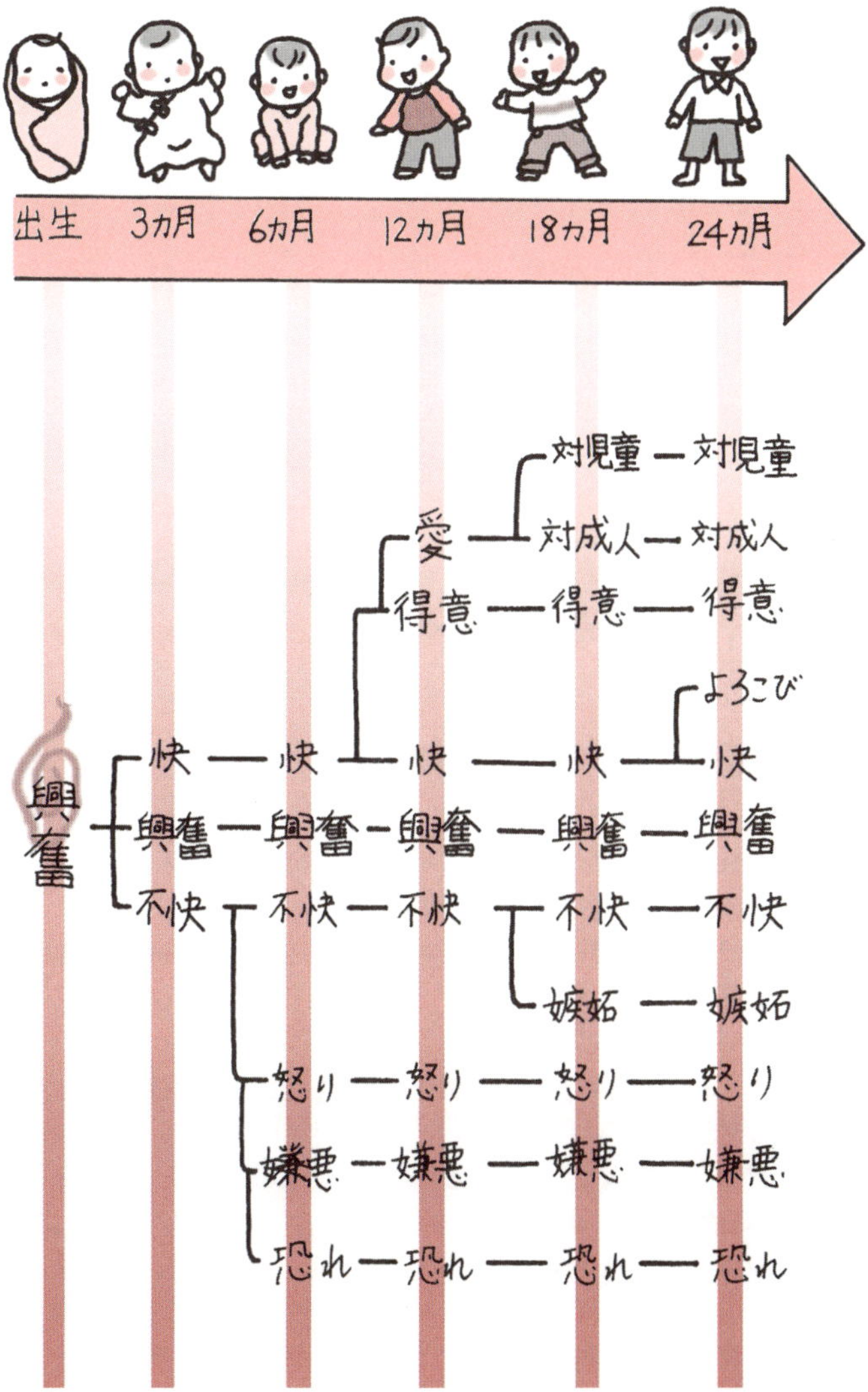
出生
3カ月
6カ月
12カ月
18カ月
24カ月
対児童
対児童
愛
対成人
対成人
得意
得意
得意
よろこび
興奮
快
快
快
快
快
興奮
興奮
興奮
興奮
興奮
不快
不快
不快
不快
不快
嫉妬
嫉妬
怒り
怒り
怒り
怒り
嫌悪
嫌悪
嫌悪
嫌悪
恐れ
恐れ
恐れ
恐れ

（ブリッジス、1932）

情緒の発達は、言語、思考、社会性などの発達に比べてかなり早い時期に達成されるのです。

母親との愛着関係があるから人見知りする

アメリカで行われた、お母さんの顔写真と全く知らない人の顔写真とを並べて赤ちゃんに見せる実験では、こんな結果が出ています。

生後3カ月では見つめる時間にほとんど違いはありませんでしたが、生後5カ月半になるとお母さんの写真を長く見つめるようになりました。つまり、その頃になると、人の顔の違いがわかるようになるといえるでしょう。

この時期は、赤ちゃんが人見知りをする時期とも重なっています。生まれて間もないうちは、誰かれかまわず声を出したり泣いたり笑ったりしてその人に働きかけます。ところが生後5カ月を過ぎると、母親以外の人に抱かれると、身をよじって母親のほうに戻りたがるようになります。生後6カ月頃からはそうした傾向がますます顕著になります。

親と子の絆は刷り込みでつくられる？

ノーベル賞を受賞した世界的に有名な動物学者**ローレンツ**は、大自然の中で動物を観察するうちに、ある現象に注目しました。

それは、ニワトリ、アヒル、カモなどのように孵化《ふか》してすぐに開眼し歩行できる鳥類は、孵化後の特定のある時間内（24時間以内）に「動くもの」に対して後追い反応を示すというものです。

すなわち、鳥類には動くものの後を追うという生得的反応が備わっており、それが親鳥ならばよいのですが、人間であってもまたふわふわと宙を舞う風船であっても追従してしまうのです。この現象は、**インプリンティング**または日本語で「刻印付け」「刷り込み」と呼ばれています。

ローレンツは、この現象を人間の発達にもあてはめて考えられるといっています。つまり、人間には生後しばらくの間にどの人が自分の親であるかが刷り込まれる敏感期が存在し、その敏感期に親と子の絆もでき上がると考えられるのです。

人見知りは十分な愛着関係ができた証拠

生まれて間もない頃

相手が誰であっても変わらずに働きかける

生後5カ月以降

母親以外の人に抱かれると嫌がるなど、人見知りするようになる

↓

特定の相手（母親）との間に愛着関係ができた証拠

赤ちゃんには限りない可能性を秘めた能力がある

赤ちゃんはなにを見ている?

かつて、赤ちゃんは生まれてから1カ月くらいは目が見えないと考えられていました。しかし今では、赤ちゃんは生まれて間もなく人の顔を識別していることがわかっています。

心理学者の**ファンツ**は、生後5日以内の新生児と生後2～6カ月の乳児を対象に、どんなものを長く、よく見ようとするかという実験を行いました。

ベッドに寝かせた赤ちゃんの目の前に、顔の絵、同心円の図、新聞紙の一部、白い紙、赤い紙、黄色い紙という6種類の刺激を、それぞれ2つずつ組み合わせて見せ、注視する回数や時間を調べました。

その結果、生まれて間もない赤ちゃんでも、顔や同心円を見つめる時間が長かったのです。つまり新生児の頃から、人間は人の顔に関心があるのです。

また、アメリカのマイアミ医科大学で、小児科と心理学のチームが生後36時間の新生児を対象に行った実験があります。

それによると、赤ちゃんは「幸せ」「悲しみ」「驚き」の3つの表情を区別して、モデルと同じような表情をつくることができたというのです。

人の表情をマネるには、見ることと特定の筋肉を動かすことの2つの能力が必要となります。このことからも、生後間もない赤ちゃんが、すでに知覚と運動の能力を備えていることがわかります。

赤ちゃんは人の顔が好き？

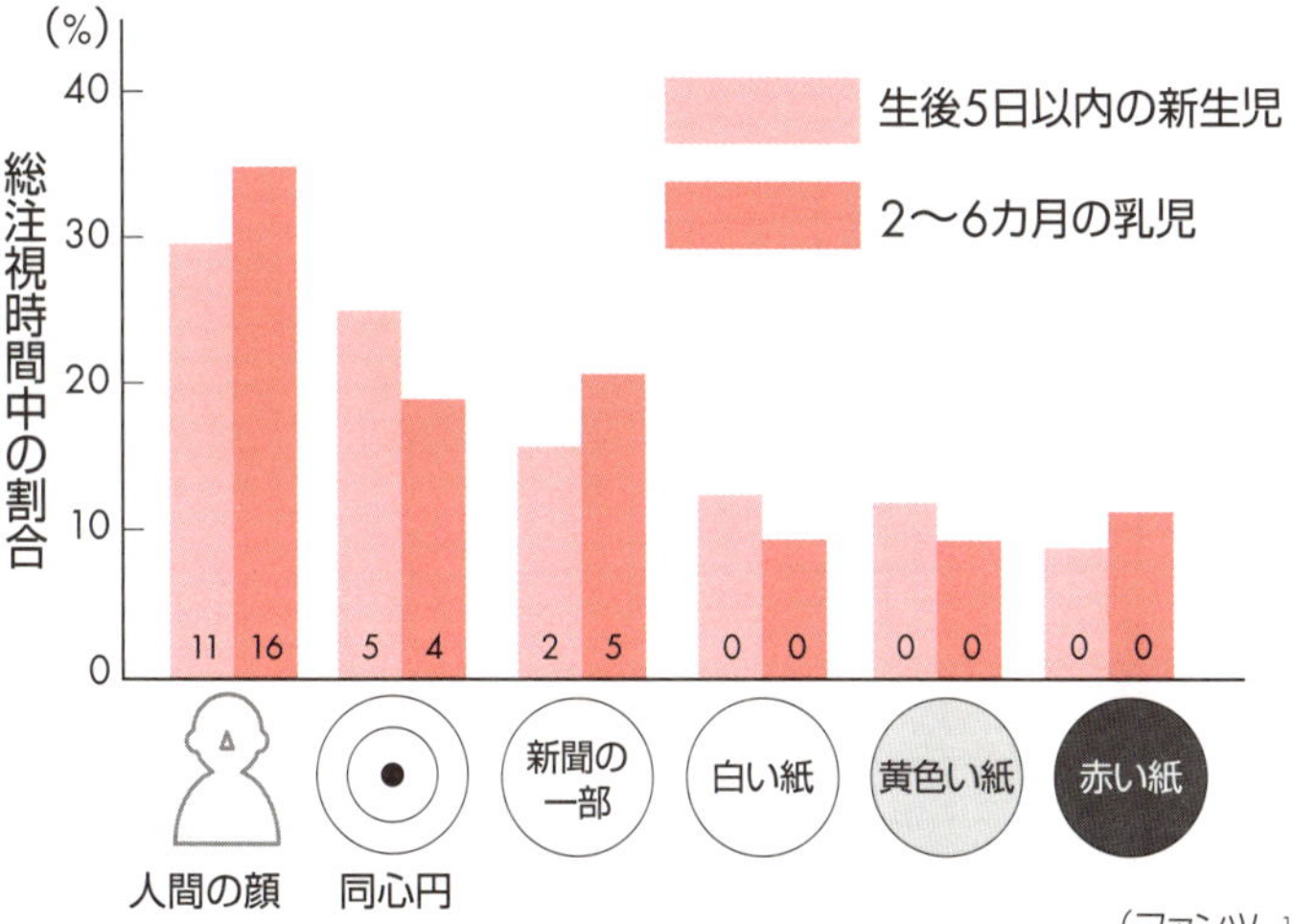

（ファンツ、1966）
※棒グラフ内の数値はその刺激を最も好んで見た子の人数

赤ちゃんにもさまざまな個性がある

アメリカ人の小児科医、トマスとチェスは人は生得的な気質を核として、そこに環境要因が影響を与えて性格が形成されていくとしました。彼らは赤ちゃんの個性を次の３つに分類しています。

①扱いやすい子……反応が穏やかで、機嫌もよく、生理的リズムも安定し、環境の変化にもすぐ慣れます。いわゆる育てやすい子どもです。

②難しい子……生理的リズムは不規則で反応が強く、環境の変化に慣れにくい、扱いにくい子どもです。

③おとなしい子……環境変化には慣れにくいのですが、反応は穏やかで活動性が低い子どもです。

いずれにしても、赤ちゃんの個性に合った子育ての方法を親が行っていくことが大切です。

COLUMN

子どもはどうやって自己を確立していくのだろう？

赤ちゃんが持つ母親との一体感

ハンガリー生まれで精神医学を学んだ**マーラー**は、新生児が母親との一体感からどのようにして自己と他者を区別していくのかを、次のように説明しています。

まず、生後すぐの数週間は「正常な自閉期」であり、この時期の赤ちゃんは母親との未分化な一体感の中で生きています。

生後2カ月から5カ月頃までの時期は「正常な共存期」で、自分の内と外との区別が漠然と可能になる時期です。母親と自分とがひとつの共通の境界を持って行動しているとマーラーは表現しています。

少しずつ自己を確立していく

生後5カ月から3歳ぐらいまでの間に、子どもは母親から分離し、個体としての自立意識を獲得していきます。この時期の分離―個体化の過程は、4段階に分類されています。

①分化期（生後5～10カ月）

母親の腕の中や膝の上から少し離れて行動し、手を伸ばして母親の顔を触ったり耳をひっぱるなどして自分と他人の区別をしようとする時期です。

②練習期（生後10～16カ月）

歩行ができるようになると身近な毛布やおもちゃに熱中し、一時母親を忘れたかのように見えますが、母親を基地として行動範囲を決めていきます。

子どもが自己を確立するまで

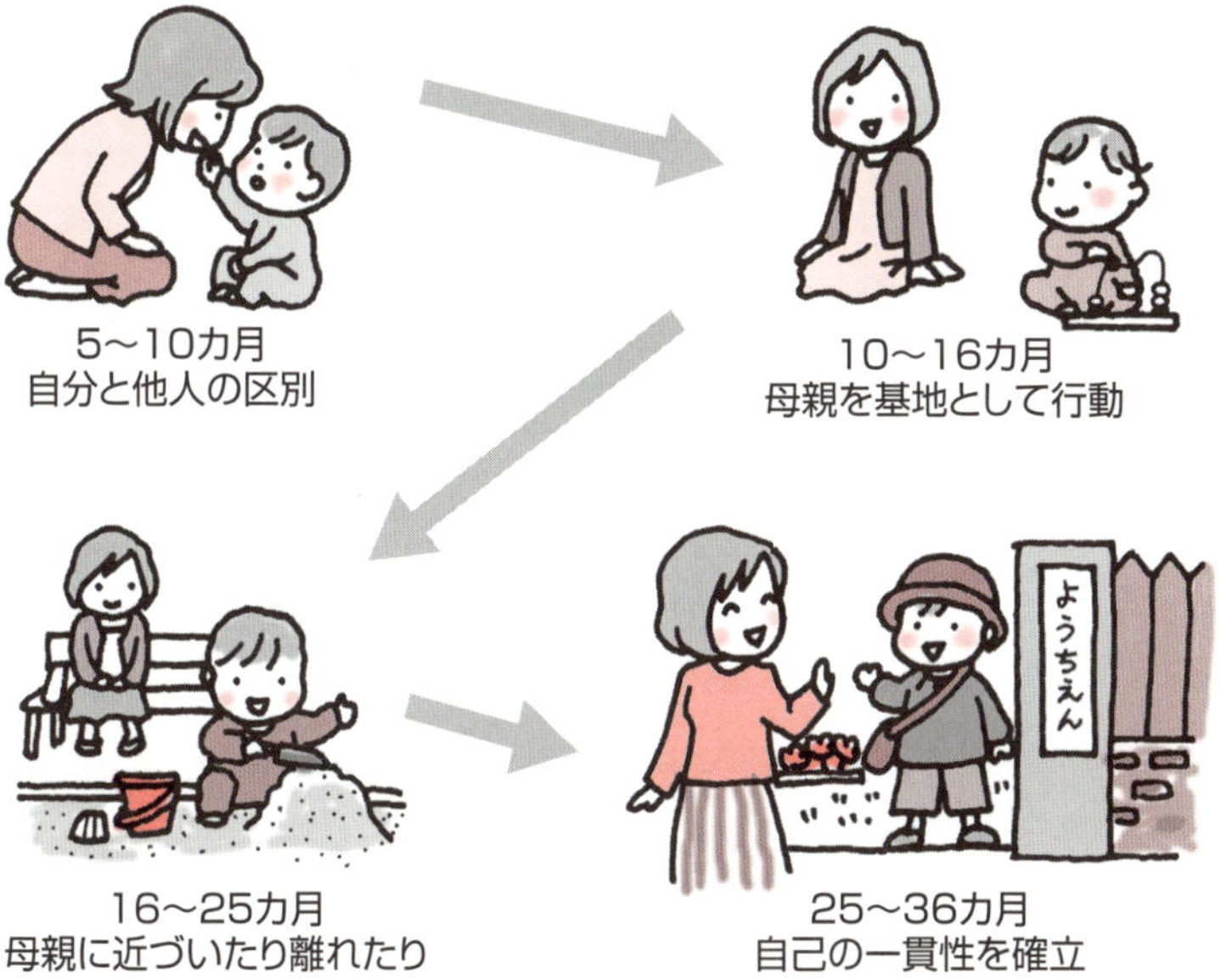

③再接近期（生後16〜25カ月）

この時期になると母親から離れて自由に動き回れるようになりますが、その反面、母親から離れることに分離不安を感じ不安定になります。母親に近づいたり離れたりという繰り返しによって、母親とのよい心理的距離を見つけ出そうとする時期です。

④個体化の確立と対象恒常性の萌《ほう》芽《が》期（生後25〜36カ月）

母親が常にそばにいなくても、自分の中に情緒的に安定した「ほどよい母親像」を確立させ、自己の一貫性を獲得していく時期です。

以上のような母親との関わりを経て、子どもは自分というものを確立していくのだと、マーラーは説明しています。

生まれた瞬間から知的発達がはじまる

子どもから大人までの知的発達の過程

ヒトは生まれたときから知的発達をはじめると考えたのはスイスの心理学者**ピアジェ**です。彼は0歳から大人までの発達を4段階に分け、それぞれの時期には主に次のような特徴があると述べています。

①感覚運動期（0～2歳）

人間は生得的な反射行動（**原始反射**）を持っています。赤ちゃんがおっぱいを探して飲めるのも、そのおかげです。生まれてからの数カ月間は、こうした反射を使って外界へ働きかけをしていきます。

生後4～8カ月頃になると、「ガラガラを振れば音が出る」など行為の結果に注意が向くようになり、8～12カ月頃になると、「一方の手で押さえて他方の手でちぎる」など、異なる目的で両手を使えるようになります。

②前操作期（2～6歳）

この時期の子どもは、思考の基準が自分自身にあります。たとえば、お兄ちゃんのいる3歳になる次男に「お兄ちゃんから見てあなたはどんな存在？」と尋ねても正しい答え（弟）はなかなか返ってきません。他者の立場に立って見ることができないのです。これを自己中心性といいます。

また、自分と同じように無生物にも生命があるという考え方、「アニミズム」があります。大好きなクマのぬいぐるみを肌身離さず持っている子どもが「くまさんがいたいって泣いているよ」などと言う

移し替えたら水の量が変わってしまう!?

ことがありますが、これはぬいぐるみを生きている存在と捉えているためです。

さらにこの時期の子どもは、「物の保存」の概念が不十分だといわれています。たとえば、上の図のような実験では、Cの水の量は左右違うと答える子どもが、6歳近くになっても80%以上もいます。

③具体的操作期（7〜11歳）

ものの保存の概念が確立し、論理的に物事が考えられるようになり、複雑な関係性も理解できるようになってきます。ブルドッグ、テリア、秋田犬は、すべて「犬」というカテゴリーに属していることが理解できるなど、物事をまとまりとして捉えることもできるようになってきます。

④形式的操作期（12歳〜成人）

仮説を立てて物事を考えることができます。抽象的な概念であっても仮説を立て、系統的に見ていけば、頭の中で操作しながら論理的に物事が考えられるようになっていきます。

「頭がよい＝知能指数が高い」は本当？

「頭がよい」ってなんだろう？

「知能」を英語でIntelligenceといいますが、この語源はラテン語のIntelligentiaにあり、知覚または理解する能力という意味です。知能の定義については、大きく分けると次の3種類があります。

①知能とは抽象的な思考能力である（ターマン）
②知能とは学習する能力である（ディアボーン）
③知能とは新しい環境に適応する能力である（ウェクスラー）

知能とは「頭のよい悪い」ということだと思いがちですが、何を基準に頭がよいとするかは、人によっても状況によっても変わってきます。

たとえば平凡な才能を持つ「凡才」を中心として、平均をはるかに超えた創造力を持つ「天才」、記憶力が異常に優れているなど特異な能力を持っているが創造的ではない「異才」、生産的能力が高く、社会への適応能力も持ち合わせた「能才」、なんの才能も才知もない「無才」といった分類もあります。

しかし、知能の構造に関する理論から見れば、「二因子説」「多因子説」「階層理論」などがあり、未発見の知能因子も多いと考えられています。知能はかなり複雑なもので、一概に頭がよい悪いで割り切れるものではないでしょう。

IQが高ければ頭もよい？

知能テストは、１９００年代はじめにフランスのビネーがシモンの協力を得て考案したビネーテスト

代表的な知能の構造論

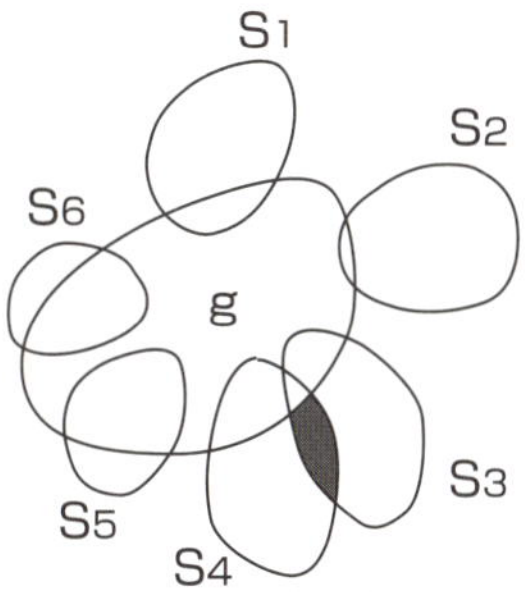

(スピアマン、1927)

二因子説

知能には「一般知能因子（g）」と各知的活動に特有の「特殊因子（s）」の2つがあるとし、1つひとつの一般因子といくつかの特殊因子から成り立つという説

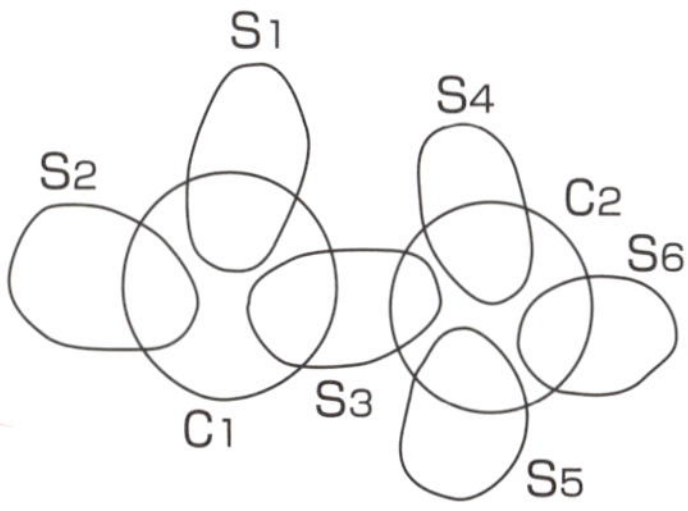

(サーストン、1941)

多因子説

二因子説でいう一般因子の存在を否定し、知能はいくつかの「特殊因子（s）」に共通な「因子（c）」が複合的に組み合わさって構成されているという説

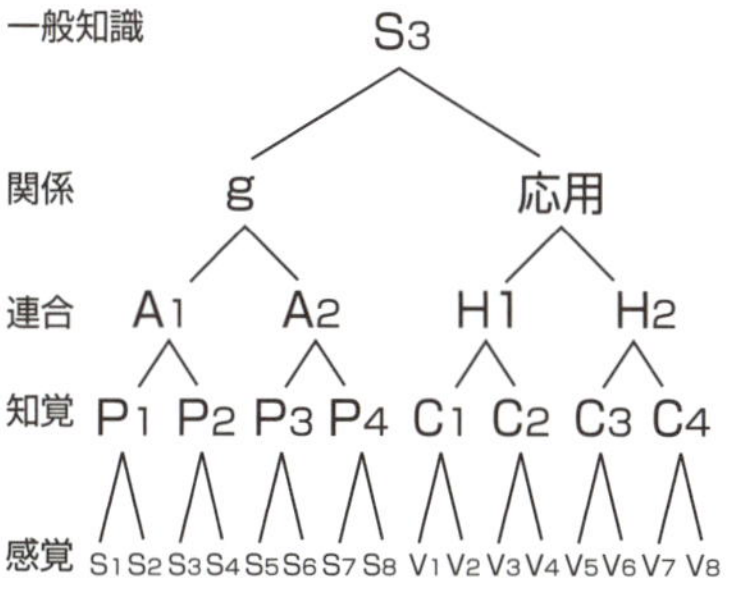

（バートによる能力因子の階層的構造）

一般知識　S_3
関係　g　応用
連合　A_1　A_2　H_1　H_2
知覚　P_1 P_2 P_3 P_4 C_1 C_2 C_3 C_4
感覚　$S_1 S_2 S_3 S_4 S_5 S_6 S_7 S_8$ $V_1 V_2 V_3 V_4 V_5 V_6 V_7 V_8$

階層理論

バートの説では知能を構成する因子には「一般因子（g）」と「特殊因子（s）」のほかに仲介的な因子があり、その知能水準が高くなるほど一般性を失って、階層をつくっていくとしている

が基礎になっています。その後、アメリカのターマンらが改訂を繰り返してできたのが、現在の**スタンフォード・ビネー検査**です。

この知能テストの特徴は、知能の程度を**知能指数（IQ）**であらわしたことです。知能指数は、検査によって測られた「精神年齢（ＭＡ）」を検査時の年齢である「生活年齢（ＣＡ）」で割り、その数値に１００を掛けて算出されます。

たとえば、満５歳（生後60カ月）の子どもが知能テストを受け、精神年齢５歳（60カ月）という結果が出たとすると、この子どものＩＱは60÷60×１００で１０００ということになり、これが平均値とされます。およそ３分の２の人が85～１１５の間で、１３０を超えると超天才児、69以下だと精神遅滞という判断になります。

このように知能テストは、同じ年齢の子どもの発達を数値化し、その平均値と比べてどの程度発達しているかを見るものなのです。

頭の良い悪いを測るテストではありませんし、子どもの頃に知能指数が高かったからといって、大人になっても同じとはいえません。

天才の家系はあるのか？

進化論で有名なチャールズ・ダーウィンは、父方の祖父は博物学者であり詩人でもあったエラスムス・ダーウィン、母方の祖父は植物学者のＲ・ダーウィンでした。その家系図を見ると、先にあげた人たち以外にも、たくさんの優れた人物を輩出しています。音楽家のバッハの家系、数学者ベルヌーイの家系も優秀な家系として知られています。

こうした例からも、知能はある程度遺伝するものではないかと考えられています。とはいえ、同じ音楽の才能を持っていても、音楽的な環境で育つか、音楽とは無縁の環境で育つかによって才能を発揮できるかどうかは大きく影響されることも忘れてはならないでしょう。

知能指数の調べ方

スタンフォード・ビネー検査

$$\text{IQ:知能指数 (intelligence quotient)} = \frac{\text{MA:精神年齢 (mental age)}}{\text{CA:生活年齢 (chronological age)}} \times 100$$

例 精神年齢テスト（9歳程度まで）

各項目ごと3問のうち1つ正しく言えたら、次の問題に移ってください。

次の数字をはっきりと読み聞かせ、正しい順序で復唱させてください。
【A】①6−3−1　②3−5−8　③7−4−8
【B】①9−4−3−2　②7−3−6−1　③8−2−5−3

次の数字をはっきりと読み聞かせ、逆の順で答えさせてください。
【C】①7−2−1　②3−5−8　③5−4−9
【D】①2−9−4−5　②8−4−2−7　③6−8−3−1

判定

【A】ができたら ──▶ 精神年齢が3歳程度
【B】までできたら ──▶ 精神年齢が4歳程度
【C】までできたら ──▶ 精神年齢が7歳程度
【D】までできたら ──▶ 精神年齢が9歳程度

同じ難易度の問題を解ける量が同年齢の平均値に達すれば、その人の精神年齢（MA）は生活年齢（CA）に等しいことになる。つまり **IQは「100=標準」となる**

知能が高ければ創造性も高い？

創造性は思考の柔軟性に負うところが大きい

最近、就職試験などで重要視されているのが、創造性です。いうまでもなく、創造性とは個人が持っている創造的思考能力であり、独創的で有用な結果を生み出す知的能力のことです。

創造性は、与えられた情報からさまざまな新しい情報をつくり出す**拡散的思考**と密接な関係があります。それに対して、知能は「記憶再生能力」による傾向が大きく、正しい解答に向かう**収束的思考**に関係しています。

いいかえれば、知能は知識の量に規定される傾向が強いのに対して、創造性は思考の柔軟性に負うところが大きいといえます。

ですから、知能は一定の問題を解決しなければならないときに役立ち、創造性はひとつの事柄から思考を飛躍させたり、発展させたりするときに使われることになります。

知能と創造性の関連性は低い

知能が高ければ創造性も高いかというと、必ずしもそうではありません。

知能と創造性の関係を調べた研究はいろいろありますが、この２つの関連性の強さを示す結果は得られていません。しかも、小学生から大学生へと年齢が上がるにつれて、両者の関連性はさらに低くなります。また、知能指数が１１０〜１２０以上になると、関連はほとんどなくなってしまいます。

あなたの創造性がわかる「用途テスト」

例

古新聞の束があります。どんなことに使えるか、できる限りの用途を考えなさい

拡散的思考の人

・活字を切り抜いて脅迫状を作る！
・ジグソーパズルにする！
・1分間に何枚破れるかはかってみる！

収束的思考の人

・畳の下に敷く
・紙かぶとを作る
・ぬれた靴のなかに詰める
・油とり紙に使う

創造性も知的機能のひとつですから、創造性を発揮するためには、ある程度以上の知能が必要といえるでしょう。しかし、知能の高い人は創造性も高い、創造性の高い人は知能も高い、とは一概にいえないわけです。

「創造性豊かな人」とはどんな人？

では、創造性が高い人にはどんな特徴があるのでしょうか。一般には、複雑な図形やアンバランスなものを好む傾向があるようです。また、精神構造が複雑で、会話をしていても話が飛躍的に発展していくため、相手がついていけずに、扱いづらいという印象を与えることもあります。

子どもの頃の特徴でいえば、大人（たとえば先生）の価値観には順応しにくい一方で、ユーモアの感覚や、趣味や知識の領域の広さは、学校の成績のよい知能型よりも高いとされています。

創造性を開発するためには、日頃から経験を豊かに持つこと、基礎をしっかり学ぶことが大切とされています。

自分にどれだけ創造性が備わっているかを知りたい人は、前ページのような用途テストを試してみるとよいでしょう。自分の思考がどのように拡散し、発展する力があるかの目安になるはずです。

頭のよさだけでなく心の豊かさも大切

言語と数学の能力を中心に測定したものがＩＱすなわち知能指数であるのに対し、**ＥＱ**（emotional quotient）は人格的知性の知能指数といわれています。

心理学者のゴールマンは、人間が幸福な生活を送るには頭の良し悪しだけではなく、人間性が豊かである必要があることを指摘し、ＥＱ、すなわち心の知能指数を提起しました。

彼はよりよい人生を送るには次の５つが大切であると述べています。

①自分の情動を知る

自分の本当の感情を自覚し、感情の原因を理解し、対人関係の中で自分の方向づけを行うこと。

②感情をコントロールする

怒りを抑える、口論や攻撃はあまりせず、イライラを抑えること。

③自分を動機づける

目標達成に向かってがんばること、自分に自信を持つこと、希望を持つこと、忍耐すること。

④他人の気持ちをくみ取る

他人の立場を理解できる、共感できる、相手の話をよく聞けること。

⑤人間関係をうまく処理する

仲間意識を持つこと、協調性があること、思いやりがあること。

これからの時代、相手の気持ちをくみ取り、人間関係を円滑に進めるEQの能力がますます必要になっていくと思われます。

社会で成功するには、EQを高めることが大切だといわれているよ

やる気はどこから湧いてくるのだろう？

「やる気」とはなんだろう？

「やる気」は心理学的には、**達成動機**といいかえられます。

アメリカ人の心理学者**マレー**は、人間の欲求について研究した人として有名ですが、達成動機について次のように定義しています。

「難しいことを成し遂げること。自然・人間・思想に精通し、それらを処理し、組織化すること。そしてそれらをできるだけ速やかに、できるだけ独力でやること。障害を克服し、高い水準に達すること。他人と競争し他人をしのぐこと。才能をうまく使って自尊心を高めること」

つまり、達成動機とは難しいことでも高い水準を目指して自分の力でやり遂げようとすることだといえます。

またマックレランドと**アトキンソン**は、子どもに絵を見せて空想物語をつくらせ、それを分析して達成動機を測定する方法を開発しています。

テストがあるのに勉強もしないでフラフラ遊んでばかりいる子どもを見て、母親が「あなたには勉強に対するやる気がまったくない！」と怒鳴りつけたりします。すると子どもは、しぶしぶ机に向かって勉強をしているふりをします。

しかし、この子のやる気は親を安心させるための見せかけのもので、本物のやる気ではないのです。

内発的動機づけと外発的動機づけ

内発的動機づけ

↓

自ら楽しんで行い、
長続きする

外発的動機づけ

↓

その場ではがんばった
としても、長続きしない

本物のやる気は内側から湧いてくる

人間が本来持っている興味ややる気を刺激して行動を起こすことを**内発的動機づけ**といいます。また、他者や環境からの賞や罰によって行動を規定しようとすることを**外発的動機づけ**といいます。

外発的動機づけは一時的に効力を発揮しますが、人間が本来持っている興味ややる気を逆に低減する原因になることがあり、行動を長続きさせません。幼稚園児に賞を与えることを前提に絵を描かせると、その場ではりきって描いてみせますが、その後は自ら楽しんで絵を描くことが少なくなります。

また、仕事が楽しくて働いている人（内発的動機づけ）は、職場も楽しく長続きしますが、家のローンの返済のために働いている人（外発的動機づけ）は、そのうち仕事に無力感を感じるようになります。

パヴロフとスキナーが発見したメカニズム

人間の学習行動のメカニズムを、はじめて科学的

嘘でもいいから高い評価を!?

他者から得た情報によって、自分自身にある期待を持つと、自己の言動がその期待に沿ったものに変化していくことがあります。これを**自己成就予言**といいます。

たとえば、数学が苦手な生徒の通信簿に教師が教育効果を考えて、実際よりかなり高い点評価を与えたとします。それを見た生徒は、「自分には今まで気づかなかった特別な数学の才能があり、それを評価されたのかもしれない」と受け取ります。そして「がんばれば、必ず数学のテストで100点を取れるはずだ」と考えるようになります。

これが自己成就予言になり、その生徒はその後、数学の予習復習は欠かさず授業も熱心に聞くようになり、ついに100点満点を達成します。はじめに与えられた情報には多少の誇張が入っていてもかまいません。褒めて育てよといいますが、自己成就予言をよい方向へ促すような個人情報を与えることは、人の言動に好ましい変化をもたらすのです。

学習行動のメカニズム

古典的条件づけ

ベルの音を聞かせると
同時にエサを出す

ベルの音だけでよだれ
を出すようになる

オペラント条件づけ

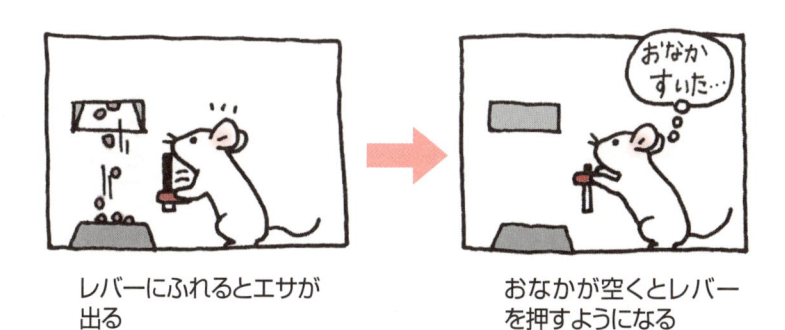

レバーにふれるとエサが
出る

おなかが空くとレバー
を押すようになる

に考えたのがロシアの生理学者**パヴロフ**です。

彼は犬にベルの音を聞かせると同時に、エサを与えるという実験を繰り返しました。すると、犬はベルの音を聞くだけで、エサを与えなくても唾液を出すようになりました。

パヴロフはこれを「条件反射」と名づけ、ある特定の条件のもとで受け身的に身についた学習であると考えました。この条件反射が用いられた学習を、**古典的条件づけ**といいます。

一方、アメリカの心理学者**スキナー**は、自発的な行動と反応による学習効果を証明しています。

レバーに触れるとエサが出るスキナーボックスと呼ばれる実験装置にネズミを入れると、偶然レバーに触れてエサを食べられたネズミは、しだいにお腹が空くとレバーを押すという学習行動を示すようになります。レバーを押してもエサが出なければ、この行動はなくなることがわかりました。

レバーという道具を押す動作が条件になっているため「道具的条件づけ」、またはネズミがたまたま行った自発的行動という意味で**オペラント条件づけ**と呼ばれています。

失敗続きで無力感に陥ることも……

ある状況のもとで何度も何度も失敗の経験を重ねていると、自分がいくらがんばってもその失敗を回避することが難しいという「あきらめ」に近い意識と行動様式が学習されることを**学習性無力感**と呼んでいます。この概念を提唱したのは、**セリグマン**という心理学者です。

彼は、犬に統制不能の電気ショックを与え続けていくと、統制可能な状況にこの犬が置かれても自ら電気ショックから逃れようとしないで、ずっとその場所にうずくまったままになってしまうことを報告しています。

この哀れな犬も、最初はなんとかして電気ショックから逃れようとして騒いだに違いありません。しかし、いくら騒いでそこから出ようとしてもダメだとわかると、ついには動きがとれなくなってしまったのです。

学業に劣る子どもが、なんとかよい成績をあげようと一生懸命努力しても、その目標に達しないことがあります。この場合、親から「あなたはダメな子だ」といわれ続けたならば、その子どもは無力感にさいなまれ、すべてのことにやる気がなくなってしまうはずです。

親や教師からのあたたかい励ましの言葉が、子どものやる気を引き出すことを忘れてはなりません。

否定的なことばかり言われてたら、やる気もなくなっちゃうよね

期待がやる気を引き起こす ―― ピグマリオン効果

ギリシャ神話にはピグマリオンというキプロスの王様が登場します。このピグマリオン王は、女性の像に恋焦がれてしまい、それを知った神様が像に命を吹き込んだという話です。この名前を教育の問題に応用したのは、心理学者のローゼンサールとジャコブソンでした。

教師の抱く生徒への期待を実験的に操作し、その影響について追跡調査を行いました。すると、伸びるはずだと先生が期待していた生徒の成績は、約半年後には他の生徒に比べて高くなる傾向が示されました。

つまり、同じ成績結果でも先生から「あなたはできるのだから、頑張りなさい」と暖かい励ましを受けた生徒の方が、「あなたは頭が悪い、やっても無駄だ」と言われていた生徒よりも優秀な成績を収めたというわけです。子どものやる気を引き起こすこうした効果を、**ピグマリオン効果**と呼んでいます。

COLUMN

子どもはマネをして成長していく

親の態度が子どもの性格に影響する

養育者、一般的には親が子どもに対してとる態度や行動のことを、「養育態度」といいます。子どもと養育者との間の相互作用とそれをもとにして形成される対人関係が、子どもの性格形成や対人関係、社会的適応などに大きな影響を与えていきます。

とくに親の養育態度は、子どもの性格形成に大きな影響を与えていきます。親が子どもを甘やかし過ぎるとわがままで神経質な子どもになり、かまいすぎたり過保護だと臆病で依存心の強い子どもになる傾向があります。

子どもにとって親は一番身近なモデル

アメリカの心理学者**バンデューラ**は、子どもは大人がこうしなさいということはしないで、むしろ大人たちがやっていることをマネするものだといっています。

子どもは、教えられなくても周りの誰かを観察し、模倣しながら学んでいくもので、これを**モデリング**といいます。子どもにとって、親は一番身近なモデルです。子どもは両親への強い愛着を持ち、かなり早い時期に性別によって異なる行動をはっきり感じとって学習しています。

その典型が、ままごと遊びでしょう。子どもたちがつくる光景は、日常で自分たちが見る光景の繰り返しです。女の子は母親をモデリングして料理をつくり、男の子はふだんの父親の行動をモデリングして「おい、ビール」なんていったりもします。

モデリングによる〝しつけ〟

ところで、このモデリングを逆手にとって、親がしつけの手段として利用することもあります。

「お兄ちゃんを見習いなさい」とか「お母さんと一緒に歯を磨こう」などと、他人を引き合いに出したり自分がして見せたりして、子どもに覚えさせていく方法です。

子どもは親のマネをする

ギャング・エイジ

子ども同士の遊びの中で社会のルールを身につける

遊びの中で社会性が育まれる

人間の発達や成長段階において、6歳から12歳未満までを児童期と呼びます。この年齢の子どもたちは、別名**ギャング・エイジ（徒党時代）**とも呼ばれています。

1人遊びをしていた子どもが、やがて気の合う子ども同士で徒党を組み、秘密の遊びをしたり、ときにはほかのグループと対決したりするようになります。子どもたちはこうした仲間との遊びを通して、他人との接し方や協調性などを学んだり、さまざまな対人関係を経験していくことになるわけです。

こうしたギャング・エイジの遊びは、社会性を身につける第一歩でもあり、大人になって健全な対人関係を営む上で欠かせないものといえます。

社会性とは、自分を取り囲む社会に適応できる性格や、その集団規範にのっとって行動できることを指します。この社会性を身につける過程を**社会化**といいます。

かつて子どもたちが社会性を身につける場は、家庭や近隣社会、学校でした。ところが近年、都会では核家族が多くなり、近所づきあいが薄れ、しかも共働き家庭が増えています。子どもたちも塾通いだ習い事だと忙しく、親と過ごす時間が減り、学校での指導に多くを委ねているのが実状です。

道徳観が生まれ社会のルールを学ぶ

児童期は、人間が生活していく上で規範となる道徳性を身につける重要な時期でもあります。

7歳ぐらいまでの子どもたちは、親の判断を絶対的なものとして捉え、ものごとの善悪基準としてそのまま受け入れてしまう傾向にあります。

これが9歳ぐらいになると、親のいう道徳や規則だけではない、人によっても時と場合によって変わる道徳もあるという理解が芽生えてきます。

また、幼児期から続いていたものごとの基準を自分に置く自己中心的な考え方も9歳頃からしだいに薄れ、他の人の立場や考え方を理解できるようになっていきます。

児童心理学者の**ピアジェ**の研究によれば、11歳頃になると、子どもはものごとを系統立てて理解できるようになるといいます。しかし、現実にはありえない、抽象的な事柄を頭の中で自由に組み立てられるようになるのは12歳以降だとしています。

消えつつあるギャング集団

この時期、同性の親友を持つようにもなりますが、ほかの仲間との間でケンカやいざこざが起きることがよくあります。こうした仲間との強い関わりを持つことは、社会生活の基本的なルールを学ぶ機会であると同時に、親からの心理的自立を実現するきっかけともなっていきます。

彼らの活動は、その時代の文化に大きく左右されます。ですが、残念なことに最近の子どもたちは外で遊ぶことをしなくなり、少人数でテレビゲームなどをして遊ぶ傾向にあり、ギャング・エイジの集団は消えつつあるようです。

子どもの成長には反抗期が欠かせない

第一反抗期は正常な発達の証し

人間の成長段階で、自我意識がはっきりしてくるのは3歳頃だといわれます。しかし、自分以外の誰かと比べて自己を認識しているわけではなく、この段階では非常に自己中心的な自我といえます。

そのため、子どもは自己中心的な欲求をかなえようと行動し、親などから叱られたり、注意されたりすることが多くなります。こうして起こる衝突が、3歳前後に見られる**第一反抗期**です。

反抗期にある子どもは、大人にとっては手を焼く存在でしょう。言って理解できることも少なく、押さえつけることに抵抗を感じる人もいるかもしれません。しかし、この時期に反抗を示さなかった子どもは、6歳からの児童期に入って意志薄弱になり、逆にはっきり反抗を示した子どもは、後に正常な意志力を示したという研究結果もあります。

つまり、幼児期の反抗期は、人間が正常な発達をするためにも必要な反応だといえます。反抗期を通じて、子どもは自分と他人の区別ができるようになり、他の人の存在や価値観などを認める方向へと発達していくのです。

第二反抗期は大人への登竜門

第二反抗期といわれるのが12～20歳代半ばとされる青年期です。青年期は、すでに子どもではないが、まだ一人前の大人ともいえない、子どもと大人の間で揺れ動く時期といえるでしょう。

反抗期には2つある

とくに青年前期では、児童期の合理的思考や社会性の発達のアンチテーゼとして、すべてに否定的、批判的、破壊的になりがちです。これは**ネガティヴイズム**（negativism：否定的態度）と呼ばれ、親や教師に反抗的な態度や行動を示すことをいいます。

この時期には、児童期までの両親への依存を脱して、親から独立、自立しようとする心理的離乳が行われます。つまり、子どもから大人へ脱皮しようとするのが第二反抗期なのです。

大人であるための条件

自立には、「精神的自立」「経済的自立」「生活の身辺に関する自立」の3つがあります。

大人であることの基本的な条件は、精神的自立です。精神的自立をはかるために必要なこととして、アメリカの心理学者**オルポート**は、①自己意識の拡大、②他人とのあたたかい関係、③情緒的安定（自己受容）、④現実的知覚・技能・課題、⑤自己客観視、⑥人生を統一する哲学の6項目をあげています。

軽度発達障害は早めの発見と適切な援助が大切

軽度発達障害とは？

最近、保育や教育の現場から**軽度発達障害**という言葉を耳にするようになりました。いわゆる「ちょっと気になる子ども」たちのことです。この軽発達障害という言葉は、正式な医学用語ではありません。重症心身障害を持つ子どもたちに比べて機能的な障害（脳機能障害）が軽い発達障害の総称として使用されています。２０００年に杉山は、軽度発達障害を「（高機能）広汎性障害」「注意欠陥多動性障害（ＡＤＨＤ）」「学習障害（ＬＤ）」「知的障害」「発達性協調運動障害」の5つの障害の総称として捉えています。

それでは、これらの障害について説明していきましょう。

◎広汎性発達障害（自閉症スペクトラム）

自閉症をはじめ、それに類する特徴を持つ障害（高機能自閉症・アスペルガー症候群など）の総称です。いずれも脳の中枢神経システムに問題があるとされる先天的障害です。自閉症には次の3つの特徴があります。

①社会性の障害……他人への関心が乏しく、よく1人で遊んでいる。視線を合わせない。だっこされるのを嫌がる。人の気持ちを理解するのが苦手。

②コミュニケーションの障害……指差し発達の遅れがある。反響言語（オウム返し）。冗談や比喩が理解できず言葉どおりに受け取ってしまう。

③想像力の障害とそれに基づくこだわり行動……手をひらひらさせる。体をゆする。日課の習慣の変更を嫌がる。特定のことにこだわる。ごっこ遊びが苦手。物を並べる。

これらの３つの障害のうち、比較的言語面に遅れがないという特徴を持つのが**アスペルガー症候群**です。言語による会話能力はありますが、社会性の障害やこだわり行動がアスペルガー症候群の子どもの特徴といえます。

◎注意欠陥多動性障害（ＡＤＨＤ）

昔から低学年のクラスには、授業中にじっと座っていられずに椅子をガタガタさせ、先生から何度注意されても友達と大声で話をして騒いでいる子どもはいたように思います。

しかし１９８０年以降、学習や遊びの活動においても注意を持続させて作業をすることができない、手足をソワソワと動かし、静かに座席に座っていることができない、友達と遊んでいても順番を待つことが困難で邪魔をしてしまうといった行動をとる子どものことを、Attention Deficit Hyperactivity Disorder の頭文字をとって**ＡＤＨＤ**、日本語では**注意欠陥多動性障害**と呼んでいます。

96年に厚生省（現、厚生労働省）で行った調査では、子どもの７・８％にＡＤＨＤの疑いがあると報告されています。

ＡＤＨＤは脳の神経生理学上、ドーパミンやセロトニンなどの脳内神経伝達物質の分泌に問題があるために起きるのではないかと考えられています。たとえばＡＤＨＤの子どもの脳波は、同年齢の子どもたちに比較して未熟で不規則な波形をしていることが明らかになっています。

ＡＤＨＤは女子よりも男子に多く、その比率は児童を対象とした疫学的研究では４対１とする数字があります。さらに出生順位では第一子に多く、第二子以降の子どもには少ないことがわかっています。

◎学習障害（ＬＤ）

知能検査では知能の遅れがないのに、読み書きや数の計算といった算数能力の習得と使用に著しい困難を示すことを**学習障害**（ＬＤ：Learning Disabilities）と呼んでいます。

幼児の頃には、学習する機会が少ないため、親もＬＤであることに気がつかないでいますが、小学校に入ってから本格的な勉強がはじまると、学習のつまずきが顕著になってきます。たとえば、ひらがな、カタカナ、漢字に左右や上下が反転したような文字（鏡映文字）を書く、誤字が多い、文中の文字がよく抜けるといった傾向が特徴的です。

このＬＤという概念は、１９６３年にアメリカ人のカークによって提唱されたものです。日本では60～70年代まではこうした傾向を示し学業につまずくことを「学業不振」と呼んでいましたが、80年代の後半からようやく学習障害という言葉が定着してきました。

先天的な発達障害であり、中枢神経系の機能障害であると推定されています。

◎知的障害

知的障害とは、「いろいろな原因で精神発達が恒久的に遅滞するために知的能力が劣り、自己の身辺のことがらの処理、および社会生活への適応が著しく困難なもの」を指しています。かつては「精神薄弱」「精神進滞」という用語が使われていましたが、２０００年からは法律上の表記も知的障害となりました。知能指数（Ｐ90参照）が70～85程度をボーダー（境界域）、50～70程度を軽度、35～50程度を中度、20～35程度を重度、20以下を最重度と分類されています。

知的障害の原因としては、①家族性（遺伝）によるもの、②病理的要因によるもの、③心理・社会的要因によるもの、が考えられます。

病理的要因のうち、遺伝性の知的障害として染色体異常によるものがありますが、その中でもダウン症（21番目の染色体が1本多いなど）はよく耳にする障害です。

また、胎児期に母親が風疹《ふうしん》にかかったり放射線照射を受けたりすると、胎児の内臓に奇形が生じたり、視聴覚や知能の障害が見られたりします。

こうした子どもたちの知的発達を促していくためには、早期発見・早期療育が大切になります。

◎発達性協調運動障害

運動面での不器用さが著しく認められる障害をさします。生まれつきの脳の問題で細かい動きから大きな動きに不器用さが目立ってしまう子どものことです。かつては「運動オンチ」と呼ばれていました。

具体的には、スキップが苦手、ハサミがうまく使えない、三輪車をこげない、行進すると手足が同時に出てしまう、などの行動が見られます。

◎行為障害

軽発達障害ではありませんが、少年による残虐な事件が起きると話題になる言葉なので触れておきましょう。行為障害の診断基準は次のようなものです。

①他人をいじめたり、脅迫、威嚇する
②取っ組み合いのケンカをする
③凶器を使用して他人に重大な身体的危害を加える
④他人の体に残酷な行為をする
⑤動物の体に残酷な行為をする
⑥強盗する
⑦性行為を強いる
⑧放火する
⑨器物を損壊する
⑩他人の住居、建造物、自動車の中へ侵入する
⑪嘘をつく
⑫万引き、侵入盗以外の窃盗、偽造をする
⑬親の監視にもかかわらず、深夜の外出がしばしばある
⑭外泊が2回以上ある
⑮不登校（13歳未満から）

これら15項目の中から3項目以上があてはまる場合、行為障害となります。

青年期

アイデンティティを確立し子どもから大人へ脱皮する

アイデンティティの確立は青年期の重要課題

青年期における重要課題といえるのが**アイデンティティ**の確立です。

アイデンティティという概念は、アメリカの精神分析学者**エリクソン**が提唱しました。日本語では、「自我同一性」「主体性」「自己の存在証明」などの訳語が使われています。私とは何か、あなたがあなたであることを証明するために求められるものがアイデンティティなのです。

人間は、児童期までの両親への依存を断って自立が必要となったとき、はじめて「自分は何者なのか」ということを考えます。つまり、両親から少しずつ心理的に自立しようとする青年は自分自身の価値を

青年期に起こる身体の変化「第二次性徴」

中学生になる頃から男子には肩幅の広がり、筋肉の発達、ひげをはじめとする体毛の発達、咽頭の発達、声変わり、射精などが見られるようになり、女子には乳房の発達、腰幅の広がり、皮下脂肪の発達、初潮などが見られるようになります。この時期に見られる急激な身体的な発達と成熟が**第二次性徴**です。

第一次性徴は、出生直後から見られる男子・女子の身体的な差異を指します。男子は睾丸、陰嚢、陰茎など精子に関わる器官を持ち、女子は卵巣、子宮、陰門など卵子に関わる器官を持ちます。

第二次性徴期に身体的変化が起きることによって、青年は自分自身に関心を向け、これまでの生き方を見つめ直し、将来の自分を考えるようになります。

「同一性混乱度」のテストの例

時間的展望の混乱

Q1　その日のうちにすべきことを翌日に延ばすことがある

Q2 待たされるととてもイライラする

自意識過剰

Q3 自分を信頼できない

Q4 やれる自信はあるが、人が見ているとうまくできない

役割固着

Q5 一生の仕事についてたびたび志を変えた

Q6 今までの生き方は間違っていた

労働麻痺

Q7 本を読んでも今までのようによく理解できない

Q8 注意を集中するのに他の人よりも苦労する

同一性混乱

Q9 今の自分は本当の自分ではないような気がする

Q10私には相反する2つの性格があるように思える

両性的混乱

Q11異性の友達はほとんどできない

Q12女／男に生まれてくればよかった

権威混乱

Q13周りの人は私を一人前に扱ってくれない

Q14困ったときに相談する大人がいない

価値混乱

Q15私は確固とした政治的意見を持っていない

Q16世の中の動きが時々わからなくなる

（砂田良一、1979を一部改変）

Q1～Q16に対して「はい」と答える割合が高い人ほど、自分が何者なのかがわかっていない。
すべての質問に「いいえ」と答えた人は、自我同一性（アイデンティティ）が確立できている人！

確立しようと努め、その過程で社会とのつながりを意識しはじめます。そして、社会の中に自分を位置づけて、アイデンティティを確立しようとするようになります。

アイデンティティは成長段階の中で徐々に確立していくもので、それぞれの時期で達成しておくべき課題があります。なかでも「基本的信頼」「自律性」「積極性」の3つは、アイデンティティを健全に形成するために、青年期までに達成しておかなければならない重要な課題です。

青年期におけるアイデンティティの確立は、子ども時代に達成されてきた課題の統合ともいえるのです。

大人になることを先延ばしにする

モラトリアムとは、もともと支払い猶予期間を意味する経済用語です。エリクソンは、この言葉を心理学の領域に転用して、青年が、社会の責任や義務を負うことを免除されている状況を表現しました。

この期間に青年は大人社会の一員になるための準備をし、確固たるアイデンティティをつくり上げていくことが大切なのです。

ところが、複雑化した現代社会では、価値の多様化などによってアイデンティティの形成が十分にできずに、モラトリアムを卒業できない青年層も増えています。

「モラトリアム人間」は現代社会の象徴!?

精神分析学者であった小此木啓吾氏は、アイデンティティを確立しない心理構造は、青年だけでなく現代社会の大人の一般的な特徴でもあると指摘し、そのような人間を「モラトリアム人間」と呼んでいます。

このモラトリアム人間の特徴として、、小此木氏は次の5つの変化があると述べています。

①半人前意識から、何でも自分の思いどおりになるという全能感意識へ

②禁欲から解放へ

③修行感覚から遊び感覚へ（遊びや余暇の充実）
④社会の価値観や行動様式に同一化するのではなく一歩距離をとる隔たりへ
⑤自立への渇望から無意欲・しらけへ

これは、高学歴化が進んで社会学習の期間、つまりモラトリアムの期間が延長されていることや、食糧事情がよくなり12歳前後ですでに肉体的には成熟した子どもが増えていることも、その要因とされています。

それでは、人間はどの時点でモラトリアムを脱して、大人としての自覚を持つのでしょうか。一般的には就職を契機とする者が最も多く、20歳未満でも親から経済的に自立すると大人の自覚をするケースが多くなります。また、結婚も大人の自覚を促す要因となります。

ちなみに、青年期から成人期にかけて見られる無気力状態を**ステューデント・アパシー**（Ｐ２８８参照）と呼びます。精神医学者の**ウォルターズ**はその原因について、青年がアイデンティティを確立する段階において予想される屈辱や敗北に対して防衛しているためではないかと考えています。まじめ・几帳面・完全主義者でがんばり屋の学生にこうした症状が出やすいといわれています。

ステューデント・アパシーもまた、青年期のモラトリアムのひとつの現象といっていいでしょう。

青年期を卒業できない現代人

かつて青年期は12、13歳から20、22歳頃までを指していました。

ところが近年、第二次性徴の出現が早くなる傾向が見られること（発達加速現象）、女性の高学歴化や社会進出にともなう晩婚化が進んでいること、学校を卒業しても正社員として就職しないフリーターが増加していることなどの理由から、青年期の終期が延長される傾向が見られます。

このように、青年期が以前よりも長期化していることを**青年期延長説**と呼んでいます。

COLUMN

人生で最も充実するはずの成人期にはストレスも多い

成人期は人生の正午

心理学者の**ユング**は人生を太陽の変化にたとえています。彼は40歳前後を「人生の正午」と呼んでおり、太陽が頭の真上を通過する時期だと表現しています。

太陽は正午を過ぎると、その影は今までとは逆の方向に映し出されます。これは生まれてから中年期までに築いてきた価値観や理想をもとに、次の後半の人生を自分らしく生きていくことが大切であることを示唆するものです。

この時期になると身体的能力や機能は徐々に低下しはじめると同時に、多くの精神的ストレスを抱える人々も増加していきます。中年男性の自殺者が多くなる傾向もそのあらわれといえるでしょう。

成人期の発達課題とは?

人間の発達課題について提起した**ハヴィガースト**は、個人が健全に成長していくには、ライフステージそれぞれに達成していかなければならない課題があると考えました。

彼は成人期を大きく2つの時期に分け、18~35歳を「成人前期」、36~65歳までを「成人後期」としています。

成人前期では主に結婚と子どもを軸として家庭生活を円満に送ることを課題としています。

また、成人後期では来たる高齢期を有意義に過ごしていくためにも社会的役割をまっとうし、長年連れ添った配偶者への愛情や年老いた両親をいたわるなどの精神的安定と充実をはかることが課題としてあげられています。

しかし、成人期以降の人生は、それ以前の段階に比べて、非常に多様化、個性化していく傾向があります。とりわけ現代では、結婚年齢が上がり、未婚者も増え、職業に拘束されずにアルバイトを続けながら生活している人も増えています。画一的、標準的な枠組みによって成人期をあらわすことは、困難になってきているといえるでしょう。

ハヴィガーストの成人期の発達課題とは？

成人前期（18〜35歳）

①結婚相手の選択と獲得
②結婚相手との調和のとれた生活を学ぶ
③家庭生活の開始と親としての新たな役割の理解
④子どもの養育と子どもの個人的な欲求を満たす
⑤家庭管理を学び、その責任を受容する
⑥職業につくか、または教育を継続する
⑦公民としての義務を果たす
⑧気の合う仲間を見つける

成人後期（36〜65歳）

①子どもが責任のとれる幸福な大人になれるように援助する
②成人としての社会的、公民的な責任の達成
③職業において満足のゆく仕事を達成し、維持する
④成人としての余暇活動を発展させる
⑤1人の人間としての配偶者への情愛と協力
⑥中年期の生理的変化を容認し、それに適応する
⑦年老いた両親をいたわる

ただし、多様化が進んだ現在では、こうした枠組みで成人期を捉えることは難しくなってきたね

体力の衰えと責任の増大でストレスが生まれる

成人後期である36～65歳を「中年期」といいますが、人生の中で最も充実した時期である反面、さまざまな危機（クライシス）をはらんでいる時期でもあります。体力や気力に衰えが見えはじめるのと反比例して、職場でも家庭でも責任が増大していきます。また、仕事上の自信や希望にかげりが見えたり、挫折したりする時期でもあります。

中年期は、働いている人にとって内面的な幻滅と反省にぶつかって、気落ちすることの多い時期と考えられています。その上複雑化する現代社会では、職場環境にも精神的なストレスが多くなっています。

技術革新によって仕事のスピードが速まり、ついていけなくなったり、これまでに身につけた能力が陳腐化してしまったり……。中年期の人にとっては、人ごとと笑ってはすまされないのが現実でしょう。

また、子どもの自立、夫婦間の問題、親の介護など家庭内の問題、更年期障害などの身体的な問題も

男性にも増えている更年期障害

現在日本女性の平均閉経年齢は50歳といわれています。この閉経を挟む前後数年の期間を**更年期**といいます。

個人差もありますが、更年期にある女性の多くは、発汗、不眠、肩こり、背部痛、手足のしびれ、関節痛、イライラ、めまい、頭痛など、さまざまな症状を経験します。こうした症状を**更年期障害**といいます。

これまでは更年期障害は女性特有の症状だと思われてきましたが、近年、更年期障害の症状を訴える中年男性が増えてきました。

これを乗りきるための対策としては、①栄養のバランスのよい食事を規則的にとる、②ゆっくりできる自分の時間を持つ、③運動を生活に取り入れる、などがあげられます。

中年期を襲うさまざまなクライシス

ふりかかってきます。

ストレスによる出社拒否や帰宅拒否

中年期を襲うストレスが原因となって起きるのが、出社拒否や帰宅拒否などの抑うつ症状です。出社拒否は、成人の不登校ともいえます。

症状には2つのタイプがあって、ひとつは通勤途中に、突然不安に取りつかれて出社できなくなるタイプです。もうひとつは、自宅を出て会社に向かうのですが、やはり通勤途中で腹痛や下痢症状（過敏性大腸症候群）を起こすタイプです。

いずれの場合も、仕事や職場の人間関係などでストレスをため込み、会社に行くことができなくなってしまいます。

また、会社が終わってもすぐに家に帰りたくない人や、帰る場所がないと思い込む人を「帰宅恐怖症候群」と呼んでいます。そういう人の家庭では、妻と子は夫（父親）抜きで確固とした家庭をつくり上げていて、夫（父親）の入る隙間がないケースが多いようです。

帰宅拒否の人に共通の特徴は、仕事人間で家庭を顧みなかったことがあげられます。主な症状には、不安感、恐怖感、抑うつ感、不眠や頭痛、下痢があげられます。さらに、嬉しいという感情が湧かなくなる「微笑みうつ病」も中年期に多く見られます。

中年期クライシスから脱却するためには？

人は中年期に、それまで自分が自信を持っていたこと、たとえば運動能力や健康、仕事などに疑問を感じ、それを再構築する必要に迫られることになります。

中年期クライシスから脱却するためには、人生の折り返し点としての自己反省から、気力の再活性化をはかり、新しい勉強に積極的に取り組む姿勢や努力が大切です。自分のそれまでのやり方や考え方に固執せず、新たな可能性を柔軟に思考することが大切なのです。

増加し続ける熟年離婚

中年期の危機の中で代表的なものに、夫婦関係の破綻があります。近年、結婚し子どもが自立した頃に離婚する**熟年離婚**が増加しています。

わが国における熟年離婚の増加には、いくつかの特徴があります。ひとつは、離婚を切り出してその主導権を握っているのが妻の側であるということ。もうひとつは、妻から離婚を求められている男性は会社人間がほとんどであるということです。男性は家族のためにと思って子育ては妻に任せ、ひたすら働いていたのですが、いつの間にか妻との心理的距離は大きくなっていたというわけです。

さらに近年の特徴として、子育てにひと段落した妻たちが「私の人生ってなんだったんだろう？　このままの夫との関係で一生を送ってもいいのだろうか」という自分のアイデンティティを模索し、その後の人生を自分らしく生きていくために離婚しようと決心するケースが増加していることがあげられます。

中年期に訪れる4つの危機

心理学者のペックは、中年期に訪れる危機として次の4つをあげています。

◎身体的活力の危機

体力よりも英知に重きをおいた生活へと切り換えていくことが可能かどうか。

◎性的能力の危機

性的要素を基盤とした異性関係から情緒的・精神的要素を中心とした異性関係へと円滑に移行できるかどうか。

◎対人関係構造の危機

徐々に人間関係が狭まっていく中で他の新たな人間関係を柔軟に構築していくことができるかどうか。

◎思考の柔軟性

自分のそれまでのやり方や考え方に固執せず、新たな可能性を柔軟に考えていくことができるかどうか。

人は中年になるとそれまで自分が自信を持っていたこと、たとえば運動能力や健康、仕事などに疑問を感じ、それを再構築する必要に迫られるんだね

幸福に年齢を重ねていくために大切なこととは？

生涯発達における「高齢期」のとらえ方

日本が世界一の長寿国であることはよく知られています。２００４年の厚生労働省の統計では、日本人の平均寿命は男性78・64歳、女性85・59歳となっており、依然として寿命は延び続けています。これは日本には年をとっても元気でいる人たちがたくさんいるということです。しかし老いは誰にでもやってきます。ストレーラーは１９６２年に老化現象には４つの原則があることを明らかにしています。

１つは「普遍性」です。老いは生命を持つものすべてに共通して起きるものです。２つ目は「内在性」です。老化は個体に内在しています。３つ目は「有害性」です。老化により、機能の低下が起こります。

サクセスフル・エイジングとプロダクティブ・エイジング

エイジングは加齢、老化と訳されていますがライリーは、「人が出生から死に至る中で各年齢層を通過し、その中で成長し、老化していく生涯にわたる過程のことであり、老化とは異なる」と定義しています。

日本でも、**サクセスフル・エイジング**という言葉を耳にするようになりました。直訳すれば「成功した老い」ということですが、老化の過程にうまく適応して幸福な老後を過ごせるようにという意味が込められています。しかし最近、サクセスフル・エイジングより、もっと老いを肯定的に積極的に捉えようとする**プロダクティブ・エイジング**（高齢者が社会の中でいかに生産的に生きるか）という言葉を、ロバート・バトラーが提唱しています。

高齢期に見られるパーソナリティの分類

円満型

過去の自分を後悔することなく、未来に対しても現実的な展望を持っているタイプ

安楽椅子型

受身的、消極的な態度で現実を受け入れる。引退後は、安楽に暮らそうとするタイプ

装甲型

老化への不安から、若いときの活動水準を維持しようとするタイプ

憤慨型

自分の過去や老化の現実を受け入れられず、その態度が他人への非難や攻撃という行動であらわれるタイプ

自責型

憤慨型とは反対に、自分の過去の人生を失敗だと考えて自分を責めるタイプ

４つ目は「進行性」です。老化現象は突発的に起きるのではなく、徐々に進み、また一度起きると元には戻りません。

またライチャードは１９６２年に高齢者に面接調査を行った上で、高齢者のパーソナリティを５つに分類しています（Ｐ１２３参照）。

幸福な老いを迎えるための3つの理論

高齢期には、心身や社会環境にいろいろな変化が訪れます。それらに適応しながら、幸福な老いを迎えるための考え方が次の３つの理論です。

◎活動理論

男性はとくに、一生のうちに仕事が占める割合が多いものです。そのため退職後に目的を失い、生活への不適応反応を示す場合があります。

そこで、仕事によって得られた充実感を埋められる対象を探し、新たな交友関係を築き、退職前の活動水準を維持することが、心豊かな高齢期を送るこ

年齢とともに大きくなるアフォーダンス知覚と現実のズレ

アメリカ人のギブソンという心理学者は、人が環境を認識する知覚を**アフォーダンス知覚**と命名しました。アフォードという英語は、「何々することを可能にする」という意味です。

正高信男氏は著書『老いはこうしてつくられる』の中で、次のような実験を紹介しています。7メートル先にあるバーを越えて向こうに行かなければいけないときに、バーをまたぐかくぐるかという実験です。60代までの大多数の人は、「見ただけの予想値」と、実際にまたげた値とにズレがあまりありませんでした。しかし年齢が上がるにつれてまたげると思っても実際にはまたげなくなっていました。

これは加齢とともに体が硬くなり、足腰が弱くなってきた身体の衰えを認識していなかったために生じると正高氏は説明しています。さらに彼は、こうしたアフォーダンス知覚と現実の行動とのズレが不安感や疎外感を生み出し、心が老け込むきっかけのひとつになっていると指摘しています。

とにつながるとする考え方です。

◎離脱理論

退職による活動量の低下と人間関係の希薄化は、加齢にともなう避けられないことだとし、一方で個人的な趣味を楽しんだり、なんらかの目的を達成するために、仕事からの離脱を望んでもいるのだとする考え方です。

つまり、残り少ない人生をより有意義に、自分らしく生きるために、仕事を離れようとするのだというのです。この理論によれば、社会への参加水準が低いほど、個人の幸福感は高いと考えられています。

◎継続性理論

高齢期の人々は、社会環境や身体の変化に委ねているわけではなく、長い人生の中で確立してきた要求に沿って環境を選択し続けているという考え方です。

つまり、幸福な老いの実現方法にはいろいろあり、それは個人のパーソナリティに依存するため、社会に帰属することで幸福感を感じる人もいれば、反対に社会活動を抑制することで適応する人もいるというのです。

PART 3

「性格や感情」と心理学

人は仮面をつけ替えるかのように人生を演じている?

パーソナリティとキャラクター

性格とはいったい、なんでしょうか。心理学でいう性格とは、**キャラクター**（character）と**パーソナリティ**（personality）の2つの言葉の訳語です。

これらは同じ意味に用いられることもありますが、ニュアンスに大きな違いがあります。

キャラクターはもともとはギリシャ語で、刻み込まれたもの、彫りつけられたものを意味し、先天的な特性を指しています。

一方のパーソナリティは、日本語では「人格」と訳されることが多いようですが、心理学ではこの語意の中に、人格という語が含んでいる「道徳的な」、あるいは「基本的人権」の意味を含みません。「仮面」を意味するラテン語が語源で、後に劇の中で俳優が演ずる役割を意味するようになり、やがてある特徴を持った人という意味にも用いられるようになったのです。人は仮面をつけ替えるかのように、そのとき、その状況にふさわしい役割行動をしていると考えられます。

キャラクターが「環境は道具の役割をしており、素質によって出来・不出来が決まる」と考える素材重視型であるのに対し、パーソナリティは、「子どものうちからトレーニングすれば、誰でも伸びる」と考える環境重視型であるといえるでしょう。

「個性」とはなんだろう?

性格を指す言葉にはいろいろあります。たとえば、

性格の定義とは？

◎ 実際にはそうでないかもしれないが、他人にそう見えているもの

◎人生の中で演じ続ける役割

◎その人らしさをいいあらわす特徴

怒りっぽい、いじけやすい、やさしい、明るいなど、その人の感情的な側面のさまざまな表現が用いられています。

刺激に対する感じ方や、反応の強さや速さ、根本的な気分の特色などが含まれ、先天的なものと見られており、すでに赤ちゃんの頃から個性があります。

また、「あの人は個性的な人だ」とか、「個性的な服装をしている」などと使われる「個性（individual）」とは、ある人をほかの人とは区別するような、その人が持っている全体的な特徴をいいます。

個性には、もともと「分割できないもの」「ほかのものに置き換えることのできない独自のもの」という意味があり、性格の特徴だけでなく、能力や容姿についても使われます。

個性が服装や行動などにあらわれるように、トータルな意味で性格はその行動の端々にあらわれてくるものなのです。

性格の分類方法にもいろいろある

2つの性格分類「類型論」と「特性論」

性格分類には、大きく**類型論**と**特性論**という2つの考え方があります。

類型論は性格をいくつかの類型に分ける考え方で、個人の性格の特徴をできるだけありのままに記述しようとします。さらに、類型論は、何を分類の基準とするかによって、性格のとらえ方が異なってきます。

特性論は、人間のパーソナリティをいくつかの特性の集合として考え、たとえば、活動性・社交性・依存性・劣等感などの特性をどれくらいずつ持っているかによって個人差があらわれると考えます。性格の違いを量的にとらえるわけです。「神経質だが活動的」というように、特性の強弱によって各人の性格の違いを明らかにすることができます。

ユングの性格分類——内向型と外向型

ユングの性格分類は、類型論の代表といえます。ユングは精神科医としての臨床経験の中から、人間には興味・関心の心的エネルギーが自分を取り巻く環境に向かって開かれている**外向型**の人と、自分自身の内側に向かっている**内向型**の人がいると考えました。

外向型の人は、多くの人に話しかけるので、明るく社交的な人に映りますが、内向型の人は、内省的であることが多いので、非社交的な人に映ります。

しかし、外向型の人が明るく活発な性格の持ち主

内向型と外向型、それぞれの特徴

内向型の人

- 社交的ではなく、自分のカラに閉じこもりがち
- 人前で仕事するのが苦手
- 無口で、融通はきかないが、がまん強い
- ひかえ目で、考えが深い
- 感受性は強いが、自分を表に出さない
- 感情をコントロールできる
- 迷うことが多く、実行力に欠ける
- 周囲の変化に柔軟に対応できない

外向型の人

- 社交的で、交際範囲が広く、世話好き
- 他人がいるところのほうが仕事ができる
- 行動的で、熱しやすく、冷めやすい
- 自信がある
- 陽気で、劣等感がなく、ユーモアがある
- 感情の表現が豊か
- 決断が早く、統率力がある
- 周囲の変化に関心があり、調和を心がける

で、内向性格の人が非社交的な性格の持ち主なのかといえば、実のところはそうとは限りません。関連性は否定できませんが、それよりも人から見てそういうイメージを持たれやすいということのほうが強く影響しています。

体型で性格がわかる!?

ドイツの精神病理学者**クレッチマー**は、数多くの精神病患者と面接した経験から、性格と体格の間には一定の関係があることに気づきました。

彼は、人間の体型を「躁《そう》うつ気質」「分裂気質」「粘着気質」の3つのタイプに分類しています。

①「躁うつ気質」の人――肥満型

社交的で、あたたかみがあり、親切。周囲の人と気楽につき合い、ユーモアがあり、楽しい。ただ、感情にムラがあり、生き生きしているかと思えば、うつ状態で突然落ち込んでしまうこともある。

②「分裂気質」の人――やせ型

このタイプは、静かで控えめ。自分の世界に閉じ

五大特性で人間をとらえるビッグ・ファイブ説

性格を研究している心理学者は、たいてい人間のある1つか2つの特性についてのみ研究しています。そして、それらは研究者によってさまざまなので、研究者の数だけ細分化された膨大な数の性格特性の概念が存在していることになります。

しかし、そうなると人間に対する見方は断片的になってしまい、とても一個の統合された人格の個人は見えてきません。また類型論で分類する場合も、せいぜい2つか3つに分けられる程度です。これではかえって人間を理解するには粗くなってしまいます。

そこで近年では、人間の全体像を捉えるための特性を5つにまとめる**ビッグ・ファイブ説**が提唱されています。コスタとマックレーの「NEO人格目録改訂版」(1994年)では神経症傾向(情緒不安定性)、外向性(快活さ・社交性)、開放性(知性・教養・好奇心)、協調性(社会性・信頼性)、誠実性(自制心・勤勉さ)の5つに分けられています。

体型でわかる性格

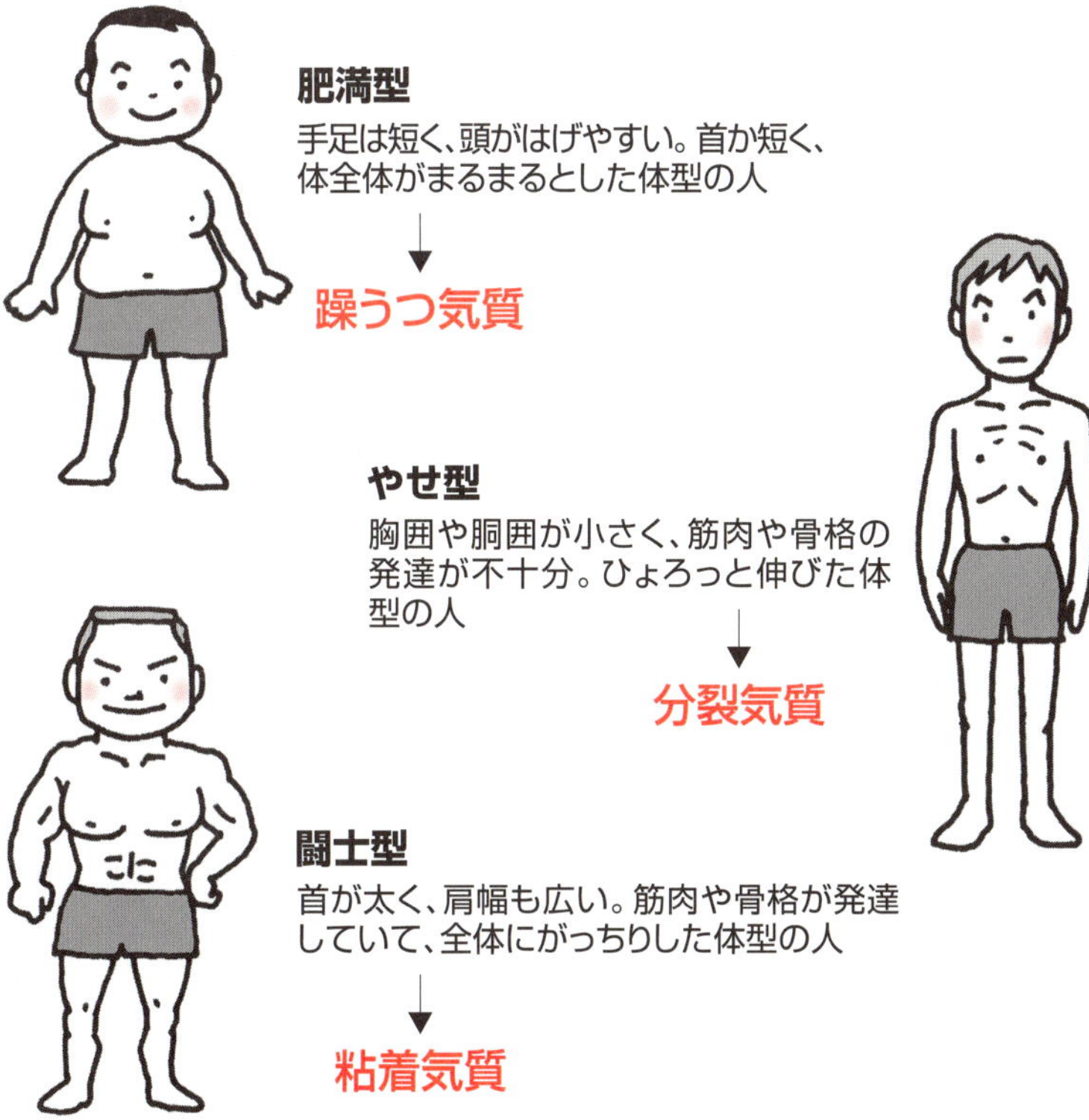
肥満型
手足は短く、頭がはげやすい。首か短く、
体全体がまるまるとした体型の人
躁うつ気質
やせ型
胸囲や胴囲が小さく、筋肉や骨格の
発達が不十分。ひょろっと伸びた体
型の人
分裂気質
闘士型
首が太く、肩幅も広い。筋肉や骨格が発達
していて、全体にがっちりした体型の人
粘着気質

こもる傾向があり、周囲の動きや人との関わりには関心が薄い。神経質で、きまじめな面もある。ちょっとした言葉に敏感に反応する反面、他人の気持ちには無頓着で鈍感なところがある。

③「粘着気質」の人―闘士型

几帳面で真面目な人柄。礼儀正しく、義理がたい。正義感が人一倍強く、頑固で、自分の意見を最後まで押し通す。気にいらないことがあると、突然、激しく怒り出すことがある。

フロイトは人間の心をどのようにとらえていたのだろう？

心理学上の新見地を確立したフロイト

フロイトは旧チェコ・スロバキアにユダヤ人の子として生まれ、父親の事業の失敗などから4歳のときにウィーンへ移り住みます。ウィーン大学医学部在学中から科学者としての道を志していましたが、家業の不振や結婚のために研究室を離れ、臨床医としてウィーン総合病院に勤務しました。

１８８６年にウィーンで開業後、１９３９年にナチス迫害から逃れロンドンで亡くなるまでに、フロイトは精神分析の技法、無意識の心理学、夢解釈、リビドー理論、自我防衛理論など、心理学上での新たな概念を確立してきました。こうした理論を構築していくにあたっては、フロイト自身が神経症に悩まされていたという背景があったようです。

フロイトが人間の心をどのように捉えていたのか、彼の主な学説をみていきましょう。

フロイトは意識を3層で考えた

フロイト最大の功績は、**無意識**の発見にあるといってもよいでしょう。無意識の中にある抑圧された感情や欲求こそが、人を動かす原動力であると提起したのです。

この無意識的なものを意識化させる仕事を「精神分析」と呼び、無意識の中に抑圧されているものを解き放つことで、個人の不安やノイローゼを解消できるとしています。

フロイトは人間の意識は、「意識」「前意識」「無

フロイトが考えた心のしくみ

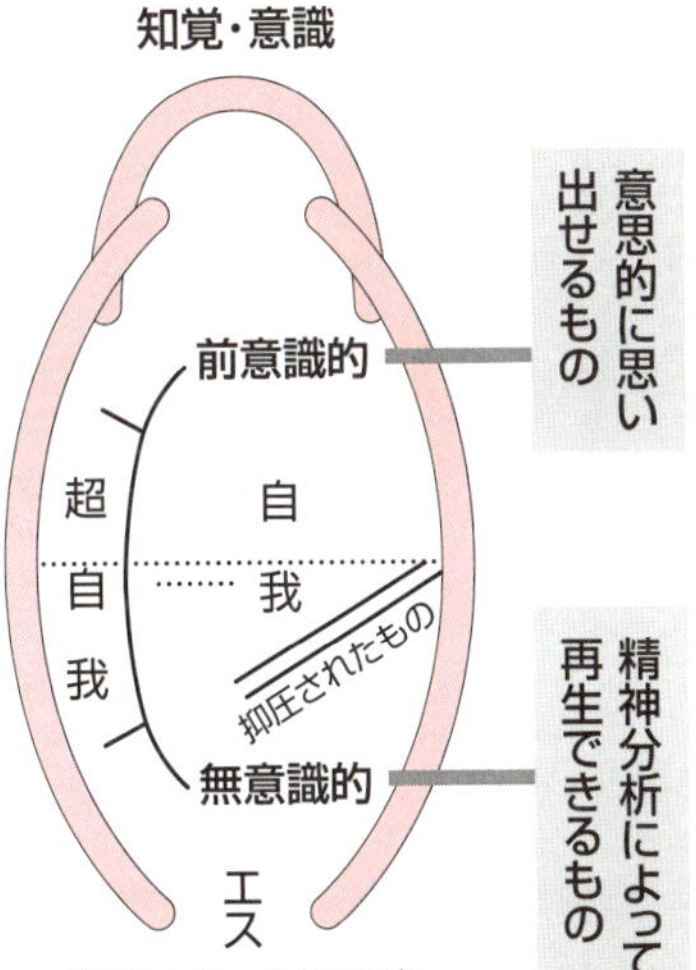

（フロイト、1932）

超自我（スーパーエゴ）

道徳心や良心に支配されている

自我（セルフ）

意識的な部分であり、衝動的エスを押さえ、道徳的な行動をとろうとする超自我との調整役

エス（イド）

本能的衝動を意味する。自分の快感を追究することを目的とする

意識」の3層からなっていると考えました。

意識は、文字通り自分自身の意思で考えたり行動したりする部分です。前意識とは、単に忘れてしまっている部分で、簡単に意識化できる部分です。

そして無意識は、日常生活の中では言い間違いや聞き間違いなどの失錯行為や、夢になってあらわれるとしています。とくに失錯行為は、自分の欲求や希望を妨害されたり、無意識的に抑圧してしまうことによる、妥協の産物と考えられています。

自我防衛機制は自分を守る心の動き

フロイトはまた、自我の**防衛機制**を明らかにしました。

人は長期にわたってフラストレーション状態に置かれると、心と体のバランスを崩し心身症になってしまうこともあります。このような状況に陥りそうになると、欲求や衝動、あるいはそれらに関わる事象や記憶は無意識の領域に追いやられ、自我の崩壊を防ごうとします。その過程で生じる心の働きをフロイトは防衛機制と呼んだのです。

防衛機制は、自我を守ると同時に、現実への適応をはかる役割を果たします。合理化、反動形成、同一視、代償行動、退行、投影、置き換え、補償など13種類があります。

たとえば学校の成績がよくないことに劣等感を抱いている生徒が運動部の練習に励み、優秀な成績を収める場合は弱点や欠点、劣等感を長所で補う「補償」の防衛規制といえます。

このように防衛機制はプラスに働くこともありますが、防衛機制に対する依存が強まると、自我の主体性が失われ、異常行動や問題行動が生じたり、神経症的症状があらわれることもあります。

フロイトが唱えたリビドーとは?

リビドーとは、本来、欲望を意味するラテン語ですが、フロイトは性欲動という精神的なエネルギーをリビドーと呼びました。そして彼は、リビドーを発達とともに身体のある部分に局在するものと考え、その身体部分の名称を使って人間の性の発達段階をあらわしました。

生後18カ月くらいまでを「口唇期」、1歳から3歳くらいを「肛門期」、3歳から6歳を「男根期（エディプス期）」、6歳から12歳を「潜伏期」、青年期以降を「性器期」といいます。

3歳から6歳の子どもは男根期にあり、自分の性器に強い関心を持ち、性器にさわったり見せたりします。次に、異性の親に対して性的な関心を持ちはじめます。たとえば、男の子は母親の愛情を独占したいと思うようになり、父親にいなくなってほしい、死んでほしいという願望を持ちます。これが**エディプス・コンプレックス**であり、ギリシャ神話のひとつで、父親を殺して母親と結婚したエディプス王の話に由来しています。

このコンプレックスでは、同性の親が子どもの願望に気がついたとき、子どもは復讐として去勢されるのではないかという去勢不安を起こします。そこで、抑圧された性的衝動のエネルギーを同性の親で

フロイトが唱えたリビドーの発達段階

生後～18か月	口唇期《こうしん》	母親から乳を与えられる時期。口唇を使い吸うという行為を通して環境との交流をはかる
1～3歳	肛門期	排泄機能のコントロールができるようになる時期。排泄を通じて、環境への主張的な能動的姿勢が芽生える
3～6歳	男根期	性的関心が異性の親に向けられ、同性の親を憎むようになる。また、両親への同一視を通して性役割を獲得する
6～12歳	潜伏期	男根期で芽生えた同性の親への憎しみから生じた去勢不安のため、性への関心が一時的に抑圧される
12歳以降	性器期	口唇、肛門、男根といった小児性欲の部分的欲動が統合され、対象の全人格を認めた心理的な性愛が完成する

ある父親と同一視することに向けようとし、コンプレックスは解消されます。

夢からわかる心の動き

フロイト無意識的な願望などを夢に見るのは、睡眠中は自我の意識が弱まり、抑圧されている考えや願望が浮かび上がりやすくなるからだと唱えています。

フロイトといえば、日本では一般に『夢判断』がよく知られていますが、夢は意識下に押し込められたもう1人の自分からのメッセージであるとし、とくに幼児期の性的な経験（リビドー）が関係していることを強調しています。

性そのものがタブー視されていた時代に、性との関連を指摘したフロイトの説は、反道徳的、わいせつのレッテルを張られていました。

しかし、フロイトが築いた数々の理論は、今日の心理学に多大な影響を与えています。

フロイトと袂を分かち、分析心理学を立ち上げたユング

ユングとフロイト～出会いと別れ～

ユングはスイスで生まれ、バーゼル大学医学部を卒業後、チューリッヒ大学で精神医学を研究していました。１９０７年、ユング夫妻ははじめてフロイト夫妻に招かれます。そのときユングは夫人や子どもたちのことを忘れて、13時間にわたってフロイトと話し続けたそうです。

フロイトはユングの人柄に引きつけられ、ユングを「跡継ぎの息子」と呼んでいます。しかし、ユングはフロイトの無意識の理論に対しては当初から懐疑的でした。

１９０９年、ユングとフロイトはアメリカに招かれましたが、このときの旅が2人の袂を分かつことになります。ある日、北ドイツで先史時代の人間のミイラが泥炭地から発掘されたというニュースが伝わり、強い興味を持っていたユングが食事中にその話題を持ち出しました。すると、フロイトは不快感もあらわに、「そのような死体に強い関心を持つのは、私の死を願っている証拠である」と非難したのです。

こうした経緯がもとで、ユングはフロイトの後継者と公言されるのは迷惑なことだと考えるようになりました。そして出会いからわずか6年にして2人は決別してしまったのです。

「コンプレックス」はユングがつきとめた

人間には、ある種の事柄に対して、感情的な反応

やかたくなな反応をしてしまうことがあります。自分では抑制できないわだかまりであり、これが**コンプレックス**（Ｐ１８０参照）です。

コンプレックスは、本人にとっては無意識でありながら、その人の態度や行動や、憎悪、嫉妬、嫌悪、恐怖、劣等感、罪悪感などの感情に強い影響力を与えます。また、その原因のひとつには、**トラウマ（心的外傷）**があります。

このようなコンプレックスの概念を、最初に明らかにしたのがユングなのです。

内向型・外向型「タイプ論」の裏話

日本ではフロイトと同様に、ユングの夢分析も広く知られていますが、実はもっと一般に知れわたっているものがあります。

よく、あの人は内向型だとか、社交的で明るいなど、身近な人の性格をタイプ別にいいあらわすことがあります。実はこの内向・外向とはユングの著作『タイプ論』からきているのです（Ｐ１３０参照）。

しかも、このタイプ論を定義づけるきっかけとなったのが、師であるフロイトとその弟子である**アドラー**とが神経症患者の原因について意見を対立させていたときだというのですから、なんともおかしな話です。

ユングはさらに、内向性・外向性それぞれを、人間が本来持っている４つの心理的機能（思考・感情・感覚・直覚）と組み合わせて８つの性格に分類しています。

フロイトにはついていけない……

フロイトとは異なるユングの無意識説

ユングは、心の構造を意識と無意識に区別し、無意識を重要と考える点ではフロイトと一致しています。しかし、ユングはこの無意識の特徴についてフロイトとはかなり異なった見方をしています。

フロイトが無意識を個人的なものと考えたのに対して、ユングは無意識には**個人的無意識**と**普遍的無意識**（集合的無意識とも呼ばれる）の2種類があると想定しました。

とくに、この普遍的無意識はユング心理学にとって重要な概念であり、個人の経験から獲得された無意識だけでなく、人類に共通する無意識の世界を探求することがユング心理学の大きな特徴となっています。

ユングのいう個人的無意識には、個人の経験から生じたもので、忘れてしまった記憶や、抑圧されている意識、衝動、願望などが含まれています。一方の普遍的無意識とは、個人的に獲得されたものではなく、もっぱら祖先から遺伝的に受け継いだ、全人類に共通の記憶やイメージが眠っている場所だと考えました。

文化や生活環境が異なる世界各地の神話やお伽噺、夢の話などに似通った話があることこそが、人類に脈々と受け継がれる共通の記憶があることの証拠であるとし、ユングはその基本的な型を**元型**と呼びました。

人は誰でも無意識の仮面をかぶっている

ユングが見出した元型は、どんなふうに人間の行動にあらわれてくるのでしょうか。

まず、「ペルソナ」です。これは、人間が外の社会に適応するためにつける仮面のようなものです。私たちは社会の中で一定の役割を演じながら生きています。たとえば、医者は医者らしい威厳をもった態度で接することや、冷静な観察力、患者への優しさなどを要求されます。

これは職業だけでなく、社長などの社会的地位に

ユングが考えた心の構造

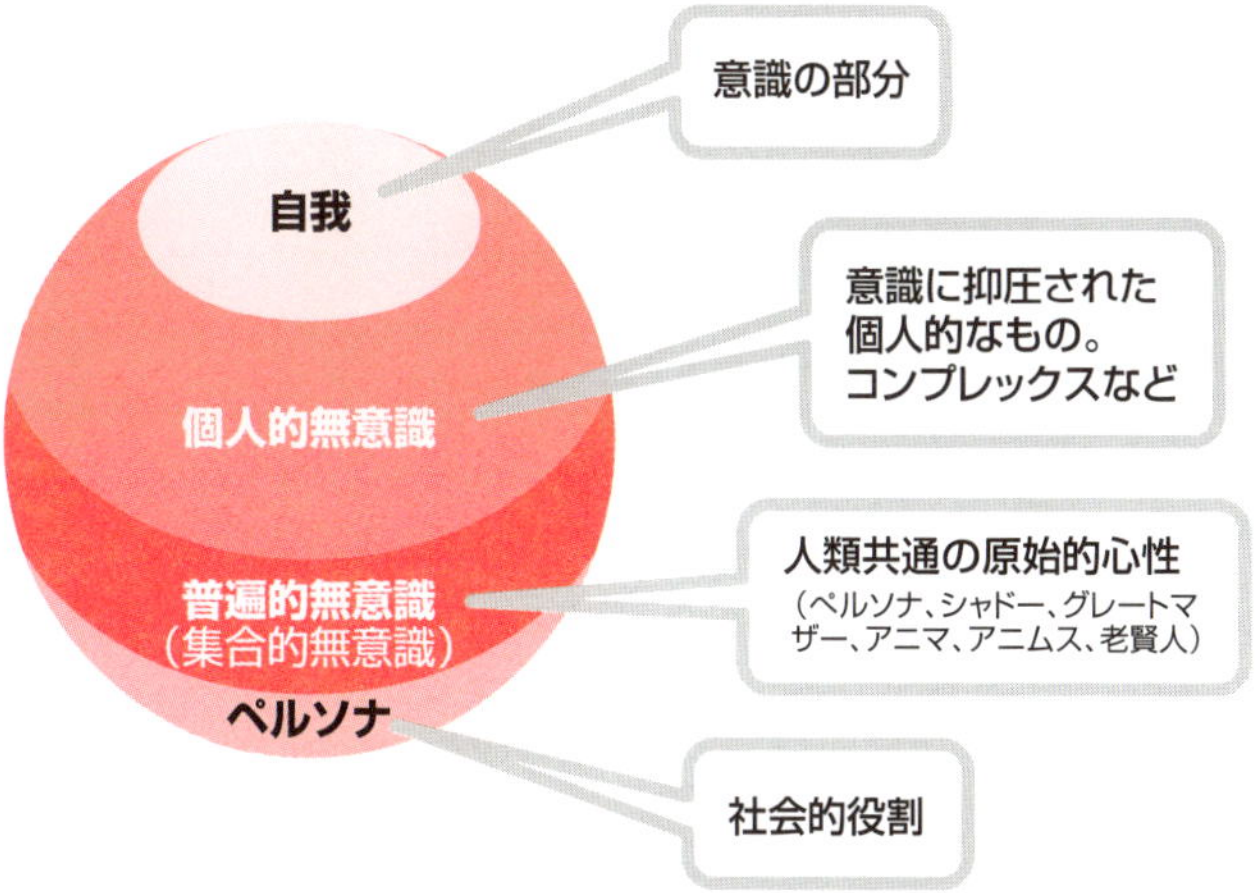

よってもあらわれます。つまり、本人の性格とは関係なく、無意識に要求される姿を装ってふるまうようになるというのです。

　また、人間には性格の表には出てこない個人的な影と、犯罪を犯してしまうような人間の悪の部分である普遍的な影があるとしています。

　たとえば、善良で穏やかで誠実な人柄の人が、その反面では邪悪で攻撃的な性格傾向を持っていることがあります。このような意識に反する人格を「影（シャドー）」と呼びます。

「アニマ」「アニムス」は、心の中に存在する異性イメージのことです。男性の中にある女性像をアニマ、女性の中にある男性像をアニムスと呼びます。人は恋をすると、無意識のうちにその相手に自分が持っている理想のアニマやアニムスを投影させるものだそうです。

現実では満たされない思いを充足させるために夢を見る

睡眠はレム睡眠とノンレム睡眠の繰り返し

人間はなぜ夢を見るのか。その大きな理由は、現実では満たされない願望を夢の中で実現させようとするためだといわれています。

たとえば、長年欲しいと思っていた車を手に入れた夢や、好意を持っている異性とデートをしている夢などがそうです。ただし、夢はこのように願望をストレートに反映させるばかりではなく、さまざまなイメージに転化して、形を変えて満たそうとすることもあります。

人間は主にレム睡眠のときに夢を見ているといわれます。レム睡眠は体の疲労を回復させるための浅い眠りの状態で、脳波は覚醒時と同様に動いていますが、抗重力筋（姿勢を保つための筋肉）の緊張が消失します。また、血圧が上昇し、呼吸数も増え、急速な眼球運動が起こります。レム睡眠以外の時期をノンレム睡眠といいますが、このときは反対に血圧が下降し、脈拍、呼吸数も少なくなり、成長ホルモンの分泌が増加します。

一晩に4～5回の夢を見る

ノンレム睡眠時に人を起こすと、夢を見ていることが圧倒的に多いのです。このレム睡眠と、脳の疲労をほぐす深い眠りのノンレム睡眠は、90分セットで繰り返されています。したがって、睡眠時間が8時間の人であれば、一晩に4～5回の夢を見ていると考えられます。一生に換算すれば、なんと平均して4年間に相当する時間、夢を見ていることになるのです。

約90分周期でレム睡眠とノンレム睡眠を繰り返す

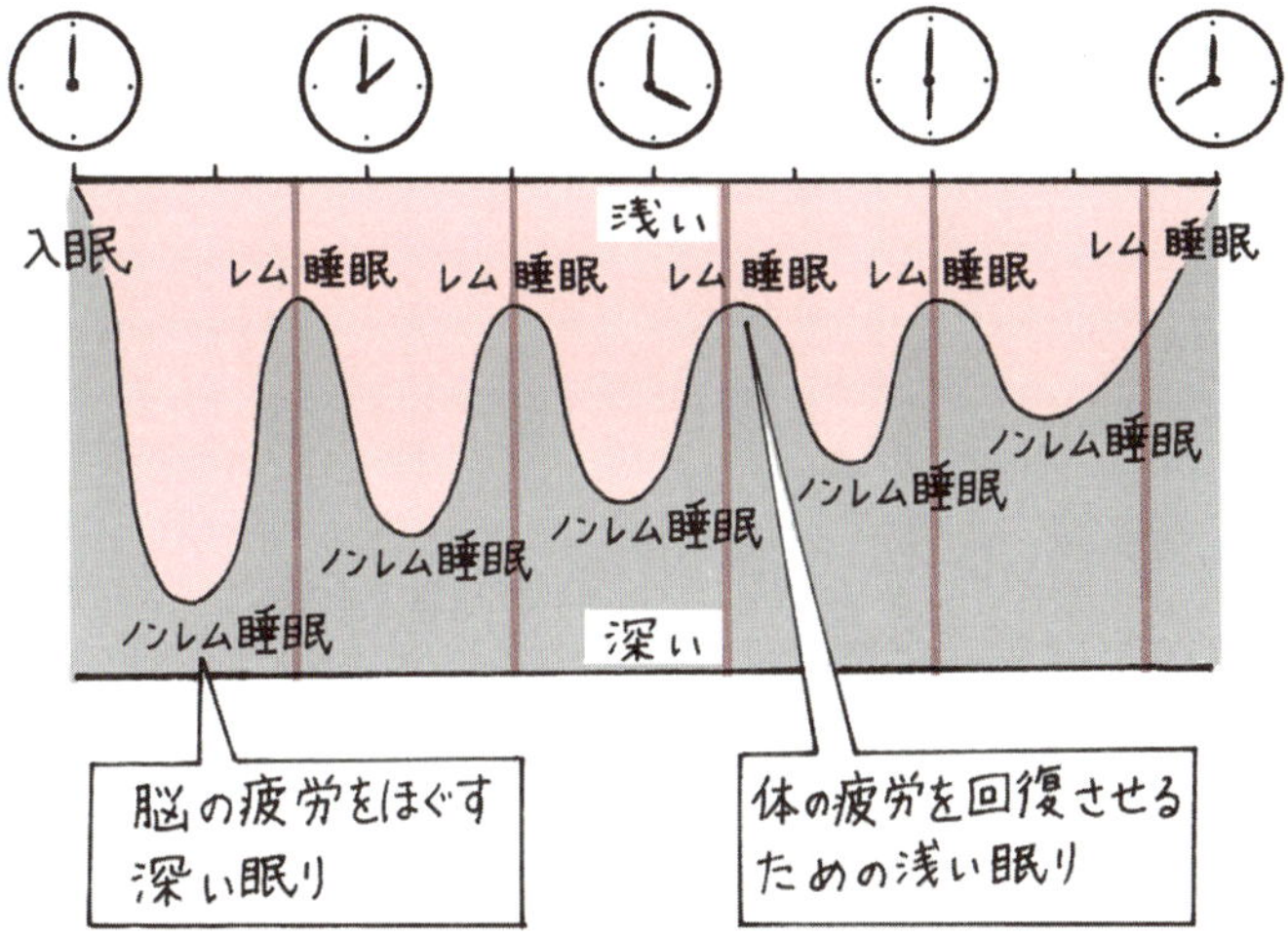

どうして同じ夢を何度も見るのだろう？

同じ夢を何度も見た経験がある、という人は多いでしょう。これは、どちらかといえば子どもや青年期の少年少女に多い現象です。この年代は、自我の形成期にあって、さまざまな心理的な葛藤を経験する年頃です。

社会に漠然と抱く不安や、自分の内に抱える不安や願望のイメージが、ときには怖い夢や、いつもの帰り道なのに家にたどり着けないといった夢になって何度もあらわれてくるわけです。

大人になっても同じ夢を見るという人は、その夢に象徴される願望や不安が未解決のまま残されている場合が考えられます。

COLUMN

夢を見られなければイライラが……

従来、夢はレム睡眠時に見られ、ノンレム睡眠時には見ていないものとされていましたが、最近の研究では、ノンレム睡眠時にも夢を見ていると報告されています。

レム睡眠時に見る夢は比較的明瞭で、起きているときには思い出せないような古い記憶が再生される夢想型の夢です。一方、ノンレム睡眠時には、内容ははっきりしませんが新しい記憶が再生される思考型の夢を見ます。

もし、レム睡眠を妨害して夢を見られないようにしたなら、人はイライラして不安が起こり、幻覚を見るようになります。

はっきりした機能はまだわかっていませんが、レム睡眠時には脳が記憶に関するなんらかの作業をしていると推測されます。

夢は睡眠の保護者

フロイトは「夢は睡眠の保護者」といいました。睡眠を遮断する目覚まし時計の音などの外部刺激を、夢は電車の音に置き換え、そのまま睡眠を続行させます。

また、**統合失調症**《とうごうしっちょうしょう》（Ｐ２７４参照）の治療では、夢が回復の目安になります。形のないヘドロのような夢が、症状が回復するにつれ人間の形になるなど、徐々に現実味を帯びてきます。健康な人間も、叶わぬ願望を夢の中で叶えることで、現実とのバランスをとりながら精神的な健康を保っています。

夢を見ないという人もいますが、これまでの研究によると夢は誰でも見ていることがわかっています。忘れているだけであって、夢を見ない人はいません。それだけ夢は人間の健康のため、なんらかの働きをしていると考えられます。

あなたはどのタイプ？　寝ぞうでわかる性格診断

A 完全なる胎児

丸くなって寝るスタイル。
自分の殻に閉じこもりがちで、
依存心が強いタイプ

B 半胎児

横を向いて、膝を少し曲げるスタイル。
バランスのとれた安定した性格で、
人に安心感を与えるタイプ

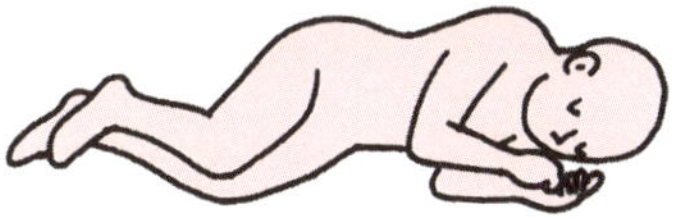

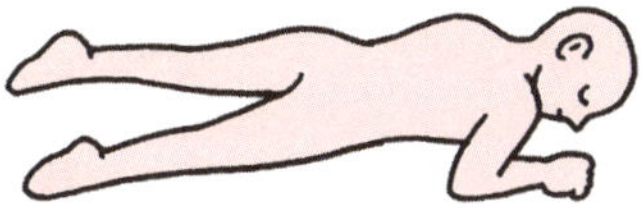

C うつ伏せ

うつ伏せに寝るスタイル。
自分を中心に物事を処理
しないと気がすまず、几帳
面な性格

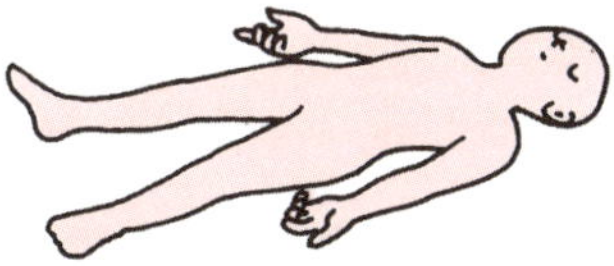

D 王者

あお向けに寝るスタイル。
安定した人柄で、自信が強く、
オープンで柔軟な性格

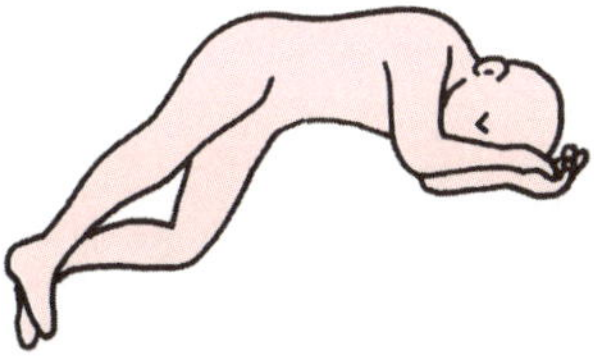

E 鎖につながれた囚人

くるぶしを重ねて横に寝るスタ
イル。仕事がうまくいっていな
いなど、悩みを抱えている状態

F スフィンクス

ひざまずいて寝るスタイル。
眠りの浅い人や不眠気味の
人に見られる

(S.Dunkel)

フロイトとユングは夢から心を分析しようとした

フロイトは抑圧された願望を読み取った

夢を科学的に解明しようとはじめて分析を試みたのが**フロイト**です。「夢はその人の無意識に通じる道である」というのがフロイトの考えで、さまざまな臨床例をもとに『夢判断』（１９００年）を発表しました。

彼は、夢の解釈には主観的な見方を排除し、客観性を重視した研究方針をとっています。具体的には、夢を解釈する人の連想やインスピレーションに頼らず、夢を見た本人の連想と象徴解釈に基づいて夢判断を行ったのです。

フロイトの夢分析の特徴は、人間の抑圧された潜在的な願望が夢となって表現されるのだと考えたことです。

潜在的な願望が自分の道徳観に合わなかったり、社会的に許されないものであったり、自分でも不快に思うようなものであるとき、顕在夢は実際の潜在思考とはかけ離れた形であらわれます。たとえば、敵意を抱いているきょうだいを抹殺《まっさつ》したいという欲望を持っていると、虫が死んだ夢になってあらわれるという具合です。

フロイトの夢解釈では、言葉の類似性、とくに発音の類似性や同一性との関連性を指摘しています。さらに、一晩のうちに見た夢はすべて同じものであると考えました。また、夢の中に出てくる人物は、ほとんどが自分の分身であるとしています。

つまり、夢を見た人の心の内面を深く知り、どん

フロイトは抑圧的な願望が夢にあらわれると考えた

な願望を持っているか、どんな悩みを抱えているかを解明しようとするのが、フロイトの夢分析です。

正夢は本当にある？

　昔の友達に会う夢を見たら、翌日に本当に会ったとか、欲しかった物を手にする夢を見たら、友人からプレゼントされて驚いたといった経験をしたことがある人もいるでしょう。このように、夢で見たことが現実に起こると、正夢ではないかと信じたくなります。

　しかし、精神分析学の立場では、正夢はないと考えられています。その人が近くに引っ越してきたとか、同窓会の通知をもらっていたとか、そんなことが原因で夢を見たのではないでしょうか。あるいは、たまたまの偶然ということも考えられます。

COLUMN

ユングは夢の解釈法にこだわった

フロイトが夢を無意識の手がかりとしか考えなかったのに対して、**ユング**は夢の中にあらわれた内容は無意識の象徴的表現であると考えました。つまり、夢そのものが、無意識についてのひとつの解釈であると考えたのです。

人間の精神世界は、意識と無意識によって成り立っていると考えられます。ところが、ある問題が起こったとき、AとBという2つの要素で判断すべきことを、意識上ではAという要素だけの判断に頼り、Bをないがしろにしているとします。こうしたときに、Bが夢にあらわれて意識上の判断を補う作用をもたらすというのです。

また、フロイトとは逆に、夢解釈者の主観的な連想や直感を尊重しました。そして、夢の解釈には、「主体水準」と「客体水準」の2つの解釈があるとしています。

たとえば、夢の中に上司があらわれた場合に、現実の自分と上司の関係に関連づけて考えるのが客体水準です。それに対して、夢にあらわれた人物像を、その人物によって象徴される自分の心の中の原因は何かと考えるのが主体水準の解釈となります。

ユングはさらに、夢の作用として未来へと向かう「展望的な夢」があることも指摘しています。

ユング派の夢分析の特徴

以上のようなユングの夢分析は、その後、ユング派の人たちの心理療法で中心的な技法として取り入れられてきています。

ユング派は次の8つの視点を基本として、分析を行っています。

①夢を見た人の意識状態はどうか。

②夢を見た人が自分の夢にどのようなイメージを持つか。

③夢のシリーズ性はあるか。

④心理療法をはじめた頃に見るインパクトのある夢（イニシャル・ドリーム）はどんな内容か。

⑤精神の偏りに無意識が働きかける修正機能（補償）は夢にどう出ているか。

⑥夢の登場人物を客体水準と見るか主体水準と見るか。

⑦夢の登場人物は治療者を反映（転移）したものではないか。

⑧夢のイメージに近い神話やお伽噺《とぎばなし》をもとに解釈をふくらませていく（拡充法《かくじゅうほう》）。たとえば、夢の中に非常に気になる老賢人があらわれたら、この老賢人のイメージをふくらませ、イメージ自体にその意味するところを表現させようとする。

とくに⑧の拡充法はユング派独自の分析技法ですが、ほかの心理学者からは個別のイメージを殺す危険もあるとして批判も出ています。

ステッキは男性器、箱は女性器のシンボル!?

人の見る夢はバラエティに富んでいますが、その中でも多くの人に共通に見られるある特定の夢があります。このような夢を「定形夢」といい、特定の願望と対応して夢の中にあらわれるものを「シンボル」といいます。

フロイトは、多種多様の定形夢や夢のシンボルをリストアップしました。たとえば、ステッキや傘のように長いものは男性器のシンボル。くぼみや箱、ポケット、靴などは女性器のシンボル。ダンスや乗馬は性交のシンボル。皇帝や皇后は両親。小動物や害虫はきょうだい。水中に落下したり、水からはい上がることは誕生。旅立ちや鉄道旅行は死のシンボルとしました。しかし、これはあくまでフロイトの解釈であり、夢が象徴するものは解釈する人によって変わります。ユングは旅立ちを人生の転換、未知への挑戦と解釈しました。

COLUMN

自分の夢を分析してみよう

夢にはメッセージが隠されている

夢判断の方法にフロイト派をとるにせよ、ユング派をとるにせよ、夢に自分の意識下にある欲求があらわれることは確かです。

自分が見た夢にどんなメッセージが隠されているのか、一般によく見る夢の解釈を紹介しましょう。夢を分析することは、自分について考えたり、生活を振り返るきっかけにもなります。きっとこれまで知らなかった自分に出会えるでしょう。

◎空を飛ぶ夢

空を飛んでいる夢は、開放感を持って自由に行動したいという欲求のあらわれです。自由に気ままに飛ぶ夢は、気力や体力が充実していて、現実の困難や障害を乗り越え、自分らしく行動できることを暗示しています。

飛んでいて落ちそうになったり、うまく着地できない夢は、現実の世界でもなにかプレッシャーを感じている場合です。

◎落下する夢

落下する夢は、現実の世界でなにかを失ったり失敗したりすることへの不安や恐れのあらわれと見ることができます。

試験で不合格になるのではないか、恋人と別れるのではないか、仕事での評価や会社でのポストを失うのではないかなど、その人の置かれている状況によって不安のもとは異なってきます。

◎追いかけられる夢

追いかけてくるものは、社会のルール、親、性的欲求などの象徴です。それに捉えられることを恐れながらも、なかばつかまってみたいという願望が隠されています。追いかけてくるものがなにであるか、それがなにを象徴しているかによって、夢の解釈は変わってきます。

◎火事の夢

火事の夢は、自分が一時的な情熱にとらわれていることを意味します。この場合、被害の規模はあまり関係ありません。

◎セックスをしている夢

セックスの夢は、性的願望というより、新しい創作に打ち込んでいたり、意欲的に新しいことをやろうとしたりしているときに見やすいそうです。

◎食べる夢

実際にお腹がすいていたり、夕食を食べそこねたりすると、こういう夢を見ることが多いようです。さほど空腹ではないのに物を食べる夢を見るのは、満たされなかった願望を意味しています。

願望の種類は人によって性欲だったり、名誉欲、権力欲、金銭欲などさまざまです。

夢分析を行う際のポイント

- POINT 1 夢を見たまま、できるだけ詳しく思い出す
- POINT 2 夢から連想されることを書き出す
- POINT 3 見た夢と実際の出来事とを対応させる
- POINT 4 自分の心をごまかさずに、分析した結果を素直に受け止める

性格は遺伝と環境が作用し合ってつくられる

性格は生まれつき?

人間の性格は、どのように形成されていくのでしょうか。自分自身を振り返ってみても、親に似たところもあるし、家庭以外の周りの環境による影響もあるように感じられます。

これまでの研究では、親から受け継いだ遺伝子と、生まれ育った環境が互いに影響し合うという「相互作用説」が有力です。

ジェンセンの**環境閾値《いきち》説**では、人間の遺伝的な素質や才能は、その能力があらわれる水準（閾値）の環境が与えられるかどうかで、その発達に影響があると考えています。

たとえば、身長や知能など親の遺伝的要素が強いものは環境による影響も少ないのですが、学業成績や音感、外国語の発音などは、より適切な環境が与えられないと伸びないことがわかっています。つまり、その性質によって環境による影響が高いものもあれば低いものもあるのです。

双生児研究が明らかにしていることは?

遺伝が性格の形成にどう影響を与えるかを、一卵性双生児と二卵性双生児とで比較研究する「双生児法」があります。

これは1個の受精卵から2人の子どもが生まれる一卵性双生児と、別々の卵子と精子によって同時に生まれる二卵性双生児を、それぞれ環境によって生まれる共通の特徴と、遺伝だけで決まる特徴とが、どれだけ似るかを比較した研究です。

日本でも、心理学者の詫摩《たくま》武俊《たけとし》氏によって、別々の環境のもとで育った双子の研究例が紹介されています。

ジェンセンの環境閾値説

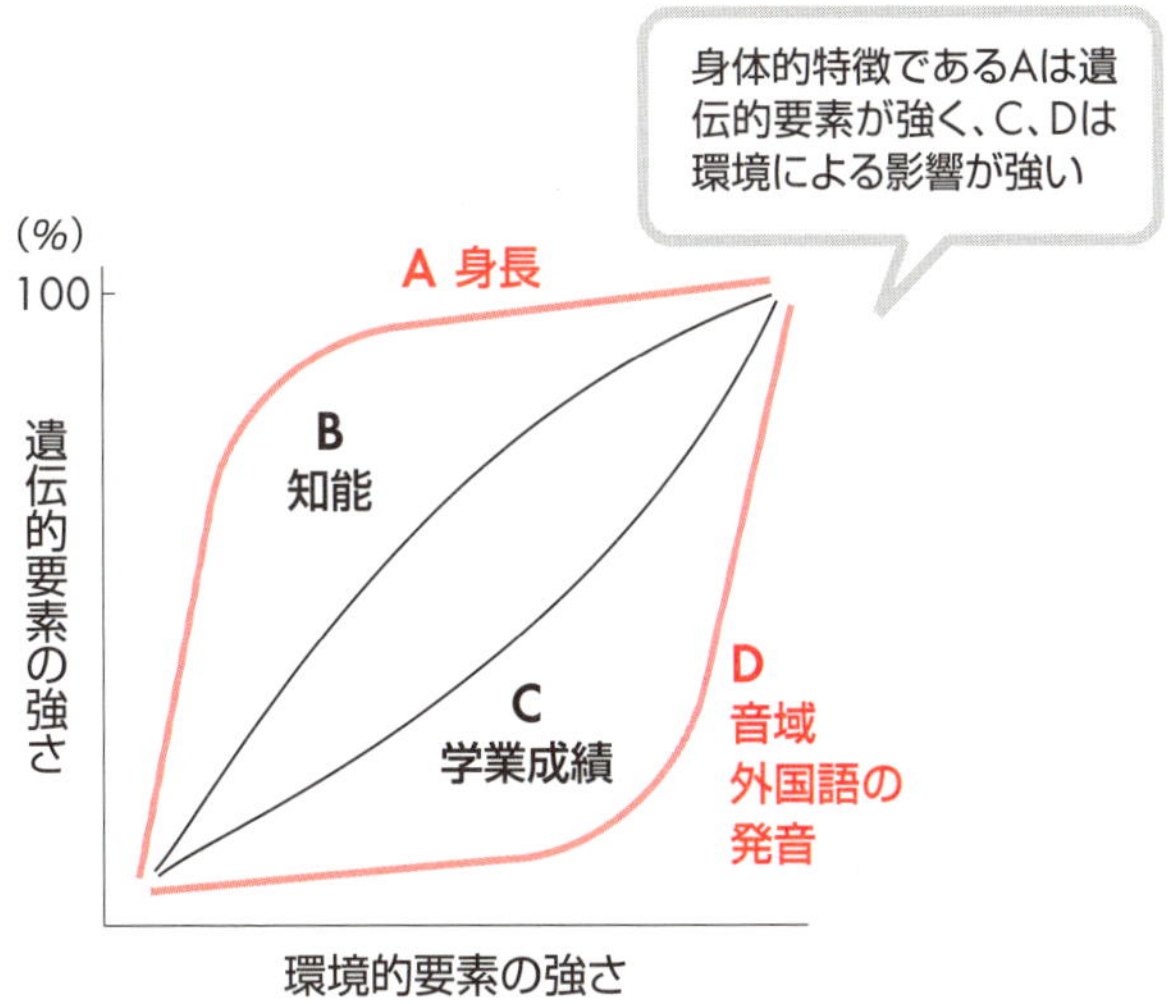

一卵性双生児が外見や身長、体重などの身体的特徴が似るのは見てわかりますが、これらの研究では虫歯になる場所や本数まで似たり、性格や癖、運動能力などもよく似ていることが報告されています。

また、生まれてから10年間に別々の家で育てられるなど、互いの接点がない双生児ほど性格が似ているという調査結果も報告されています。

2人が離れて育てられた場合には、どちらも遺伝的に受け継いだ自分のテンポやスタイル、要求が妨げられる要因は少なくなります。ところが、同じ家で育てられると、ふつうの兄弟姉妹がそうであるように、両親が2人の特徴をそれぞれ違う側面から伸ばそうとして育てるためではないかと考えられています。

つまり、多くの例で見られるように、食習慣や食べ物の好みなど、生活環境によってつくられる違いはあっても、性格の形成は遺伝子の影響を多く受けているといえます。

兄は兄らしい、妹は妹らしい性格になる理由は?

親の接し方が性格をつくる

同じ母親から生まれ、同じ家庭環境で育っても、きょうだいで性格が違ってくるのはどうしてなのでしょうか。

一番の原因と考えられるのは、それぞれの子どもに対する親の接し方です。一般に、どこの家の親も最初の子どもには、すべてがはじめての経験になるため一生懸命になるものです。

ところが、次の子どもの場合は似たことの繰り返しで、子育ての感動や関心が少なくなります。すると、次子は長子と違ったことをして親の関心や注意を引こうとします。兄が叱られたことは弟はしなくなったり、褒められていればそれをマネしたりといった観察学習による行動も、ひいては性格を形成するきっかけになると考えられます。

また、長子には「早く自立してほしい」と親は期待する傾向があり、反対に次子には「いつまでも幼いままでいてほしい」という気持ちが働く傾向もあるようです。一般に、末っ子は甘えん坊で行動が破天荒だというのも、長子に対するより親の目が甘くなるからだともいえるでしょう。

きょうだいの役割に応じた性格になる

親が「お兄ちゃんなんだから我慢しなさい」などというのも、子どもにお兄ちゃんらしくふるまうという性格を身につけさせる原因にもなります。

きょうだい同士が名前で呼ばずに、「お兄ちゃん」

かんき出版の本

2006.09〜10

大きな結果をもたらす小さな習慣

- 周りが思わずあなたに力を貸したくなる！
大ヒットした"フィッシュ"の共著者ハリー・ポールの第2弾。私生活の問題で傷つき、仕事で窮地に立たされた中間管理職の女性が、心理学者のアドバイスで以前の自分を取り戻し、私生活と仕事の両面で成功を手にするというストーリーを通じて、人生が好転する3つの"魔法のしかけ"を伝授。

- ●門田　美鈴＝訳
- ●ハリー・ポール、ロス・レック＝著
- ●四六判　並製　152P
- ●定価1260円

※カバーの色は変更になることもあります。

8月刊行の本

・"1人企業"も"1円起業"もこの1冊でOK！

<最短>7日間で株式会社をつくる本

──「株式会社」の設立手順・ノウハウを、図表や書式・記載例を豊富に交えて、懇切丁寧に解説。設立後の社会保険関係の届出も掲載。

起業コンサルタント木下　和子＝著　Ａ５判　並製　2色　定価1575円

・社内でできる書式例と申請・手続きのすべて

会社を強くする増資・減資・株式会社移行の正しいやり方

──資金繰りを楽にするために増資・減資が活用しやすくなった。本書は増資・減資のしくみから申請・手続きまで、豊富な書式例で解説。

司法書士青山　修＝著　四六判　並製　定価1575円

※掲載の書名・定価は変わることもありますので、ご了承下さい。

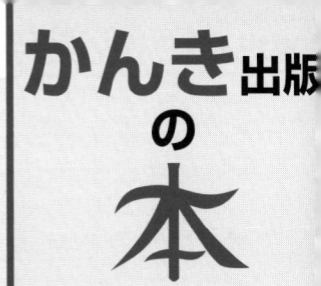

アイデアをカタチにして説得力ある企画にまとめる！

企画のつくり方入門

「アイデアを出せ！」「企画を出せ！」と言われて、何からどう手をつけていいか困る人は多い。会社でも企画を創出する方法を誰も教えてはくれない。本書では、広告代理店の現役プランナーが、アイデアを量産し、ブラッシュアップして、企画書にまとめ上げるまでを体系立てて解説。考えるプロセスが整理できる1冊。

山川　悟＝著

四六判　並製
240P
定価1470円

ケータイでもできるオンライントレード

はじめての人のネット株入門塾

インターネットを使った個人投資家が増えている。その理由は手数料が安いことに加え、自分の生活スタイルにあった方法で投資ができること。大手証券会社も個人投資家向けのサービスに力を入れ始めた。本書はリニューアルした大和証券のネット株取引の内容や売買手順を完全図解。

大和証券商品企画部＝著

四六判　並製
224P
定価1470円

製造部門はもちろん間接部門のコスト低減策まで

〈決定版〉業務別に見直すコストダウンの進め方

コストダウンは全社的に取り組むべき活動だが、実際にはコストを決定する要因のほとんどは、開発・設計段階にあるといわれている。つまり、開発・設計のあとはコストダウンの余地は少ないということだが、はたしてそれは真実か。本書では、業務別に見直すことでコストダウンの可能性を探る。

間舘　正義＝著

四六判　並製
224P　2色
定価1575円

かんき出版の新刊　2006.09〜10

業界随一の凄さはどこから来るのか

伊勢丹だけがなぜ売れるのか(仮)

同業者からも消費者からも高い評価を受けている伊勢丹。その凄さの秘訣は「科学」にあった。本書は、強さの核である「VM」「VMD」「改装」を中心に「販売サービス」「支援部門」まで、何をどうすればその域に達することができるのか、伊勢丹だけが勝ち続ける理由をていねいにわかりやすく解き明かす。

武永　昭光＝著

四六判　上製
208P
予価1680円

税制改正対応・社長のお金も会社の資産もがっちり残す！

〈決定版〉同族会社の税金と節税法がわかる本

平成18年度の税制改正で同族会社の税法が変わり、全額損金扱いだった社長の給料が損金で落とせなくなるなど、厳しい見直しが行われた。本書は同族の定義から、同族会社に摘要される税金と節税のポイント、事業継承・税務調査までまとめた。特に問題になりそうな給与・賞与・退職金の扱いはそれぞれ章を設けた。

工藤　章＝著

四六判　並製
256P　2色
定価1575円

WEB2.0時代のビジネスはどう変わる？

これならわかるWEB革命(仮)

ブログなどの「消費者発信型メディア（CGM）」が、グーグルに代表される「サーチエコノミー」を触媒に「ロングテール」を掘り起こし、経済、政治、文化の激変を引き起こしている。ビジネスチャンス、経営リスクの両面から、次世代ネット社会を俯瞰する図解入門書。ケータイ（モバイル）2.0の動向も大胆分析！

近藤　静雄＝著

A5判　並製
208P
予価1575円

かんき出版の新刊

2006.09～10

TOEIC TEST650点突破攻略法

TOEICで650点を取るには、スピードに慣れることがカギだ。速く正確に読む、速いスピードの英文をできるだけ正確に聞き取る。本書はスピード学習に重点を置き、試験で確実に得点を取るためのテクニック、これだけは押さえておきたい文法、単語を徹底集中マスター。CD2枚つき。

日米英語学院＝監修

Ａ５判　並製
240Ｐ　２色
定価2100円

複雑な原価のしくみも計算方法もこれ1冊でOK！

〈入門〉原価計算の基本がわかる本

原価計算はビジネスマンに必要な知識。「製品を作るのにいくらかかったのか」「いくらで売れば儲かるのか」。こうした発想を支えるのが原価計算の知識。本書は、新入社員や原価の知識のない人、実務に応用してみたい人など、あらゆる人を対象に原価のしくみと計算方法、コストダウンのツボまで解説。

木村　典昭＝著

四六判　並製
192Ｐ
定価1365円

半井小絵のお天気彩時記

7時28分の恋人――NHKニュース7「気象情報」でおなじみ、わかりやすいコメントで大好評の半井小絵（なからい・さえ）キャスターが、季節と天気の移ろいをやさしく軽妙な語り口で書きつづった初エッセイ。二十四節気や年中行事など、四季折々の話題を織り交ぜて、歳時記風にまとめた1冊。

半井　小絵＝著

四六判　並製
208Ｐ　４色
定価1300円

読者の皆さまへ

◆書店にご希望の書籍がなかった場合は、書店に注文するか、小社に直接、電話・ＦＡＸ・はがきでご注文ください。詳しくは営業部（電話03-3262-8011　FAX03-3234-4421）まで。
また、ホームページからも購入できます。
http://www.kankidirect.com/をご覧ください。
◆総合図書目録をご希望の方も、営業部までご連絡ください。
◆内容のお問い合わせは編集部（03-3262-8012）まで。

かんき出版
〒102-0083　東京都千代田区麹町4-1-4　西脇ビル５Ｆ

「お姉ちゃん」と呼ぶことでも、それぞれ兄と弟といった役割分担を認識し、その立場に応じた性格を身につけていくと考えられます。

心理学者の永野重史氏と依田明氏が、2人きょうだいを対象とした研究で、その調査対象となった80％以上の家庭で、「お兄ちゃん」「お姉ちゃん」と呼び合っていたそうです。

このように同じ家庭で育っても、出生順位によって親の対処のしかたが変わり、親子関係やきょうだい関係の質に差が出てくるので、その結果として性格が違ってくると考えられます。

それぞれの性格を簡単に見ていきましょう。

◎長子的性格／次子的性格

2人きょうだいの上の子ども、下の子どもの性格特性については、次のような特徴があります。

・長子的性格……無口で人の話を聞くことのほうが多い。仕事をするとき失敗しないようにする。なにかをするとき、人の迷惑を考える。面倒なこと

きょうだいはナナメの関係にある

親と子の関係がタテの関係、友達と自分との関係がヨコの関係とするならば、きょうだい関係はナナメの関係と考えられます。きょうだいの数、性別、出生順位、年齢差がきょうだい関係を規定するといえます。たとえば2人きょうだいだと、次の4つのタイプに分類できます。

【対立関係】お互いに張りあってケンカになることもあり、兄と弟の関係に多く見られます。

【調和関係】きょうだい仲がよく、2人の間に親和的な雰囲気があります。姉と妹の関係に多く見られます。

【専制関係】どちらか一方が優位に立っている関係で、兄と妹、姉と弟の関係に多く見られます。

【分離関係】きょうだい相互に積極的な関わりが少ない関係で、年齢差が大きかったり男同士の場合に多く見られます。

COLUMN

はなるべくしない。欲しいものがあっても遠慮してしまう。

・次子的性格……おしゃべり。人に褒められるとすぐ調子にのる。人マネが得意。自分の考えを押し通す。両親に甘え上手。

この性格特性の違いは、年齢差が2歳から4歳のときに最も顕著ですが、お互いの名前で呼び合っているようなきょうだい関係の場合には、この特性はあてはまることが少ないと、心理学者の依田氏は述べています。

◎中間子

三人きょうだいの真ん中にいる子どもを、中間子といいます。NHKの『おかあさんといっしょ』の歌で「だんご3兄弟」という歌がありますが、その三番の歌詞は中間子の特徴をうまく表現しています。

両方のきょうだいに挟まれている中間子は、両方のきょうだいに負けまいと、自分を主張しないとやっていけないわけです。

依田氏によれば、中間子の特徴として次のような特徴をあげています。

①よく考えないうちに仕事をはじめて失敗することが多い
②面倒がらないで仕事を一生懸命にする
③気に入らないとすぐに黙り込む

◎一人っ子

一人っ子の性格特性として、①わがまま、②飽きっぽい、③協調性がない、④引っ込み思案、⑤慎重で完全主義、⑥競争心がない、⑦凝り性などがあげられています。

子どもの頃から1人で遊ぶことが多く、友人やきょうだいの間でケンカしたり我慢する経験が少ないことが、こうした性格特性を形成すると考えられます。

◎双生児

双子は、一卵性双生児と二卵性双生児に大別されます。一卵性双生児の遺伝子はまったく同じであると考えられ、顔つき、姿もそっくりということになります。この場合は、同性の双子しか生まれてきません。

一方の二卵性双生児は、遺伝子的にはふつうのきょうだいと同程度の相違があり、そっくり同じということはなく、異性の双生児も生まれてきます。

遺伝と環境が双生児にもたらす影響は、Ｐ１５２に述べた通りです。

ちなみに、日本は世界の中で、双生児の出生率は低いほうです。双生児の出生率はアフリカ諸国で高く、とくにナイジェリアでは１００出生について５組程度は双子が生まれています。これは10人集まればそのうち１人は双子がいるということになります。

本当の自分がわかる？性格テストの種類と方法

性格テストは大きく3つに分けられる

性格テストは文字どおり性格を測定するものですが、心理学では人間が考え、感じ、行動することのすべてを性格と捉えています。

性格検査は検査方法によって、大きく３つに分けられます。

①**質問紙法**…アンケートのように、質問事項に対してＹＥＳ、ＮＯなどと回答するテスト。

②**作業検査法**…一定の検査場面にしたがって作業をさせて、その経過や結果などから性格の特徴をとらえるテスト。

③**投影法**…あいまいな刺激にどのように反応するかによって深層心理を探るテスト。

これらはそれぞれ効果が違うので、目的に合わせて使い分けられます。たとえば、検査対象者が多数のときは、検査者による影響が少なく、客観性の高い結果が得られる質問紙法や作業検査法が向いています。

しかし、これらは客観性が高い分、限定された側面についての情報を得ることができないので、性格をより深く、全体的に把握したいときには投影法を使います。その代わり投影法は、一度に多数の検査は実施できませんし、検査者の影響や個人的解釈が影響しやすいので、検査者の訓練に長年の時間を要します。

もちろん、性格テストで出された判定がすべてとはいえません。そのときの心理状態によっても、結果が大きく異なる場合もあるということは心得ておいてください。

では、これから代表的な性格検査をいくつか見ていきましょう。

◎質問紙法①――Y・G性格検査

質問紙法の代表的な性格検査に、Ｙ・Ｇ性格検査（矢田部・ギルフォード性格検査）があります。

この性格検査は、特性論（Ｐ１３０参照）に基づき、次の12の尺度に分けられた１２０の質問に、「はい」「？」「いいえ」の三併法で答えるというものです。

①抑うつ性の程度
②情緒的安定性（気分の変化）
③劣等感の程度
④信じやすいか疑い深いか（神経質）
⑤客観的か主観的か
⑥協調性があるか
⑦攻撃的か
⑧活動的か
⑨のんきか
⑩考え方の傾向
⑪服従的か支配的か
⑫社交的か内向的か

結果の分析は類型化されており、プロフィールを分析することでＡ（平均タイプ）、Ｂ（不安定積極タイプ）、Ｃ（安定消極タイプ）、Ｄ（安定積極タイプ）、Ｅ（不安定消極タイプ）などに分けられます。

◎質問紙法②――MMPI

ＭＭＰＩとは、ミネソタ多面的人格目録（Minnesota multiphasic personality inventory）の略称で１９４２年にミネソタ大学のハザウェイとマッキンリーによって作成された心理テストです。

精神医学的診断の客観化を目的として開発されたものであり、５５０項目という膨大な量の質問から構成されています。

それらの内容は身体的経験、社会的・政治的態度、性的態度、家族関係、妄想や幻覚などの精神病理学的行動症状などにわたっています。4つの妥当性尺度（被検者の回答態度を見るためのもの）、9つの臨床尺度（抑うつ尺度、心気症尺度など）に分かれていることも本テストの特徴のひとつです。

◎作業検査法――内田・クレペリン作業検査法

作業検査法の中でも代表的なものに、内田・クレペリン作業検査があります。

ある人がある作業をする場合、条件を一定にすれば、その個人の作業態度、素質、知能、性格など内的精神的要因を明らかにすることができるという考えのもとに考案されています。

被験者は1桁の数字を2つずつ連続加算する作業を繰り返し、その答えを数字の間に書き入れていきます。

一行に与えられた時間は1分で、たいていの人はすべてを計算しつくすことはできません。1分経過ごとに合図がなり、次の行へと進みます。終了後、加算できた最終点をつなぎあわせ、その曲線から心理機能を分析します。

この検査では、①意志緊張、②興奮・気乗り、③慣れ、④練習効果、⑤疲労、の5つの精神的要因が作業曲線に与える影響についてみることができます。

◎投影法①――ロールシャッハ・テスト

スイスの精神科医**ロールシャッハ**が考案した性格検査です。偶然できたインク・ブロット（インクの染み）を利用し、左右対称の10枚のカード（5枚が黒、2枚が赤と黒、3枚が多数の色彩）からなっています。このカードを1枚ずつ被験者に見せて、「なにに見えるか」「なにに似ていると思うか」などを質問し、その回答から、その人の性格などを判断します。

◎投影法②――P-Fスタディ

あなたが雨の日に道を歩いていたら自動車に泥水

ロールシャッハ・テストで何がわかる？

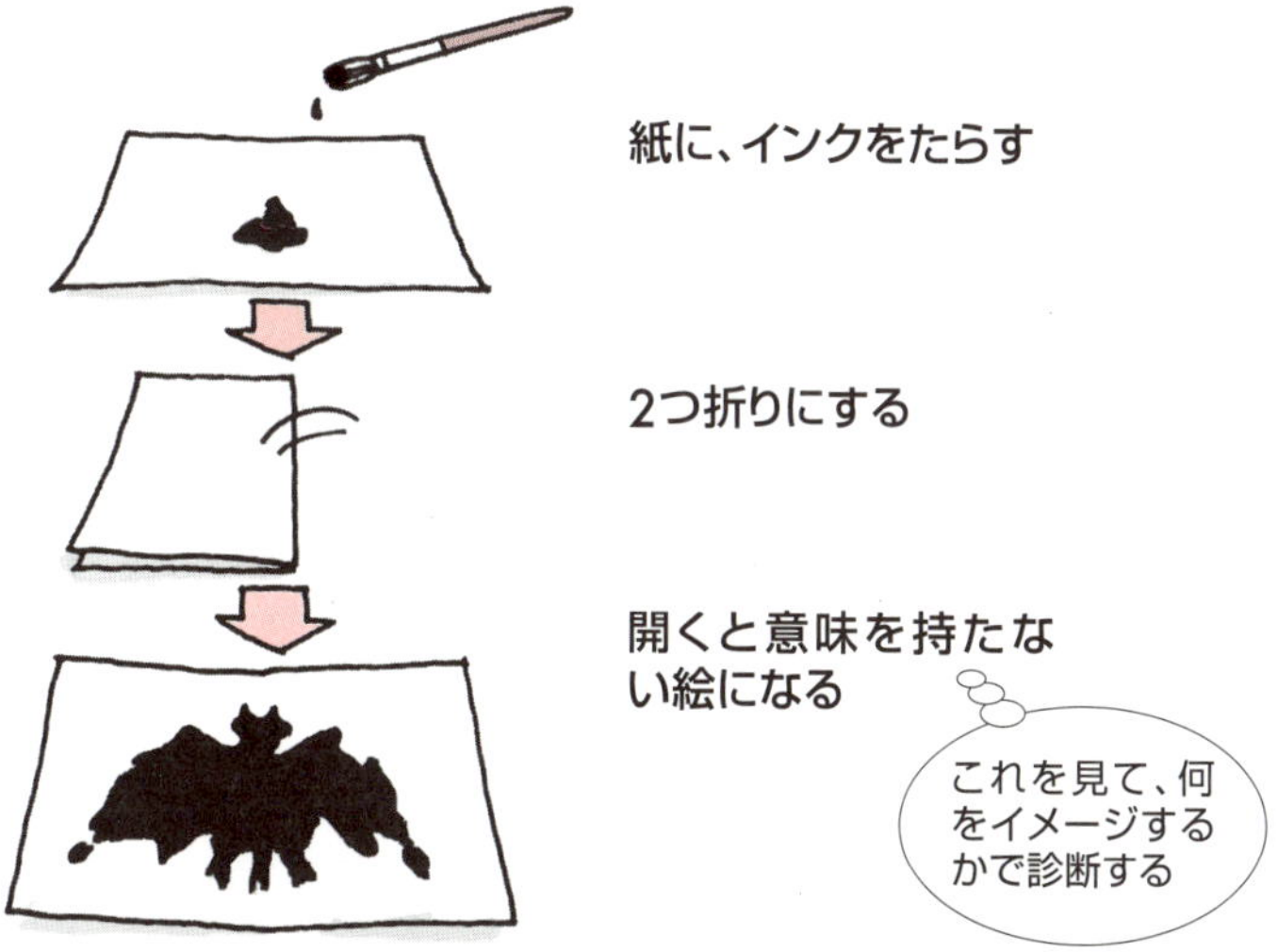
紙に、インクをたらす
2つ折りにする
開くと意味を持たない絵になる
これを見て、何をイメージするかで診断する

をはねかけられてしまったとします。そのとき、あなたはそのドライバーになんといいますか？

P-Fスタディではこのような24の事例が絵によって示されており、それに対する回答を分析することで、攻撃性（アグレッション）の方向性と型を明らかにしようとするのです。

絵画欲求不満検査（Picture-Frustration Study）の頭文字をとってP-Fスタディと呼んでいるこの検査は、ワシントン大学のローゼンツァイクによるものです。回答の中の発言にみられる攻撃性を、

①他責的反応（欲求不満の原因を他人や環境のせいにする反応）

②自責的反応（欲求不満の原因を自分の責任のためであるとする反応）

③無責的反応（欲求不満をうまくごまかして取り繕って攻撃を避ける反応）

の3つに大別しています。またその攻撃性はさらに攻撃性の型によって3つに分類されます。

男は「男らしい」、女は「女らしい」ほうがよい？

異性から見た男らしさ、女らしさ

よく「男らしい」とか「女らしい」という表現が使われますが、異性から見た女らしい人、男らしい人は、どういう人をいうのでしょうか。

心理学者の柏木恵子氏の調査結果によると、男性が女性にふさわしい役割として期待する特性として、次の５つをあげています。

①従順で謙虚である
②男性に依存的である
③美しくて可愛い
④気持ちがこまやかである
⑤仕事には専心的でない

一方、女性から見た望ましい男性の特性には、次のようなものがあります。

①頭がよくて学歴が高い
②線が太くて指導力がある
③背が高くて仕事に専心できる
④視野が広く自信がある

現実には、これらをすべて兼ね備えた女性や男性はかなり少ないでしょう。ところが、男性の多くは、女性にこのような役割を期待し、そしてこの**性役割**をたくさん持っている女性ほど女らしいとみなすわけです。同様に、女性も男性を性役割を基準にして男らしいかどうかを評価しているといえます。

「らしさ」は時代とともに変化する

１６５ページの心理テストを行ってみてくださ

つくられる「女らしさ」「男らしさ」

社会によってつくられる性差「ジェンダー」

　時代や文化によって規定されている男女の社会的差異のことを、**性役割（ジェンダー）**といいます。この性役割が形成されていくメカニズムの理論には、次の4つがあります。

①社会的学習理論　親は子どものモデルであり、父親・母親の行動を観察し模倣することで、子どもは性役割を身につけるという考え。

②認知発達理論　子どもが他の人から「男の子・女の子」と呼ばれることによって、自分の性別を認知し、性別にあった役割を徐々に身につけていくという考え。

③精神分析理論　同性の親を同一視することによって男性、女性の役割を身につけるという考え。

④ジェンダー・スキーマ理論　あらゆる情報を処理するのに、男性・女性というジェンダーに基づいてカテゴリー化するという考え。

COLUMN

い。あなたは、男性性と女性性のどちらの得点が高かったでしょうか。女性だから女性性が高く、男性だから男性性が高いという結果にはならない人もいるかと思います。

前述の柏木教授の調査結果に見られるように、男らしさ、女らしさは、生まれつきのものではありません。性別による役割の大部分は、実は社会によって定義され、しつけによってつくられているのです。これを社会的な性別、**ジェンダー**といいます。

たとえば、子どもの頃から男の子は強く、女の子はやさしくあるべきだといわれて育ちます。女の子は家事や食事の手伝いをさせられたり、服装や言葉使いを注意されたりもします。それが無意識のうちに固定観念となり、いつの間にか男らしさ、女らしさのイメージを身につけているわけです。

しかし、現代では男は仕事、女は家庭という概念が通用しなくなっているように、男らしさや女らしさのイメージも時代とともに変化してきているといえるでしょう。

「男らしさ」も「女らしさ」も大切

「男らしさ」「女らしさ」は長い間、2つの独立した次元として捉えられてきました。しかし、現代は多くの女性たちが社会に進出しており、「女だから」「男だから」という考え方は通用しない時代となりました。

現代社会において1人の人間としてバランスよく社会と家庭に順応していくためには、「男性性」「女性性」の両方を持ち合わせていることが大切です。このように、男性性と女性性を共に持つことを**アンドロジニー**といいます。

アンドロジニーはギリシャ語に由来しており、andro（男性）とgyn（女性）から成立している言葉です。それぞれの性にふさわしい役割に固執してきた人々にとって、非常に画期的なこの概念を提唱したベムが開発したBem Sex Role Inventory（BSRI）は、性役割研究で活用されています。

あなたが持つ「女性性」と「男性性」

次の特性の中で全くあてはまらないものは1、ほとんどあてはまらないものは2、どちらともいえないものは3、少しあてはまるものは4、非常にあてはまるものは5に○をして下さい。

女性性

かわいい	1	2	3	4	5
優雅な	1	2	3	4	5
色気のある	1	2	3	4	5
献身的な	1	2	3	4	5
愛嬌のある	1	2	3	4	5
言葉遣いの丁寧な	1	2	3	4	5
繊細な	1	2	3	4	5
従順な	1	2	3	4	5
静かな	1	2	3	4	5
おしゃれな	1	2	3	4	5

合計 ／50

男性性

冒険心に富んだ	1	2	3	4	5
たくましい	1	2	3	4	5
大胆な	1	2	3	4	5
指導力のある	1	2	3	4	5
信念を持った	1	2	3	4	5
頼りがいのある	1	2	3	4	5
行動力のある	1	2	3	4	5
自己主張のできる	1	2	3	4	5
意志の強い	1	2	3	4	5
決断力のある	1	2	3	4	5

合計 ／50

現在では、女性でも男性でも、「女性性」「男性性」のどちらも高いほうがバランスのよい生き方ができるとされています

「B型は自分勝手」「A型は神経質」は本当？

血液型性格判断に科学的な根拠はない

雑誌などの血液型相性判断や性格判断を試してみて、自分にあたっていると感じる人は多いかと思います。でも、本当に血液型で性格は決まるのでしょうか。

血液型と性格の関係については、心理学でも研究が行われています。しかし、その研究を総合すると、血液型による性格判断には、科学的な根拠はなにひとつないといっていいでしょう。

血液型性格判断の結果と、性格心理学の理論に基づいて作成された性格テスト（たとえばＹ・Ｇ性格検査など）の結果との間には、一貫した関連性は認められていません。つまり、血液型性格診断は、性格心理学で科学的に分析された結果とは一致しないことになります。

また、医学者や生理学者の間でも、Ａ型やＢ型の血液型の成分の違いが人間の精神機能に影響を与えるとは、理論的に考えにくいという見解が主流となっているようです。

血液型性格判断が人気の理由は？

では、なぜこれほどまでに血液型性格判断を信じている人が多いのでしょうか。心理学の立場から、その原因を探ってみましょう。

まず、誰にでもあてはまりやすい傾向が特定されているためです。たとえば、「Ａ型は神経質」といわれますが、Ｂ型にもＡＢ型にも神経質に該当する

血液型診断が人気の理由は?

人はたくさんいます。つまり、A型に特別に多い性格的傾向ではなく、一般的に多い性格特性であるために、あてはまる人が多くなるわけです。

また、自分はB型だから自由奔放に行動するタイプのはずだと思い込んだ人は、それに応じた態度をとるようになることもあります。その行動を見ると、今度は周りの人も「やっぱりB型だからだ」と解釈します。すると、さらにB型の人はその解釈に応じた行動をするようになり、しだいに「B型的な性格」になる可能性は十分あります。これを心理学では**自己成就予言**といいます。

さらに、他人を判断する材料としても身近にあるからでしょう。たとえば、友人を紹介するときも「彼はA型です」といえば、相手は一般的に知られているA型の性格からその人をイメージすることができます。この手っ取り早さが、血液型性格判断が広まった理由のひとつと考えられます。

要するに、私たちは自分の性格を知る正確なものさしを持っていないので、身近にある血液型性格判断や雑誌の性格テストなどを利用しようとするといっていいのではないでしょうか。

なぜ人は「嘘」をつくのか？

人間は誰でも嘘をつく

私たちは子どもの頃から、「嘘をついてはいけません」と聞かされて育ちます。にもかかわらず、いつの間にか嘘をつくようになります。しかも、時と場合に応じて嘘を使い分けます。

ドイツの心理学者**シュテルン**は、「嘘とは、だますことによってある目的を達成しようとする意識的な虚偽の発言である」と定義しています。

嘘をつく人の特徴としては、①虚偽の意識がある、②だます意図がある、③だます目的がはっきりしている、④罪や罰を逃れたり、自己防衛しようとしたりする目的がある、をあげています。

ですから、記憶違いや思い違い、勘違い、いい間違いなどは、嘘をつこうとしていたわけではないので、嘘の定義にはあてはまりません。

嘘には、詐欺や偽証など、明確に人を欺《あざむ》こうとする意図がありますが、「嘘も方便」というように、お世辞やお愛想笑いなど、人間関係を円滑にする上での嘘もあります。

人間の行動に嘘はつきもの、その良し悪しは状況によって判断するしかないといえるでしょう。

嘘は身体にあらわれる

嘘は、言葉や顔にあらわれやすいと考える人が多いと思いますが、嘘は身体にあらわれやすいのです。

嘘をつく人は、見抜かれないように言葉と顔に細心の注意を払いますが、相手が関心を持たないと考える動作には気を配らないからです。

そこで、しぐさや身振りから嘘を見抜くポイントを紹介しましょう。

嘘にもいろいろある

子どもの嘘は自立への第一歩

嘘は子どもが自分の主張を通すための手段のひとつでもあり、嘘のつき方や嘘に対する理解力も、発達段階に応じて社会的に適応した形へと変化していきます。

しかし、厳しすぎる親のもとで育った子どもは、あまりにも一辺倒に「嘘はダメ」と教えられることで、自我の成長をゆがめられてしまいます。心理学者のマイケル・ホイトは「子どもがはじめて親に嘘をついたとき、子どもは絶対だった親の束縛から自由になれる」と述べています。つまり、嘘は子どもの自立の第一歩というわけです。

ただ叱るのではなく、ときには大人が嘘と知りつつ子どもの話に上手につき合ってあげることも必要です。

COLUMN

◎手の動きを抑えようとする

嘘をついているときは、腕を組んだり、ポケットに手をつっこむなど、手の動きを抑えようとします。これは手の動きを通して、自分の本心を見抜かれてしまうのではないかと恐れるためです。

◎手で顔に触れる

嘘をつくときは、鼻や口など、顔のあちこちを手で触れる動作が増えます。これは口を隠すためのカモフラージュです。下あごをたたく、唇を押し出す、頬をこする、眉毛をひっかく、耳たぶをひっぱる、髪の毛にさわるなどは嘘のしぐさです。

◎頻繁に姿勢を変える

もじもじと頻繁に姿勢を変えるときも、要注意です。これは、その場から早く逃げ出したいという気持ちを抑制するしぐさです。

◎話を終わらせようとする

嘘をつかなくてはならない状況に近づくと、矢継ぎ早に話をしたり、てっとり早く話を終わらそうと返事も短く、話に柔軟性がなくなります。

◎無表情になる

表情が硬くなって顔から笑いが少なくなり、返答をせずにうなずきで返すことが多くなります。

◎相手を凝視する

異性との間で嘘をつくときには、相手を凝視します。恋人が「嘘だと思うなら目を見てごらん」というのは、実は真っ赤な嘘だといえます。

「すっぱいブドウの論理」

自分の言動について正当化することを、「すっぱいブドウの論理」といいます。『イソップ物語』に登場するキツネは、おいしそうなブドウを見つけ、何度もジャンプして採ろうとしましたが、どうしても採ることができませんでした。それで、キツネは「あのブドウは、すっぱいブドウだ」と捨てゼリフを残して立ち去りました。

キツネは、自分の跳躍力のなさを認めると傷ついてしまうので、ブドウはすっぱいから採る必要がないと合理化したのです。

COLUMN

まだまだある嘘のサイン

雑談をしながら腕組みをしたり、ポケットに手を突っ込んでいる。または手を握ったり、机の下などに手を隠している

新聞を読みながら、貧乏ゆすりをしたり、足を組みかえるなど、落ち着かない

「そうだな～」などといいながら、口や鼻の周辺をなんとなく手でさわっている

「へぇ～、それで」とか「うん、うん」など、うなずきが多くなり、聞き役になろうとする

「帰りが遅かったわね」といわれ、遅れた理由をよどみなく説明する

「今度の日曜日は、どこに出かけるの?」と聞くと、「同僚とゴルフだよ」と短く、そっけなく答える

一番最初に生まれた人間の感情は「恐怖」だった

「恐怖」は命を守る感情の働き

「怖い！」と感じたとき、私たちは反射的に逃げようとします。これは、自分の身を危険から遠ざけるために、怖いという感情が働いて、行動を起こさせるからです。

人間には、理性では抑えきれない本能的な感情があります。この感情は、人間が生きていくために備わったものであると考えられます。自分の生存を脅かす敵を直感的に見抜くために、感情が発達したのではないかというのです。

そのため、人間の感情の中で、一番最初に生まれたのが「恐怖」ではないかといわれています。そして、恐怖から分かれて、悲しみや怒り、喜びといった感情が発達したのではないかと推測されています。

感情は、理性よりも強く速く伝わります。生命の危険にさらされたとき、いちいち頭で考えてから行動していたのでは、機敏な行動がとれず、命を落としてしまいかねないからでしょう。

学習によって感情も身についていく

しかし人間は、たとえば「ライオンや蛇が怖い」ということを生まれながらに知っているわけではありません。

実際、赤ちゃんの目の前にライオンがいたとしても、それが身に危険を及ぼす動物であるとは知らず、好奇心のみで近寄ろうとさえするかもしれません。

それなのに、なぜ成長するにしたがって、いろいろなものに怒りや喜びを感じるようになるのか、と考えたのが**行動主義心理学**を唱えた**ワトソン**です（P32参照）。

そのワトソンとレイナーは、生後9カ月のアルバートに条件づけの実験を行い、感情は学習によって身につくということを実証しました。つまり、人間は成長する過程で、学習によって感情を身につけているのです。そのため、小さい頃に犬に噛みつかれてケガをした人が、その後も犬を見るたびに「恐怖」を感じてしまうというようなことが起きるわけです。

ワトソンが行った恐怖の条件づけの実験

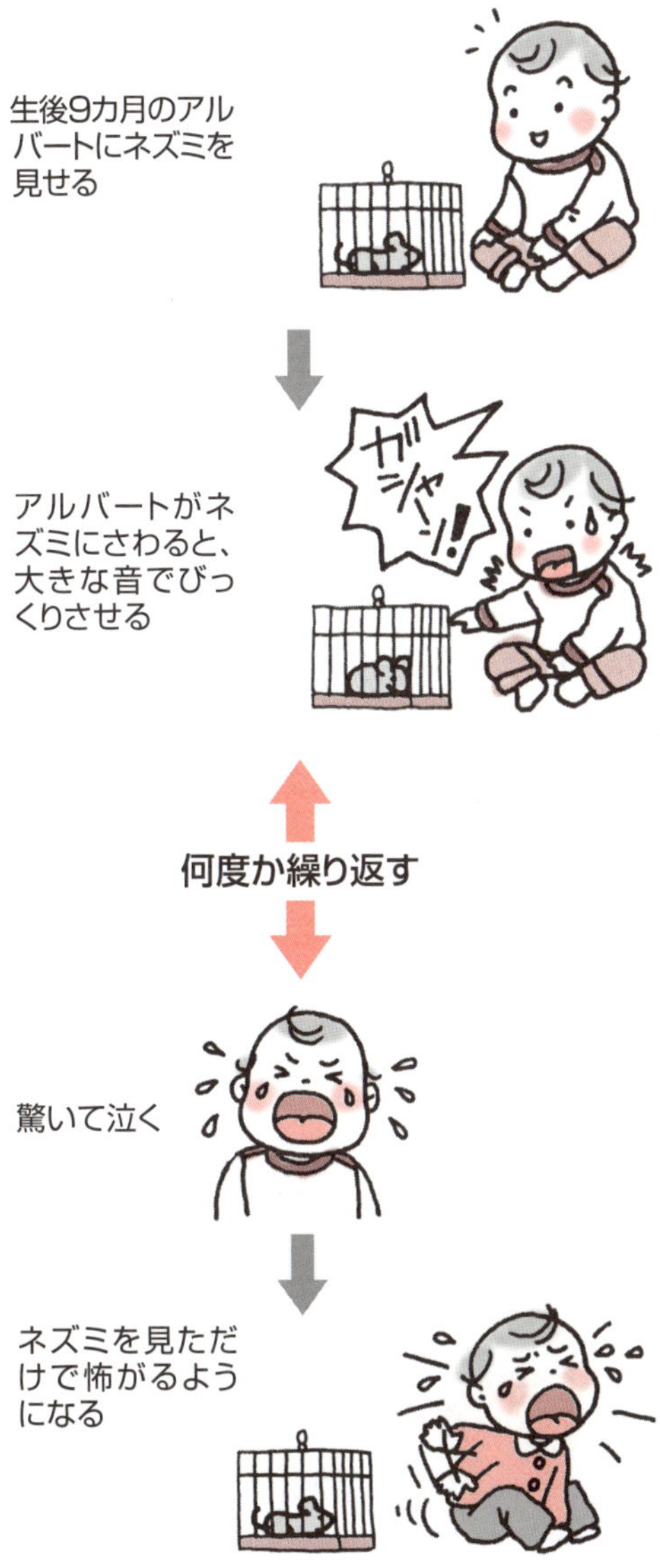
生後9カ月のアルバートにネズミを見せる
アルバートがネズミにさわると、大きな音でびっくりさせる
ガシャーン!
何度か繰り返す
驚いて泣く
ネズミを見ただけで怖がるようになる

アドレナリンの分泌が引き起こす怒りとイライラ

満員電車でイライラする理由は？

満員の電車やエレベーターに乗ったとき、イライラを感じることはありませんか。

生体学的には、怒りや不快感情はアドレナリンの分泌と関係しているといわれています。アドレナリンは副腎から分泌されるホルモンで、血圧や心拍数を上げたり、血糖値を上げたりする働きをします。

動物実験では、過密状態のときはアドレナリンが異常に増えることが確認されています。

さらにその結果、過剰な行動反応を見せたり興奮状態に陥り、ときには心臓発作やひどい潰瘍《かいよう》で死にいたるケースも観察されています。

スウェーデンで通勤電車の乗客を対象に、混雑が心身に与える影響を調べた研究があります。これによると、終点に近い途中の駅から混雑した車両に乗り込んだ乗客は、出発駅近くの空いた車両のときから乗った乗客より、採取した尿から高いレベルのアドレナリンが検出されました。

動物ほど極端ではないにしても、人間も混雑した状況がアドレナリンの分泌を促し、乗客を興奮させ、怒りっぽくさせるというわけです。

男性は狭いところにいると怒りっぽくなる

心理学的にいえば、こうした過密した状況が怒りを呼ぶのは、**パーソナル・スペース**の侵害によるものということができます。

一般に、男性は空間が狭くなると競争的で攻撃的

怒りをしずめる方法は?

逆境指数(AQ)の著者であるストルツは、パニックに陥らないための方法として「ストップ!法」をいくつか提案しています。怒りをしずめる方法に援用してみました。

手首に輪ゴムなどを巻いておき、ムカッとしたとき、輪ゴムをはじいて「ストップ!」と叫んで、怒りの気持ちをしずめる。日頃から、この方法を練習しておくと、いざというときに役立つ。

テーブルを軽く叩いたり、指をパチンと鳴らしたりするのもよい。

トイレに行ったり、コーヒーを飲んだりするのも効果的。

になり、逆に女性は協力的で友好的になることがわかっています。これは、女性に比べて男性のほうが活動性が高いため、より広い空間を必要とするためです。また、男性同士はお互いに接近するのを嫌い、女性同士は好む傾向にあるともいえます。

これを実証した実験があります。1人あたり5・4平方メートルの狭い部屋と、1人あたり18平方メートルの広い部屋で、グループ4人で協力すれば全員が4ドルずつもらえるが、競争して勝てば独り占めできるというルールで男性と女性それぞれにゲームをやってもらいました。

その結果、女性だけのグループは、広い部屋より狭い部屋のほうが協力的なゲーム展開になりました。ところが、男性4人のグループは、狭い部屋のほうが広い部屋より攻撃的になったのです。

男性を相手に気まずい話をしなければならないときは、できるだけ広く空いている場所で適度な距離を置いて切り出したほうが、怒りを半減させることができるかもしれません。

いつも怒っている人は早死にする!?

アメリカの研究者シュピルバーグが1114名の高校生を対象に調査し、いつも怒っている人は、心臓の拡張気圧、収縮気圧がともに高い傾向にあることを見い出しました。さらに、怒り（Anger)、敵意（Hostility)、攻撃性（Aggressive）の三拍子がそろったとき、それらが最悪の結果になることを発見し、このような性格傾向を合わせ持つ人を**AHA症候群**と名づけ警鐘を鳴らしました。AHA症候群も企業戦士として好ましい一面と見なされる傾向もありますが、自分の生命を大切に思うなら考え直したほうがいい性格といえます。

また一連の研究結果から、女性のほうがいつまでも根に持ちやすく、男性のほうが他人に対する敵意の程度が高いという怒りの男女差も明らかになりました。

男女で異なる空間の快適度

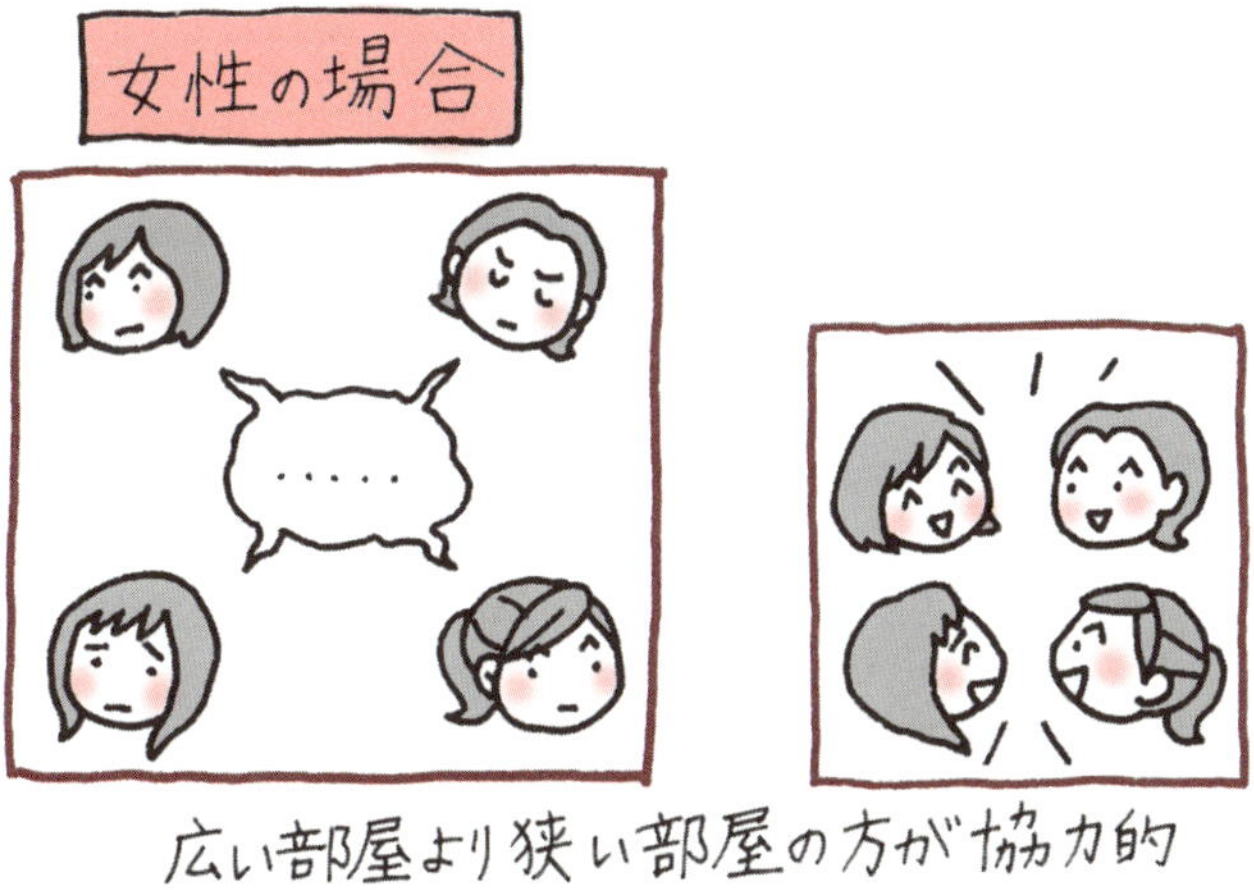
女性の場合
……
広い部屋より狭い部屋の方が協力的

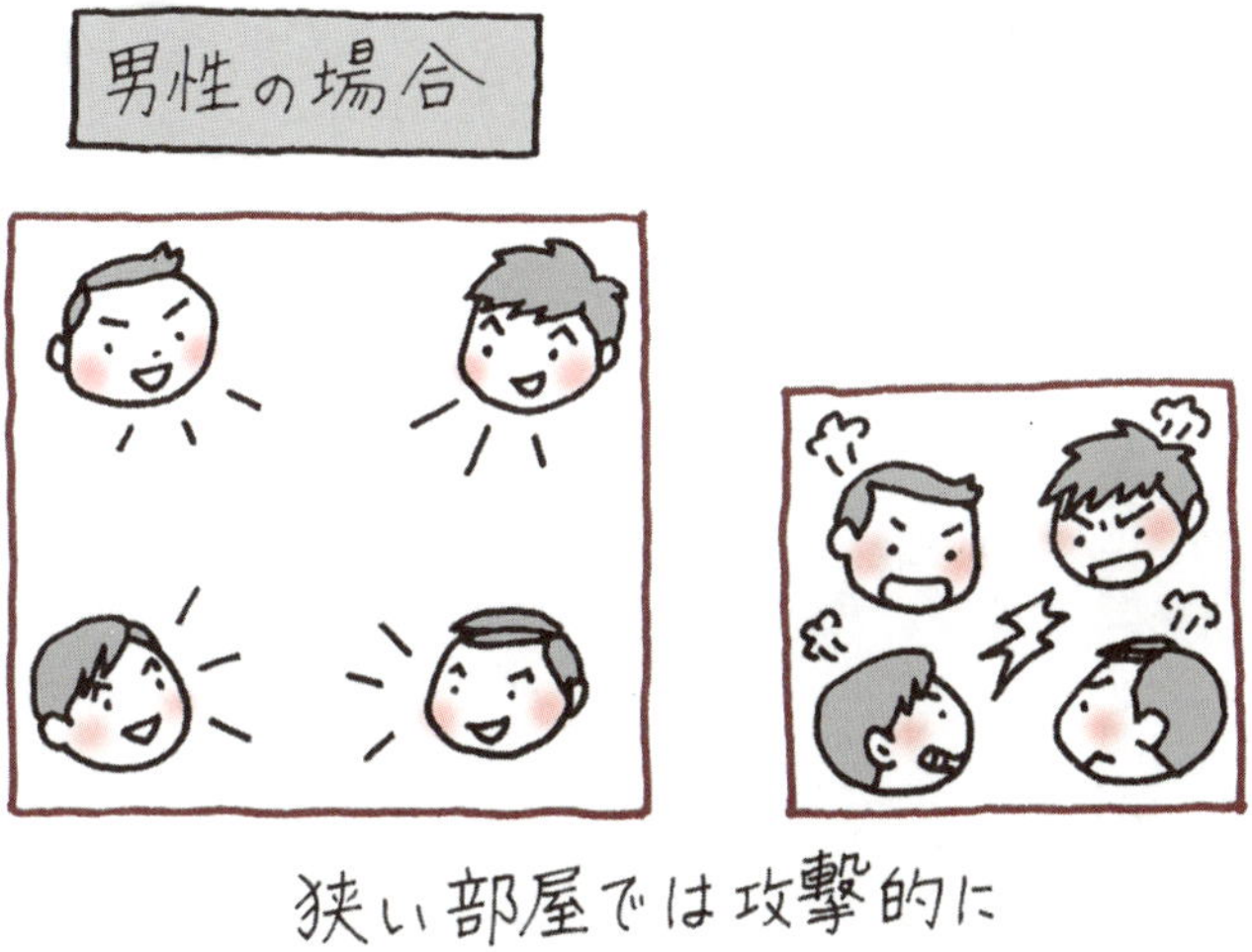
男性の場合
狭い部屋では攻撃的に

満たされない欲求を持つから上を目指そうとする

生きるために必要な欲求

あなたは、今の生活に満足していますか。満足していないという人がほとんどかもしれませんが、悲観する必要はありません。今の自分に満足できないのは、さらに上を目指そうとする欲求が働いている証拠だといえるからです。

アメリカの心理学者**マズロー**は、**欲求の発達階層説**を唱えています。彼の説では、人間には生きていくために必要な基本的欲求（欠乏欲求）に加えて成長欲求があるとしています。

まず基本的欲求として、人間には本能的な食べる、眠る、排泄するなどの「生理的欲求」が生まれます。続いて身の安全や安定を求める「安全欲求」を持ちます。これらが満たされると、今度は自分を受け入れてくれる仲間や集団を求める「所属欲求」と「愛情欲求」があらわれます。次に他人から認められたり、尊敬されたいという「承認欲求」や「自尊の欲求」が続きます。

最後に自らの才能や能力、可能性を開発したいという「自己実現欲求」が生まれるわけです。

マズローは、人間は常に欲求に向かって成長していく生きものだと考えています。まさに〝衣食足りて礼節を知る〟という言葉通りといえるでしょう。

大切なのは自分の人生に意味を見出すこと

オーストリアの精神医学者**フランクル**は、生活の意味を見出そうとする意志を喚起させる実存分析的

マズローが唱えた欲求の発達階層説

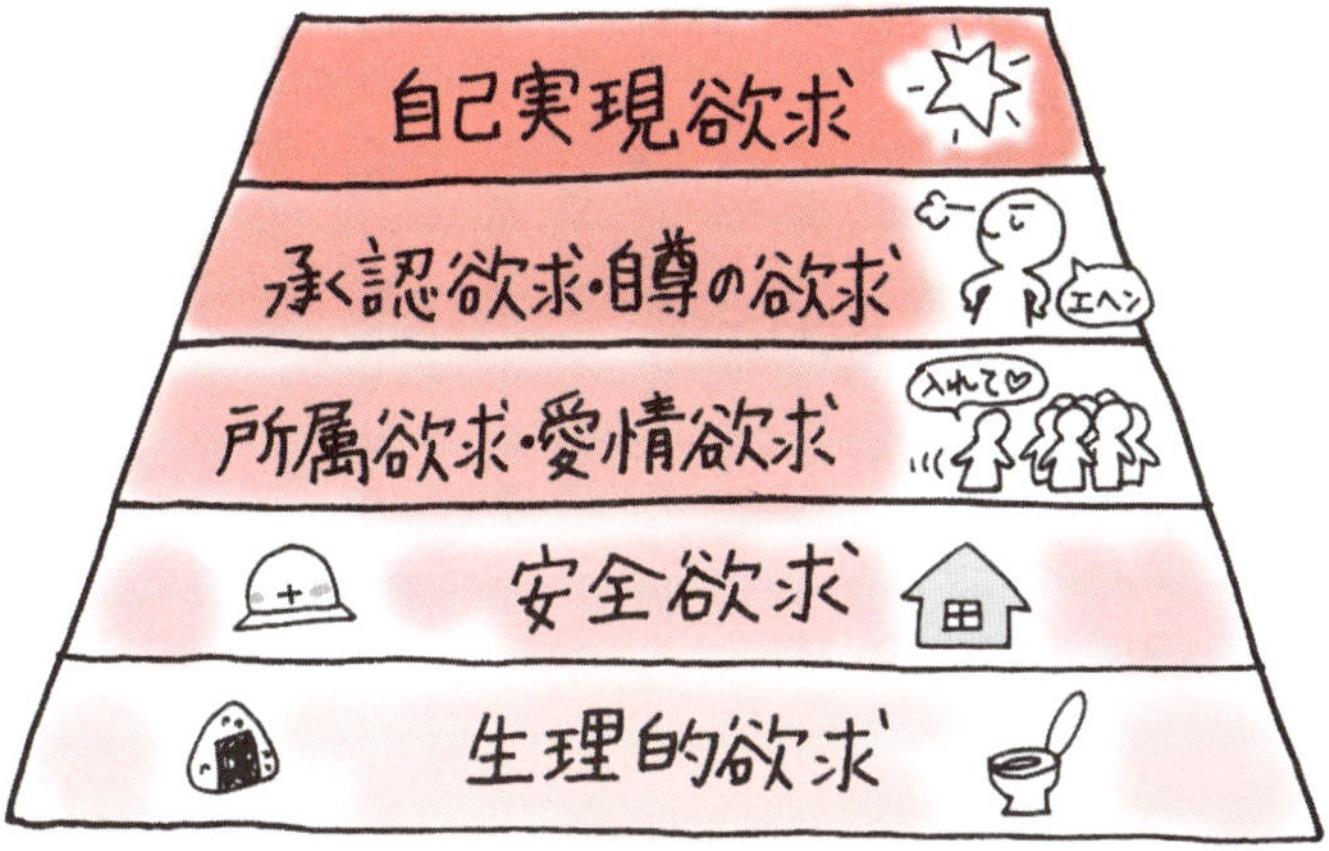

精神療法を提唱しています。彼はその立場から、精神分析によってコンプレックスや心的外傷（トラウマ　P286参照）に由来するとされている症例の中にも、実は生きていることの意味を見出すことができないような欲求不満が原因であるものが多いと指摘しています。これを「実存的欲求不満」と呼んでいます。

　このような状態に陥った人は、「今がんばればやがてよくなる、夢がかなう」というような時間的展望をなくし、日々を何の目的もなくその場しのぎに過ごし、自由と責任の重みからも逃れて、集団の中に埋没していく傾向が見られるようです。

　フランクルは、人間にとって重要なのは、自分の人生がどれほど意味のあるものと思えるかだといっています。そして、人間は本質的にはその意味を見出そうとする意志に支配されているといっています。彼自身がアウシュヴィッツ強制収容所に入れられた経験があり、彼の理論はそのときの体験に根ざしたものであるのです。

コンプレックス

嫉妬や恐怖心の裏にはコンプレックスがひそんでいる

人間は、誰でもコンプレックスを持っています。たとえば出世したい金持ちになりたいという欲求の裏には、なんらかのコンプレックスがあると考えられます。本人が押し潰されない程度のコンプレックスであれば、むしろなにかを成し遂げるバネになります。

しかし、過剰なコンプレックスは意識的自我を圧迫したり、成長を妨げたり、場合によっては神経症の一因になることもあります。ここまでくると心理療法によって、その原因となっているコンプレックスを見つけ出し、本人がそれを受けとめて、乗り越えていくことが必要になります。

ここで、主なコンプレックスについて説明していきましょう。

コンプレックスは誰にでもある

コンプレックスの存在を、専門的に研究した最初の心理学者は**ユング**です。

一般的にコンプレックスは、幼児期における人間関係の中で形成されると考えられています。そのままの形であからさまに意識されると、なんらかの苦痛や恐怖を引き起こすのではないかと懸念される記憶や観念の集合体が、無意識の中に押しやられ、その人の行動や感情に影響を及ぼすことをいいます。

また、コンプレックスは、その中核に心的外傷（トラウマ　Ｐ２８６参照）を負っている場合も多く見られ、憎悪、嫉妬、嫌悪、恐怖、劣等感、罪悪感などの感情をともないます。

コンプレックスは諸刃の刃

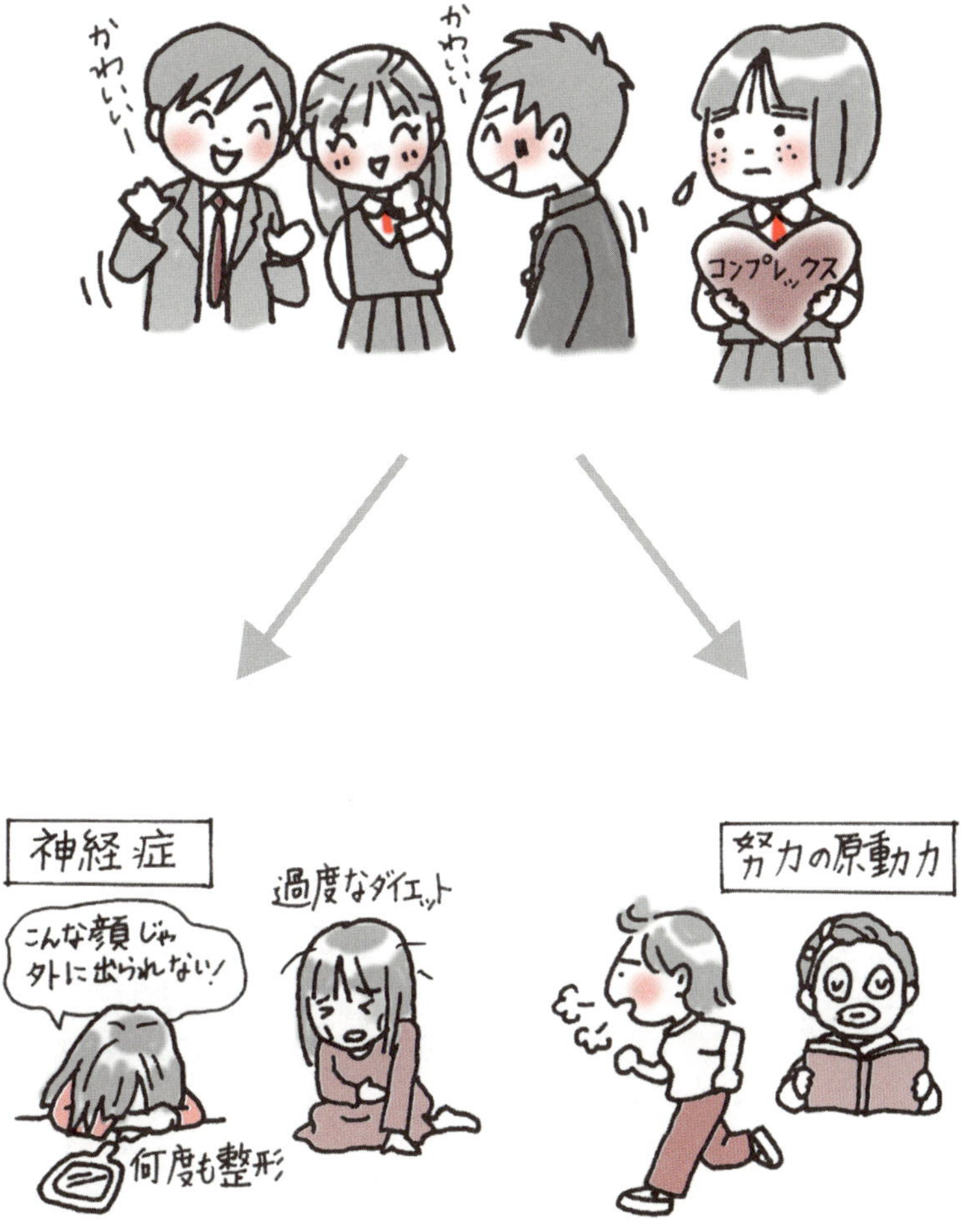

◎マザー・コンプレックス

世間一般にはマザコンと呼ばれていますが、これは「成人した男性が母親との間に年齢にそぐわない依存関係を持ち続けており、そのことに疑問や葛藤を感じていない状態」といえます。

たとえば、進学や就職、結婚など、本来自分で解決しなければならない人生の重要なことを、すべて母親のいうままに決定したりします。また、母親もあれこれと身の回りの世話をするため、たとえ結婚してもその関係は変わらないか、結婚した妻にも母親と同じ愛情を求めます。

このような男性は、母親からの過剰な愛情を受けることにより、青年期に達成されるべき同年齢の同性や異性との交友関係を確立できずに大人になっていきます。

◎ロリータ・コンプレックス

ロシア人の作家ウラジミール・ナボコフの小説『ロリータ』にちなんで、中高年の男性が少女に対して抱く抑圧された性愛を「ロリータ・コンプレックス」と呼んでいます。最近は、中高年だけでなく、若者が自分よりはるかに年下の異性に寄せる性愛も含めています。

若者のロリコンは、自分が大人になることを拒否したり、成人した女性に対する気後れや恐れの感情を持ったりすることと関係しているといいます。

中高年の場合は、まず退行現象（いわゆる幼児返り）が考えられます。次に、自分の性的な能力や魅力の減退への不安から、「幼女なら安心してつき合える」というケースです。しかし、本当のところは、自分が失っていく若さを、性的対象である幼女や少女から分けてもらいたいという無意識の願望に根ざしていると考えられます。

◎カイン・コンプレックス

『旧約聖書』の創世記第4章に出てくる、アダムとイヴの2人の息子、カインとアベルの物語から、きょうだい間の葛藤や相克をこう呼んでいます。

農業を営んでいたカインと、羊飼いをしていたアベルは、あるとき神に供え物をしました。神はアベルとその供え物を喜びましたが、カインとその供え物を顧みませんでした。これに嫉妬したカインはアベルを殺してしまい、神によって「エデンの東」に追放されてしまうという話です。

姉や弟などがいる人は、幼い頃に親の愛情を独占したくて、他のきょうだいに対して敵意を持ったり、競争心を燃やしたりしたことがあるはずです。その強さや性質は、きょうだい関係や親子関係に左右されますが、たいていは親から注意されたりして無意識の中に押し込められます。それが、きょうだい関係にまつわるコンプレックスとなって尾を引くこともあります。

◎オナリ・コンプレックス

精神医学者の小田晋氏は、異性のきょうだいに対して抱く性愛の感情が抑圧されたものを「オナリ・コンプレックス」と呼んでいます。

オナリとは、沖縄の方言で姉妹を意味する言葉です。「姉と妹は異性のきょうだいに対して呪術的支配力を持っている」という考え方が、沖縄だけでなく、日本全体に見られるそうです。

また、日本神話にあらわれるイザナギとイザナミをはじめ、きょうだいが交わって人類や住民の祖となるという伝説では、「姉が気味の悪いものに姿を変える」といった結末で終わるストーリーが多くなっています。

こうした物語に共通するのは近親相姦《きんしんそうかん》というテー

マですが、姉の変身は「そうした感情を持ってはいけない」という抑圧された性愛の感情を示していると考えられます。

異性のきょうだいは身近な異性であるだけでなく、信頼できる愛すべき異性でもあります。ですから、きょうだいに性愛の感情を持っても不思議ではありませんが、成長するにつれて他の異性に関心が向くようになるのが自然です。

◎白雪姫コンプレックス

母親が育児ストレスなどから、してはいけないとわかっているのに、思わず子どもに手をあげてしまうというケースは少なくありません。母親本人は子どもを折檻した後に、激しい後悔の念にさいなまれるのですが、それでもこの矛盾した感情を抑えられないようです。

体罰を是とする人の中には、自分も体罰を受けて育ったという経歴の人が多いようです。精神分析学者の佐藤紀子氏によると、「実母や実父からさえ保護されずに育った白雪姫は、母となったときに、本人がどんなに望まなくても実子を虐待する母になる可能性が強い」と分析しています。

この見解から、親が子どもに対して暴力や虐待をすることを「白雪姫コンプレックス」と呼んでいます。しかも、このコンプレックスは、世代を越えて連鎖的に感染していくといいます　つまり、親から体罰を受けた経験のある人は、自分の子どもに体罰を与える可能性が十分にあるということです。

◎シンデレラ・コンプレックス

アメリカの女性作家コレット・ダウリングは、他者に面倒をみてもらいたいという願望によって、女性が精神と創造性を十分に発揮できずにいる状況を「シンデレラ・コンプレックス」と呼んでいます。

青年期の女性に見られる無意識の依存欲求で、『シンデレラ物語』の主人公のように、誰かがその境遇から救い出してくれるのを、ひたすら待っている女性の深層心理をいいます。とくに高学歴の若い女性が持ちやすいといいます。

このコンプレックスにとらわれた女性は、男性に依存し守られたいという気持ちと、色々なしがらみから自由になって自立したいという矛盾する欲求の板ばさみに悩みます。

こうした状況に陥る原因は、父と娘、母と娘という親子関係と、父と母の夫婦関係と自分という2つの関係が複雑に絡み合って生まれると考えられています。

教育相談をしている八田泰氏によると、まず夫婦関係をないがしろにして父親が娘を理想的な女性に育てあげようと専心することに端を発するようです。

こうした父娘関係に母親は不満を持ち、表面的には協力しますが、娘との関係には距離が開き、娘の依存欲求は父親の望む姿を演じることでしか満たされないようになります。しかし、いざ娘が自立する頃になると、父親がそれを阻み、母親はいっさい関知しません。

こうした歪んだ形での依存欲求しか満たされていない女性が男性に依存すると、完全に自立することができなくなるようです。

PART 4

「社会・人間関係」と心理学

「都会の人間が冷たい」のは氾濫する情報から身を守るため

情報が多過ぎて処理しきれない

現代は、情報過多の時代です。街を歩けば、道路標識や信号機、案内標識があり、建物の壁には広告やポスターが張られ、ショーウィンドーやディスプレイが目に飛び込んできます。

目に見えるものばかりでなく、音、においなどの情報も含めれば、私たちはあらゆる情報に取り囲まれて生きているともいえます。

これらの情報をすべて処理しようとしたら、私たちは1日のエネルギーの大半をそれに費やさなければならないでしょう。でも、そのようなことをしていたら、仕事や家庭、趣味などの時間がとれなくなってしまうのは明らかです。

このように情報が多すぎて処理しきれないような状況を、心理学では**過剰負荷環境**と呼んでいます。

こうした過剰負荷環境に対応するには、どうしたらよいのでしょうか。家から一歩も外に出なければ、完全に情報をシャットアウトすることはできます。しかし、これでは健全な社会生活を送ることはできません。

そこで私たちは、現実の生活から退避することによって、その過剰負荷環境に順応しようとしているのだと思われます。

他人との関わりを避けて身を守る

アメリカの社会心理学者**ミルグラム**は、過剰負荷環境に順応しようとする人々の反応には、次のよう

過剰負荷に順応しようとする人々の特徴

な特徴があると述べています。

第1に、それぞれの情報をできるだけ短時間で処理します。たとえば、他人に道を尋ねられても、必要最低限の情報だけを伝えて、相手との接触をできるだけ避けるようにします。

第2に、重要ではない情報は無視します。たとえば、同じエレベーターに乗り合わせた他人には、注意を払わずに無視したりする行動です。

第3に、責任を他人に押しつけます。道端に人が倒れていても自分が助けてやる責任はない、人にぶつかったときには相手がぼんやりしていたせいだと責任を回避します。

第4に、他人との個人的な接触はできるだけ少なくします。たとえば、電話番号を教えない、飲み会に参加しない、自分から誰かに連絡をとるようなことをしないなどです。

よく、都会人は冷たいなどといわれます。しかし、隣近所とのつき合いが形式的で希薄になっているのは、できるだけ他人との関わりを持たないことによって、過剰負荷環境に適応しようとしていると考えられます。

赤の他人と知り合いの間のファミリア・ストレンジャー

見慣れた他人、ファミリア・ストレンジャー

大都市に住む人には大勢の**ファミリア・ストレンジャー**がいると考えたのは、社会心理学者の**ミルグラム**です。

ファミリア・ストレンジャーとは、顔はよく知っているが、あいさつをしたことも、話をしたこともない、見慣れた他人のことです。

彼はこんな実験を行いました。まず通勤電車のホームで待っている乗客の写真を撮り、次の週に同じ時刻の電車に乗り込んで、乗客にこの写真を見せました。その結果、1人あたり平均して4人の乗客、すなわちファミリア・ストレンジャーを認識していることがわかりました。

しかも、身近な空間にいるファミリア・ストレンジャーに興味や関心を持っていたのです。ファミリア・ストレンジャーは、単なる見知らぬ他人ではなく、お互いに興味を持ち、知り合う機会を待っている「待ち」の人間関係ともいえます。

あいさつを交わす仲になれば親しみを持てる

ファミリア・ストレンジャーはなにかきっかけがありさえすれば、知り合いになったり、お互いの心理的距離を一気に縮めることができます。

1977年に起こったニューヨークの大停電では、それまであいさつすらしたこともない近隣の住民たちが道路に出てあいさつしたり、話し合ったり、ものを交換したりしました。

知り合うことでご近所問題も解決する？

ファミリア・ストレンジャーの場合
うるさいなあっ
また歌ってるわ
あいさつをする間柄

近隣騒音の調査では、騒音の迷惑度を100％とすると、顔を合わせてあいさつする間柄になると35％に激減したそうです。向こう三軒両隣の人とは、ファミリア・ストレンジャーでいるよりあいさつを交わすような知り合いになれば、より良好な近隣関係を築けるのではないでしょうか。

匿名性が人を大胆にさせることも

アメリカの心理学者ジンバルドーは、匿名性が人を大胆にさせることを検証しました。覆面を被った被験者と素顔のままの被験者が、不快に感じた女性に電気ショックを与える実験をしたところ、覆面を被った被験者のほうが長い時間電気ショックを与え続けたのです。

また、スタンフォード大学の近くの静かな街角（匿名性が低い土地）に1台の自動車を放置したところ、1週間以上もそのまま放置されていたのに対し、ニューヨーク大学の側の交通量の多い高速道路（匿名性が高い土地）に置いた車は、3日以内に使えそうな部品はすべて盗まれたという実験結果もあります。

COLUMN

集団思考にとらわれると真実が見えなくなる

結束の固さを強さと混同する

アメリカの社会心理学者ジャニスは、集団にはその行動を左右する**集団思考**が働くとしています。

その第1が、**不敗の幻想**です。強い団結心によって結ばれ、それぞれが集団のために働いていると信じている場合、そのメンバーは集団の大きさや結束の強固さを〝強さ〟と錯覚し、楽観的な気分に支配され、すべての障害を簡単に乗り越えることができると思い込んでしまうといいます。

そして、この考え方が第2の**満場一致の幻想**を生み出します。1人でも反対する者が出たら、集団の結束を損なうのではないかという思いが働き、その場にいた何人かは疑問を持っていても発言を控える傾向にあるそうです。

このような集団思考にとらわれると、集団の一体感を壊さないことに注意が奪われ、問題の十分な検討ができなくなります。その結果、現実的で有効な問題解決ができなくなってしまうのです。

その典型が、近代の歴史上でも最悪な例のひとつといわれる、1961年のキューバ・ピッグス湾事件です。

ケネディとそのブレーンたちは敵の兵力を過小評価し、アメリカ軍の攻撃がなくてもカストロ政権を倒すことができると、楽観的な判断をしてしまいました。しかしその結果、弾薬や補給物資を積んだ船は、たった3日のうちに撃沈され、侵攻部隊は全滅してしまったのです。

こうした集団思考を防ぐには、まず問題解決に有効と思われる解決案を自由に討論できる雰囲気を日頃から培っておくことです。そして、集団思考のメカニズムをよく理解し、メンバー全員が集団思考に陥らないように常に注意しておくことでしょう。

みんなでやれば怖くない？

群集による暴動やリンチ事件では、それに加わった1人ひとりを見ると、凶暴でも残虐でもなく、ふつうの人たちであることが多いものです。ところが、群集の中では理性が吹き飛び、ふだんからは及びもつかないような行動を起こしてしまうことがあります。

こうした行動は、**欲求不満説**から説明することができます。つまり、社会生活におけるさまざまな欲求不満が積み重なって、群衆行動としての不満の解消が誘発されるというものです。

また、見知らぬ人同士の集まりの中では、1人ひとりの責任感も薄れて、しばしば無責任で道徳に反

多数決が正しいとは限らない

多数決で賛成可決すれば、いつも最適な結果が生み出されるのでしょうか。答えはそうとも限りません。集団で思考することには、集団であるがためのデメリットもあるものです。

まず、高い士気と団結力を持った優秀な人々の集団には楽観論が生まれやすいといえます。また、凝集性の高い集団のメンバーは、満場一致を優先して反対意見を述べない傾向があります。ほかにも倫理観や道徳観が軽視されることや、敵は悪者だといったステレオタイプ的な判断をしがちなことなどがあげられます。

こういったデメリットに対処するため、リーダーは次のような対策を念頭に置くとよいでしょう。①反対意見や疑問点を指摘する意見を奨励する、②偏った立場を表明しないよう努める、③凝集性の低い集団で決議する、④重大な決定は個人が行う、などです。

COLUMN

した行動が引き起こされます。これは、多くの人が共通の対象に対して共通の反応をするのを見ると、自分だけではなく他人も同じように感じるのだという安心感を覚え、その行為の正当性を信じるようになるためです。

これを心理学では、**普遍感**といいます。いわゆる、「みんなでやれば怖くない」といった心理です。しかも、人間には元来知らず知らずのうちに多数にならうという傾向があります。これを**数の圧力**といいます。

さらに、群集の中で憎悪や敵意、不信感、欲求不満が高じると、その状況をともにする人たちの間に共通の基準枠が生まれ、人々の価値判断や状況の認識はそうした枠組みに規定されるようになります。一般的に、こういうケースでの判断基準の枠組みは、個人の場合よりも極端な方向に偏りやすいといわれています。

少数派の力 —— マイノリティ・インフルエンス

少数者が繰り返し一貫した態度や判断を示し続けると、多数者は信頼感が揺らぎ判断に変化を生じます。これを**マイノリティ・インフルエンス**といいます。これには、上からの革新である「ホランダーの方略」と、下からの革新である「モスコビッチの方略」の２種類があります。

ホランダーの方略とは、過去に集団に大きく貢献したリーダーがその実績から得た影響力で集団の理解と承認を得ていくことです。一方、モスコビッチの方略とは、実権のない者が自分の意見を頑固に繰り返し主張し続けることで、多数派の意見を切り崩していくことです。

多数者側が「少数者が意見の妥当性を主張して、一貫した立場をとり続けている」と確信したとき、マイノリティ・インフルエンスは最も効果を発揮します。成功すると、はじめは少数者であっても、後には多くの支持を得ることになります。大ヒットの新製品開発秘話には、マイノリティ・インフルエンスを彷彿とさせる裏話をよく耳にするものです。

集団は個人にこう影響する

不敗の幻想

集団の大きさや結束の固さを“強さ”と錯覚して楽観的になる

強いぞ〜!

満場一致の幻想

集団の結束を損なうことを恐れて反対意見がいえない

賛成
賛成
反対…

欲求不満説

日頃の欲求不満を群衆行動の中で解消する

やっちまえ!

みんなやってるから
通行禁止

普遍感

多くの人と共通の態度、行動をとることで安心し、正当性を信じてしまう

数の圧力

多数
わかんないけど…
少数

多数の意見に同調することで安定性を得ようとする

同調性

知らず知らずのうちに考えや行動を集団に合わせている

所属する集団の色に染まっていく

通勤時、同じ電車に乗り合わせたサラリーマンの服装や雰囲気から、この人は公務員、この人は営業職となんとなくわかったりしませんか。

これは、人は所属するグループや職場の雰囲気に自分の服装を合わせることで、集団の考え方や行動から大きく逸脱しないようにしているからです。自分でも無意識のうちにそうなる場合もあるでしょうが、自分の考え方や行動を集団に合わせて意識的に変えることもあります。

集団には、集団を維持するための「斉一性の圧力」というものが働いていて、ほかの成員たちから大きく逸脱しないように統制されているのです。こうした現象を**同調**といいます。

多数派の意見に流されてしまう

この同調性を調べた社会心理学者のアッシュの実験があります。左の図を見せて、Aという直線と同じ長さを1～3から選んでもらいます。1人のときの正解率は99％以上です。ところが、7人のグループのうち6人が嘘の答えをいうと、残った1人は、6人の判断にならうべきか、自分の判断に固執すべきかでジレンマに陥ります。

このような状況に置かれた123人のうち29人（24％）は自分の判断を守り通しましたが、残りの人はほかの人の判断と同じ答えを出したのです。つまり、多数派の意見に引きずられて同調行動をとっ

アッシュが行った同調性の実験

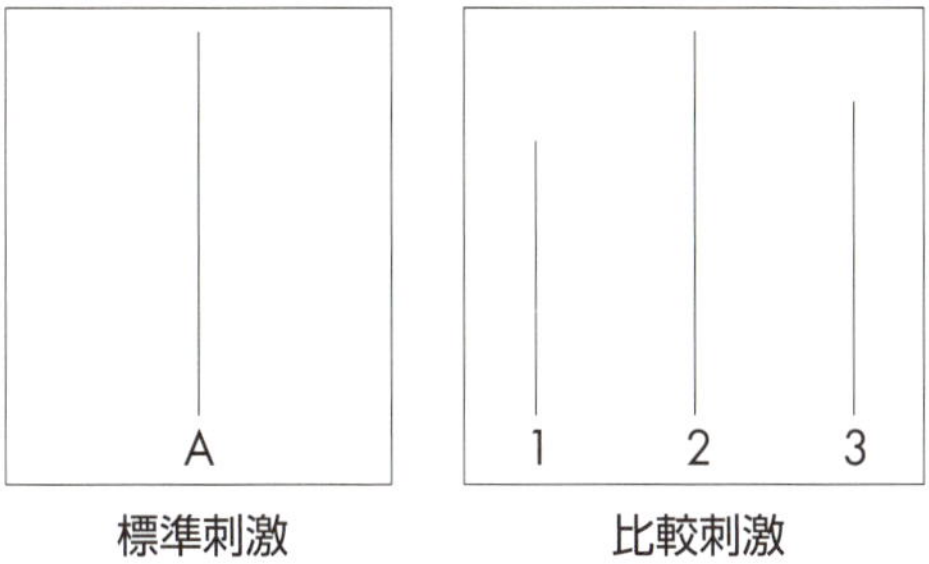

1人のときには99%が正解するのに、サクラ6人が嘘の答えをいったときの正解率は24%となった。

たわけです。

　また、同じ実験でもお互いが顔を合わせない状況では同調率が低下し、6人のうち1人だけ別の答えを出した場合も同調行動は少なくなりました。

　このような同調行動は、お互いに顔見知りのグループではさらに強くなり、多数派の意見にしたがわないことはかなりの勇気が必要になります。なぜなら、人間は自分の所属しているグループからのけ者にされるのを恐れるからです。

　しかし、自分の意見を支持する人が1人でもいたり知らない人たちばかりだと、自主性を失わず、多数派の意見に対抗できることがわかりました。

集団が大きくなればなるほど人を助けなくなっていく

「誰かが助けるだろう」という心理

ある日の午前3時、仕事帰りの女性が、変質者に襲われ殺されました。その間30分余りもありましたが、悲鳴を聞いて窓から顔を出した現場近くのアパートの住民38人は、誰一人として助けることも、警察に通報することもなく、現場をただ傍観するばかりでした。これは、「キティ・ジェノバーズ事件」と呼ばれ、都会に住む人々の冷たさを考えさせる事件となりました。

ところで、このアパートの住人たちのように、冷淡な傍観者になってしまうことを**バイスタンダー・エフェクト**といいますが、この件に関して心理学者の**ラタネ**とダーリーは、こんな実験を行いました。

集団は個人の意見を極端にする

集団で話し合った後では、個人のもともとの意見や判断がより極端になることがあります。これを心理学では「集団の成極化」といいます。このとき、より危険性の高い意思決定が生じる場合を「リスキー・シフト」と呼び、逆に、より安全性の高い決定がなされる場合を「コーシャス・シフト」と呼びます。

リスキー・シフトによる決定は、危険性は高いがうまくいけば大きな成果が期待できます。一方、コーシャス・シフトによる決定は、大きな成果を狙うよりは安全第一の決定ということになります。

キティ・ジェノバーズ事件

38人もの人が女性の悲鳴を聞いていたにもかかわらず、というより38人もの人が悲鳴を聞く状況にあったからこそ、誰1人としてなんの行動も起こさなかった

被験者は１人で個室に入れられ、この実験がヘッドホンとマイクを使って互いに顔を見ずに行う討論会だと説明されます。討論中、討論参加者のサクラ役が悲鳴をあげて助けを求めます。さて、被験者はヘッドホンからその悲鳴を聞いて、顔も見たことのない討論相手を助けにいくのでしょうか。

実験の結果は、討論の参加人数で変わりました。

討論参加者が被験者とサクラの２人だけであった場合には、１００パーセント援助行動が起こりました。しかし参加人数が多くなると、自分がやらなくても誰かがやるだろうと思う「責任の分散」が起こり、援助行動に走る率は下がってしまいました（Ｐ２０１参照）。

顔見知りの相手なら助けるけど……

　先程の実験では、被験者とサクラは赤の他人同士でした。しかし、これが顔見知りの場合ならどうでしょう。

　被験者が個室に入る前にサクラと面識をとるようにした実験では、多人数の実験群でも１００パーセント援助行動が見られました。さらに、顔見知りではない場合と比べると、援助行動に出るまでの時間が短くなっていることがわかりました。

　被験者が顔見知りの場合は、特別な責任を感じることに加えて、苦しみが具体的に想像しやすくなるのでしょう。

　また、友人同士で実験に参加した被験者にも、同様に高い確率で援助行動が見られました。友人同士の場合は、被験者の間に「われわれ意識」が生じて、責任の分散が起こりにくかったと考えられます。

　ところで、援助行動のように自分の利益を期待せずに誰かの役に立つような、社会的に望ましい行動をすることを**向社会的行動**といいます。

　しかし、これらの実験の場合は純粋な援助行動というよりは、顔見知りになったサクラ役に対して、あるいは友人の被験者に対して、援助しなかったことで後からバツの悪い思いをするのが嫌だという心理が働いた結果ではないかとも考えられます。このような心理を、**愛他的自己像**といいます。

グループが大きくなれば大きくなるほど、援助行動は出にくくなるよ

バイスタンダー・エフェクトの実験

グループの大きさ	被験者数	発作中に報告した者のパーセンテージ	待ち時間中に報告した者のパーセンテージ	報告までの時間
2名 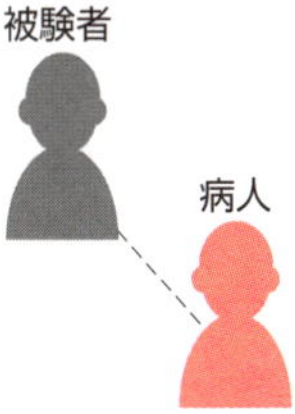	13人	85%	100%	52秒
3名 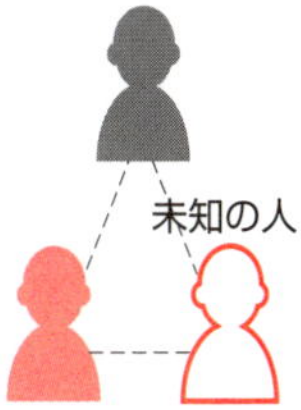	26人	62%	85%	93秒
6名 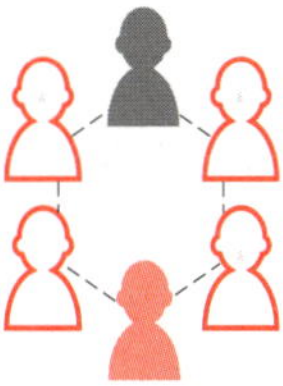	13人	31%	62%	166秒

（ラタネ & ダーリー、1970）

不安や好奇心があおられ、恐怖が伝染する？

火星人襲来!?　本当にあった大パニック

現在はアナウンスシステムが完備され、トラブルが起こったら、素早く、迅速な対処のしかたを指示してくれます。しかし、情報を伝達する電話、電気が寸断されるほどの大規模な災害の場合には、情報を受け取ることが難しくなり、パニックが起こりやすくなる恐れがあります。

1938年、まだテレビのない時代のことです。オーソン・ウェルズが制作した火星人襲来のドラマがラジオ放送されました。放送中、何度もそれがフィクションであることは伝えられましたが、物語を聴いていた600万人のうち100万人余りの人たちが、現実のニュースと誤認して強い不安を感じたり、逃走行動を起こしたりとパニック状態に陥りました。

火星人襲来はあくまでドラマなので、冷静に現実と引き合わせて考えれば、ドラマの進行上いくつかの矛盾点が発見できます。しかしパニックを引き起こした人たちは、まずこの内在的チェックに失敗しました。そして、いつもどおりの静かな道路を見て、「すでに皆、逃げてしまったのだ」と勘違いするなど外在的チェックにも失敗したのです。

また、これらのチェックに成功する前に、すでにパニックに陥った他人から誤った情報を受けていれば、またそれも大きなパニックの要因になりました。

アメリカの社会心理学者キャントリルはこの事件後、パニックに陥った人たちの感受性と学歴の関連を調査しました。それによると、感受性の強い人ほど、また学歴の低い人ほどパニックに陥りやすかったと報告しています。

通信網の発達した今となっては笑い話のような事件ですが、パニックのような群衆行動は、社会的背景も重要な要素となります。

人がパニックに陥る理由は？

人間がパニックに陥る心理としては、第1に、**暗示・模倣説**があげられます。これは、私たちは他人が怖がっているのを見て、自分も怖さを感じることがあるように、群集の中ではより強く暗示の心理が働いて反応するようになるからです。

また、周りの人が大声を出してわめき、あわてふためいて駆け出すのを見ると、その刺激がさらに逃走反応を増長させます。

第2に、あたかも病原菌が伝染するように、興奮などの感情が周囲の人々に波及していく**感染説**が考えられます。Aの反応がBを刺激し、Bの反応がA

流言もデマも社会不安から広まっていく

流言とデマは似ているようですが違います。「流言」には悪意はなく、社会的な出来事に対して、情報が不足している状況で流れる噂です。虚偽であるとも限らず、ときには公式発表よりも正しい場合があります。例として、1973年の豊川信金取りつけ騒ぎ、同年のトイレットペーパー買いだめ騒動などがあります。

一方「デマ」はデマゴギー（dema gogy）の略であり、扇動政治の意味を持っています。故意のねつ造や、悪意の中傷と知りつつ流す噂です。人を蹴落とすために、ありもしない女性問題を噂するのは、これにあたります。

流言もデマも、社会不安や精神的な不安要因が背景にあるため、重大な社会問題を引き起こす可能性を持っています。これらを含む噂は、家族や友人などの親しい人間関係のネットワークを通じて広まります。噂話の届くのが遅い人は、ネットワークのコアからはずれている人です。

にはね返って刺激がさらに強められ、しだいに個人の判断さえも奪ってしまうのです。

暴動の引き金を引く「アジテーター」

パニックは暴動に発展することもあります。1975年、国鉄の順法ストで交通が麻痺したことが原因で、首都圏の方々の駅で暴動が起こりました。「なんとかしてその日のうちに帰りたい」という気持ちが共通の目的として凝縮されたとき、長時間足止めをくらった人々は群衆となり、駅員と「電車を出すのか、出さないのか」と押し問答を繰り広げました。

それがかなわないとなると、今度は手当たりしだいに駅の備品を打ち壊す破壊行動や売店から商品を奪い取る略奪行動に走りました。1人であれば、同じ目に遭ってもこれほど極端な情緒的行動には走らなかったでしょう。

ところで、羊や牛の群れが大きな円を描いて回りながら、周囲の個体を取り込んでいく過程を「ミリ

群衆が暴動を起こすとき

パークとバージェスは、群衆を能動的な群衆と受動的な群衆に分類しました。能動的な群衆を、mobile という単語を省略してモッブ（mob)、受動的な群衆を聴衆あるいは会衆（audience）といいます。モッブはさらに攻撃的・獲得的・表出的モッブの3つに分けられます。

「攻撃的モッブ」は、欲求を阻害しているものを暴力行為によって除外しようとするものであり、リンチ、テロ、暴動などを起こします。

「獲得的モッブ」は獲得行動を達成しようとするものです。獲得行動を阻むものがあらわれれば、攻撃的モッブと化すこともあります。スターにサインを求めて殺到するのも獲得的モッブです。

「表出的モッブ」は、心に感じた興奮を表出したいという欲求を持っているだけです。スポーツ観戦などで、歓声をあげたり、足を踏みならしたりして狂喜乱舞する群衆などがこれにあたります。しかし、表出欲求が阻害された場合は、攻撃的モッブに変わることがあります。

パニックはなぜ起こる?

暗示・模倣説

伝えられた情報をうのみにしたり、他人と同じ行動をとってしまうという説

感染説

伝染病のように、1人ひとりに刺激が伝わっていくたびに、その感情や刺激が大きくなり、最後には個人の考えなども奪われていくという説

ング」といいますが、群衆はこのミリングのように、単なる傍観者であった人々を巻き込んで相互に興奮を高めながら、渦巻き状の影響の環を広げていくことがあります。そして、共感による情緒の伝達が感染するかのごとく急激に拡大し、その反応は増幅されます。そうなると社会的抑制力が低下して自我感は弱まり、責任感が喪失して攻撃性が増してきます。そのような群衆は反社会的行動を起こしやすくなり、ついに暴動の引き金が引かれます。

この引き金を引く人を**アジテーター**といいますが、アジテーターになる人には、もともと攻撃的であったり、社会に不満を持っている人が多いといわれています。

協力して行動する冷静さが必要

ミンツは、口が狭くなっているビンの中から、一度に多数の被験者がアルミニウムの円錐体を取り出す実験を考案しました。

口は一度にひとつの円錐体しか通すことのできない大きさなので、相互の協力がないと混乱を生じます。ビンの底には水がはってあり、時間の経過とともに水位を増す仕掛けになっています。無事に円錐体を取り出すことができれば、25セントの報酬があり、失敗して水に濡らすと1セントの罰金が科せられます。実験はお金がかかっていることもあり、自己中心的な被験者の妨害行為で競り合いを引き起こしました。

しかし、そのような状況の中でも、メモの交換などお互いの協力の意思を伝え合う手段があれば、協力行動がうながされ、円錐体をスムーズに取り出すことができました。

ニューヨークのワールド・トレード・センターがテロに襲撃された際、ビルの中にいた人々は狭い階段を譲り合いながら整然と避難したと報道されました。冷静に協力行動がなされたこと、アジテーターになりうる人がいなかったことが幸いしたのだと思われます。

ミンツが行ったパニックの実験

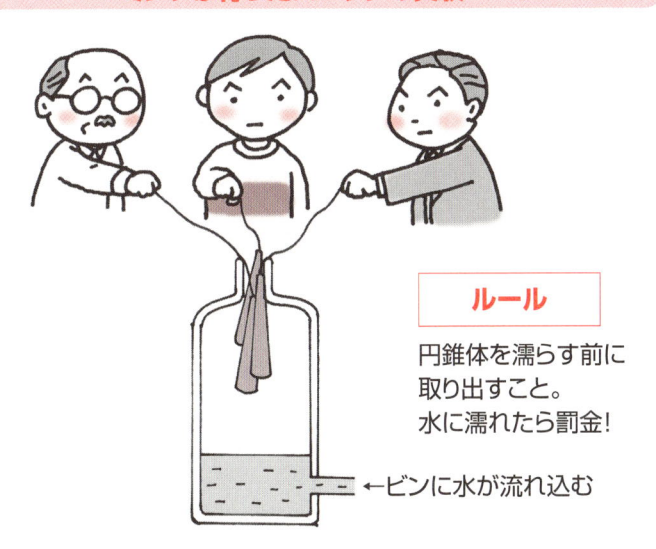

ルール

円錐体を濡らす前に
取り出すこと。
水に濡れたら罰金!

協力行動がなされなかった場合

競り合いが起こり、な
かなか取り出せない

協力行動がなされた場合

スムーズに取り出す
ことができる

（ミンツ、1951）

それぞれの集団にはそれぞれのネットワークがある

人が集まれば人間関係が生まれる

人が集まれば、仲が良い人や悪い人が生まれます。誰と誰が仲が良くて、誰と誰が仲が悪いのか、ということを体系的に図式化したり、数量的に表現することによって、集団の構造や集団内の力学を明らかにすることができます。こうした**ソシオメトリー**の考え方は**モレノ**（下記コラム参照）が提唱したものです。

たとえば、「学級の席の並べ替えをするので、一緒に勉強したい人としたくない人の名前をあげなさい」といった内容の質問紙を実施します。これを「ソシオメトリックテスト」といいます。

この結果を基に図式化したものが、左ページの図

集団心理を研究したモレノ

1892年にルーマニアに生まれたモレノは1917年にウィーン大学医学部で学位を取得。精神分析やマルクスの影響を受けながらも、「今、ここで」（here and now）という言葉にあらわされる現時点での相互作用の自発性や創造性を重視し、独自の人間理解のための方法を模索し続けました。

その後、ユダヤ人であった彼はナチスの迫害に遭い、アメリカに移住し、1934年に主著である『Who shall survive?』を公刊し、高い評価を受けました。

彼の理論は、自発性の理論や役割理論が代表的なものですが、今日では心理劇による集団心理療法の技法や社会集団の分析方法の創始者として知られています。

集団の構造や力関係がわかるソシオグラム

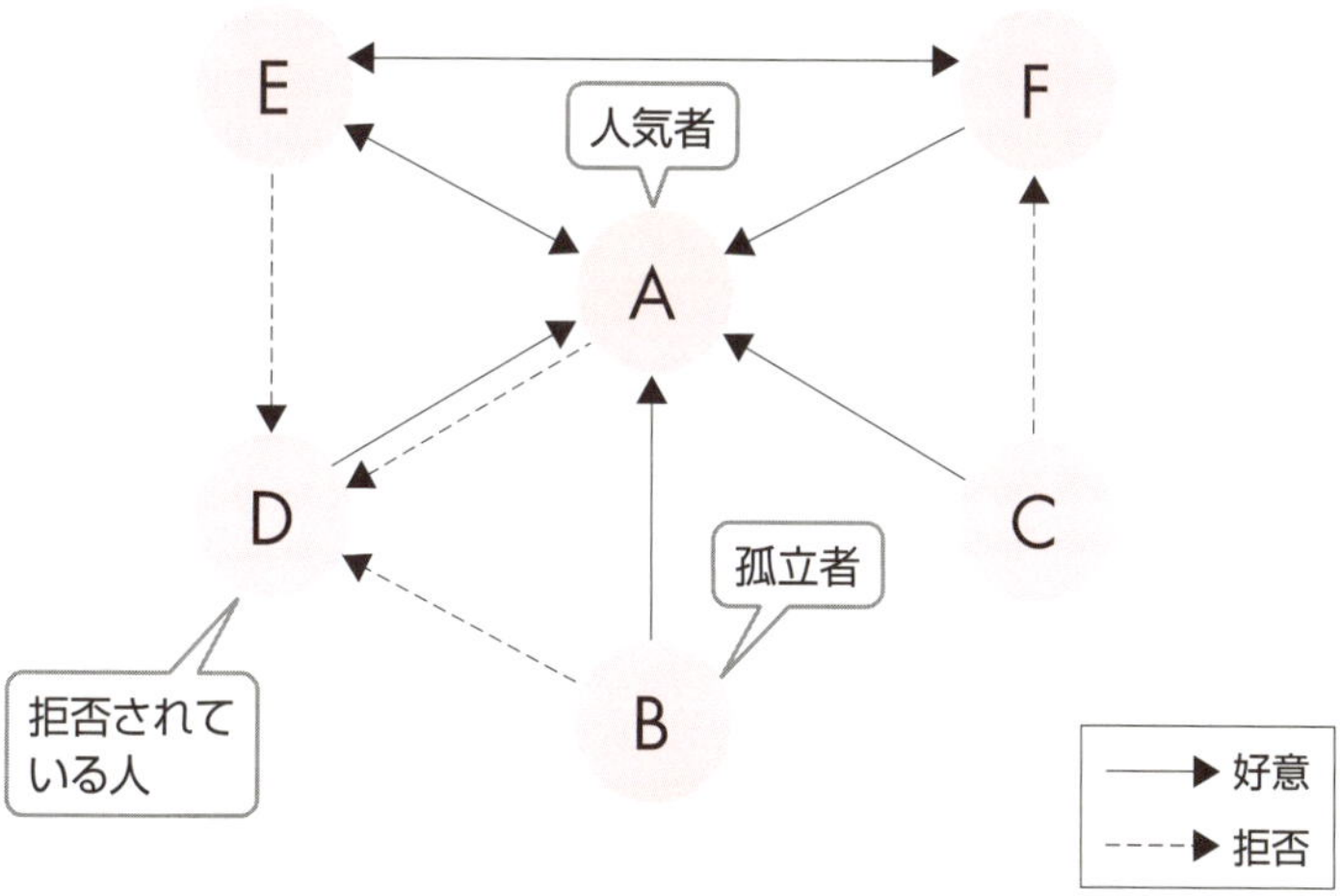

の「ソシオグラム」です。実線の矢印は好きな成員の選択の方向を、点線の矢印は嫌いな成員の方向を示します。

こうしたソシオグラムから、集団がいくつかの派閥や下位集団から構成されていることや、孤立者や拒否されている者の存在が視覚的にわかります。

作業に最適な集団のかたちとは?

集団を構成する成員間のコミュニケーション・ネットワークを研究したのがリービットです。彼は4種の小集団をつくり、このパターンにしたがって集団化された5人組の作業効率や作業への満足度が調べられました。

その結果、小集団にはそのパターンのつくり方によって、ある一定の特徴が見られることがわかりました。次ページでそれぞれの集団の特徴を見ていきましょう。

車輪型 簡単な作業内容で、最も効率が高かったグループ。
中心にいるCがリーダー役を果たすことによって、
情報や指示が素早く伝わり正確に問題が解決された。

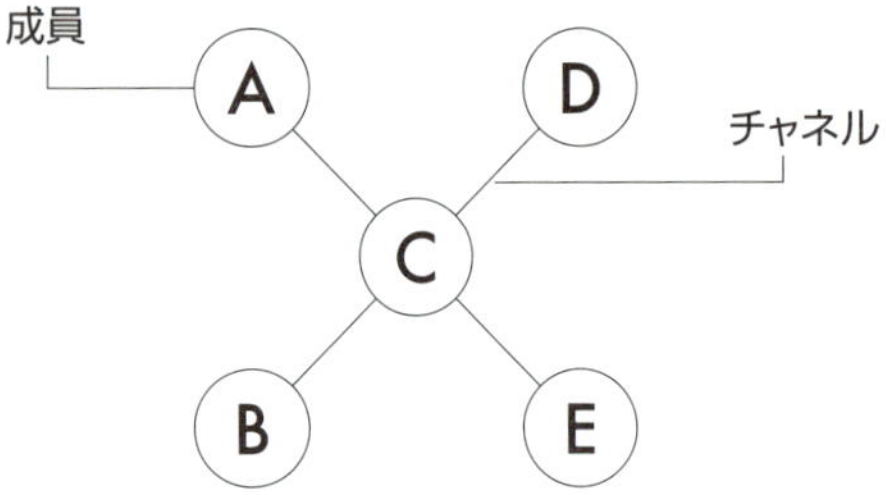

オールチャンネル型

情報伝達に優れ、単純作業の課題解決に最適なパターンだが、一昔前まではリーダーからほかの成員に向けて情報が同時に届けられる構造は事実上不可能であったため、議論上のパターンにすぎないと思われていた。現在は、インターネットの普及によって可能となっている。

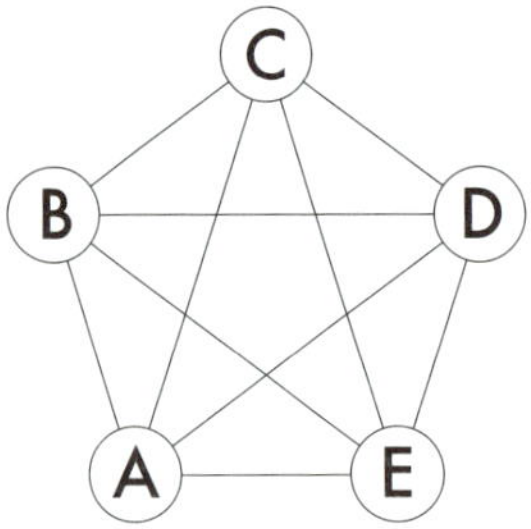

円　型

すべての成員が対等の立場にあるため作業効率は悪いが、車輪型よりも作業の満足度は高くなった。

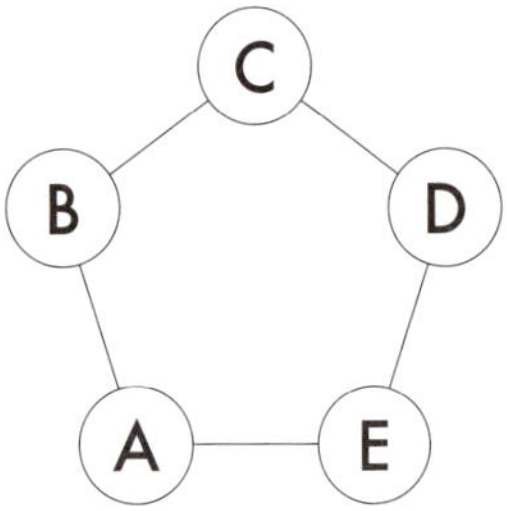

Y 型

鎖型と同様。

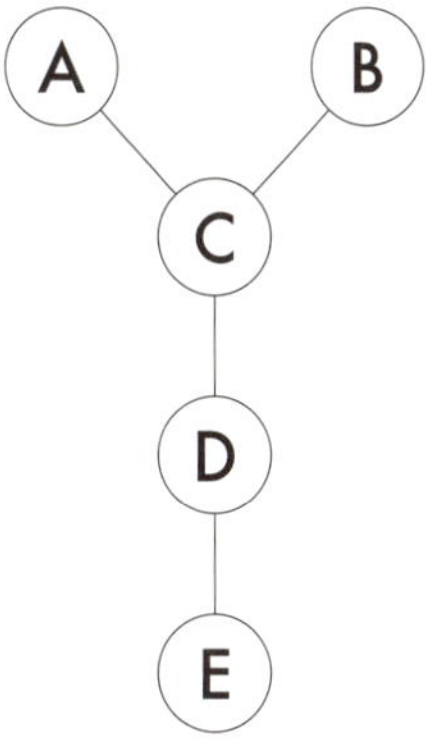

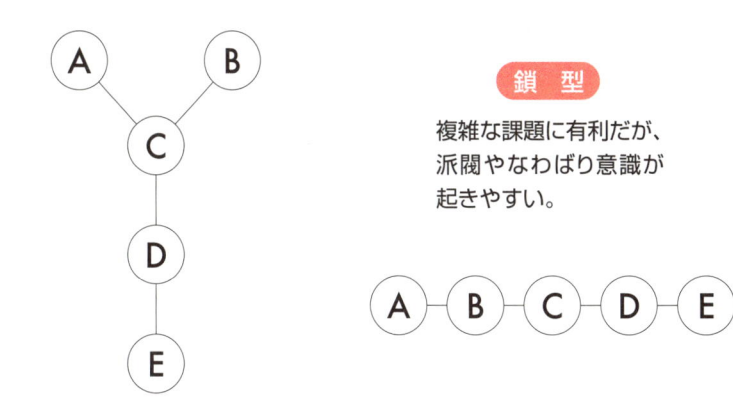

鎖 型

複雑な課題に有利だが、
派閥やなわばり意識が
起きやすい。

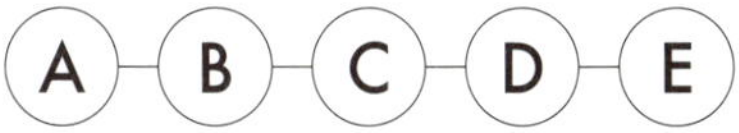

集団形成の条件とは？

そもそも、集団とはどのような条件のもとで形成されるのでしょう。

①性格や態度が似ている人同士が出会うと、相互理解が生まれ集団を形成しやすくなります。仮に顔や性格が似ていなくても、夫婦や家族などのように長年一緒にいることでお互いを補い合う関係ができれば、集団は長く維持されます。

②単純に物理的に近くにいるというだけでも、集団を形成しやすくなります。子どもは家が近かったり、教室での席が近い者同士で遊び仲間をつくります。

③集団の目標や課題に魅力を感じることも、その集団に属する強い動機になります。自分1人では解決できない目標があり、それを叶えてくれる集団があれば、人はそこに所属して目標を達成しようとします。集団に属すると、自分の持っていた価値観や判断力は、その集団の規範に影響されるようになり、自分自身の行動も規制されるようになります。

相手にどう思われているか気になってしかたがない

「あがり」はなぜ起きる?

大勢の人の前で発言したり、入社試験での面接、舞台での発表などで、あがってしまって本来の実力を出しきれなかったという苦い経験は誰にでもあると思います。これは極度の緊張から引き起こされる「あがり」の現象で、対人恐怖のひとつでもあります。

性格的には、真面目で努力家で、完全主義的傾向の強い人があがりやすいようです。他人に自分の醜態を見せまいとしたり、高い評価を得たいという隠れた願望を持っているために緊張過剰になるのです。また、要求水準が自分の能力以上に高すぎる人も、実力とのギャップを埋めるために無理をしなければならないので、過度の緊張を招くことになります。

したがって、あがりを防ぐには、「ダメでもともと」「失敗したっていいや」と開き直るぐらいのゆとりを持ち、リラックスすることが大切です。声が震えたり赤面しても、その状態から逃げない勇気を持ち、少しずつ改善していくことです。

人前で話をするときは、あらかじめ練習やリハーサルをしておくとよいでしょう。さらに、できるだけ場数を踏むことによって、人前で話したりすることに自信をつけるようにします。

他人が怖い「対人恐怖症」

人前に出ると、妙に緊張したり不安を感じるだけでなく、相手に嫌われるのではないだろうかとまで考えてしまうようなら、**対人恐怖症**の傾向があります。

　具体的には、人前に出ると顔が真っ赤になる**赤面恐怖**、他人の視線を怖がって相手の目を見られない**視線恐怖**、思うことを伝えようとすると言葉がどもってしまう**吃音《きつおん》恐怖**などがあります。

　こうした症状は、家族のような親しい人間関係では起こらず、またまったく見知らぬ他人に対しても起こりにくいものです。むしろ、その中間に位置するそれほど親しくない知人との間で起こりやすくなります。

　対人恐怖症になりやすい人は、「相手が自分のことをどう思っているのか」「どう考えているのか」にいつも気を遣い、そのことに大変なエネルギーを注いでいることが知られています。

　また、概して欧米人より日本人に多いという特徴もあります。日本では西欧的な「個人」の確立がなされていないためと考えられています。

　自我の形成される青年前期から主に見られるのも、「個」の確立と深く関わっているからではないでしょうか。

対人恐怖症には、
さまざまなものがある

対人関係をよくするための絶妙な間合いがある

パーソナル・スペースに侵入すると嫌われる？

人は誰でも自分の体の周りに**パーソナル・スペース**と呼ばれる他人の侵入を拒む、一種のなわばりを持っています。このなわばりを侵されたとき、人はどんな反応を示すのでしょうか。

図書館の大きなテーブルで、1人で勉強している女子大生のすぐ隣の席に座り、女子大生の反応を見ます。すると、女子大生はひじを立て、腕で頭をかかえたり、相手を視界からさえぎろうとします。あるいは相手に背を向けたり、自分の荷物を間に置いて境界線に柵をつくろうとします。

結局、この実験では30分以内に70％の女子大生が席を立ってしまいました。ちなみに、邪魔をしなかった場合は、30分以内に席を立った女子大生は10％に過ぎませんでした。この結果から、私たちは無意識に、なるべく他人との距離を保とうとしていることがわかります。

アメリカの文化人類学者**ホール**は、人間の空間行動に関する研究を**プロクセミックス**（Proxemics）と呼んでいます。彼は、日常生活の中で使われている距離には、大きく分けて次の4種類があるとし、さらにそれぞれの距離帯は近接相と遠方相とに分けられるとしています。

①親密な人との密接距離

・**近接相**（**0～15㎝**）視線を合わせたり、においや体温を感じられるコミュニケーション距離。

・**遠方相**（**15～45㎝**）手が届く距離で、やはり親し

プロクセミックスによる対人距離

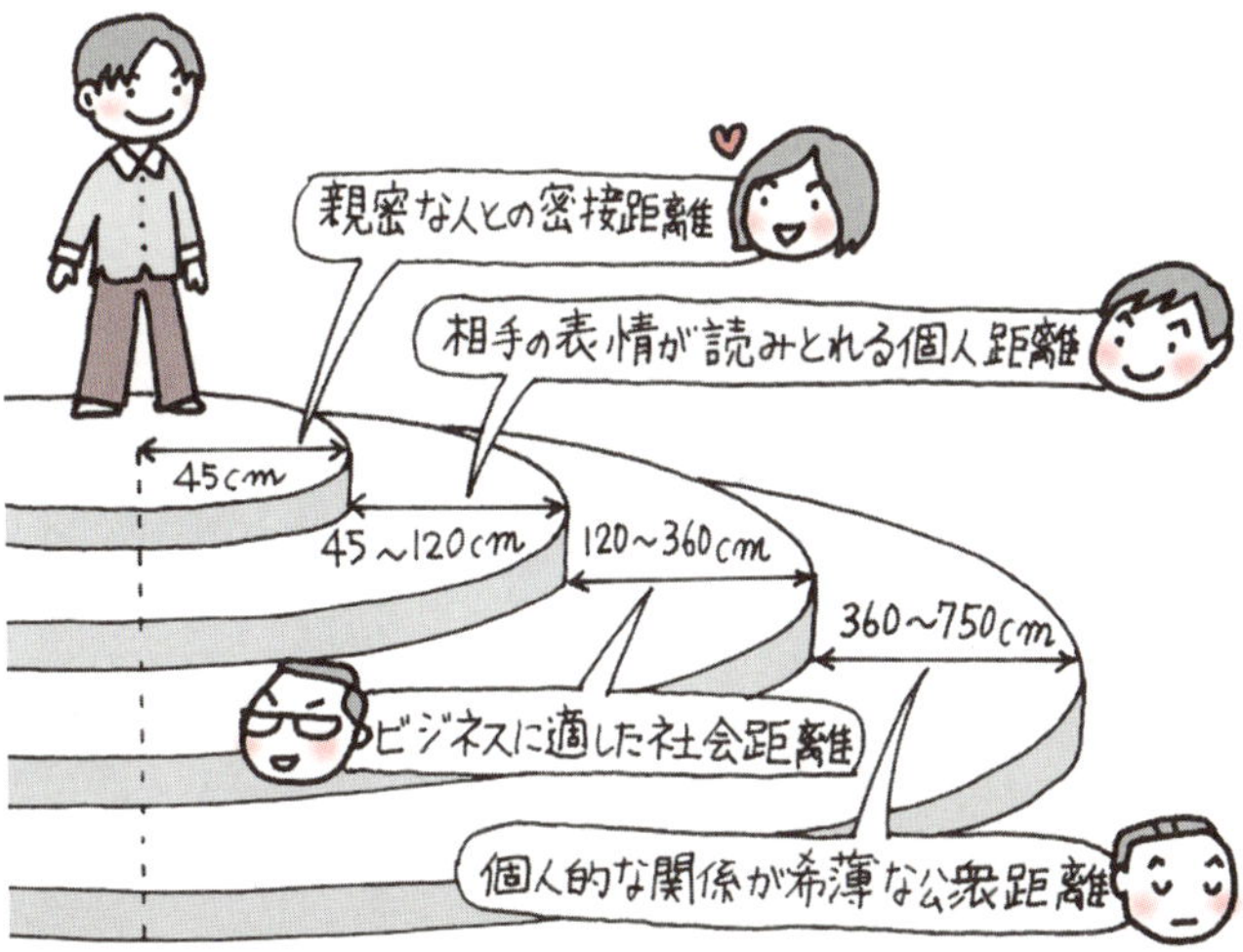

い2人が使う。電車などではこの距離まで他者が近づくとストレスを感じる。

②相手の表情が読み取れる個人距離

・**近接相**（45〜75cm）どちらかが手や足を伸ばせば相手の身体に触れたり、抱いたり、つかまえたりできる距離。

・**遠方相**（75〜120cm）両方が手を伸ばせば指先が触れ合う距離で、相手の身体をつかまえられる限界の距離。私的な交渉などではこの距離をとろうとする。

④ビジネスに適した社会距離

・**近接相**（120〜210cm）相手の身体に触れたり、微妙な表情の変化を見ることができない距離。会社などで客と応対するときにとられる。

・**遠方相**（210〜360cm）顔の表情は見えないが、相手の姿全体が見えやすい距離。

⑤個人的な関係が希薄な公衆距離

・**近接相**（360〜750cm）相手の様子がわからず、個人的な関係は成立しにくい。自分の行動も目につきにくくなる。

・**遠方相（750cm以上）** 言葉の細かいニュアンスが伝わりにくく、身振りなどを通したコミュニケーションが中心となる。

こうした研究から、人間は快適な個人空間（パーソナル・スペース）を必要としており、自分の個人空間に他人が侵入してくると、反射的に防衛本能が働くことが指摘されています。

つき合いに応じてこの距離感を守れば、無用なトラブルを生むことなく、スムーズな人間関係を保つことができるでしょう。

パーソナル・スペースが生理にも影響を与える

アメリカで行われた実験から、パーソナル・スペースは生理にも影響することが確かめられています。「駅のトイレの混み具合と排尿」という実験は、次のような3つの条件のもとに行われました。

①自分のすぐ隣で、ほかの人が排尿する

②ひとつ離れた便器で、ほかの人が排尿する

握手戦術で人の印象はこうも変わる

選挙では候補者が有権者と握手している光景を見かけますが、本当に握手が1票に結びついているのでしょうか。

ある人を3つの方法で人に引き合わせ、その人についての印象を尋ねた実験があります。まず、目隠しをして握手だけをした場合。「温かい」「信頼できる」「大人らしい」「感覚が鋭い」などと評価されました。次に、話も握手もしないで見るだけの場合。「冷たい」「横柄である」「大人気ない」などと評価されました。さらに、目隠しをして握手をしないで話だけをした場合は、「距離がある」「無感動である」「形式的である」などの評価を受けました。

この結果から、握手をして肌が触れ合うと、相手はその人に対して温かさや信頼感を持つことがわかりました。商談などがまとまったときにする握手は、相手に「この人に任せれば安心だ」と思わせる絶好のチャンスといえるでしょう。

どのトイレが一番使われる？

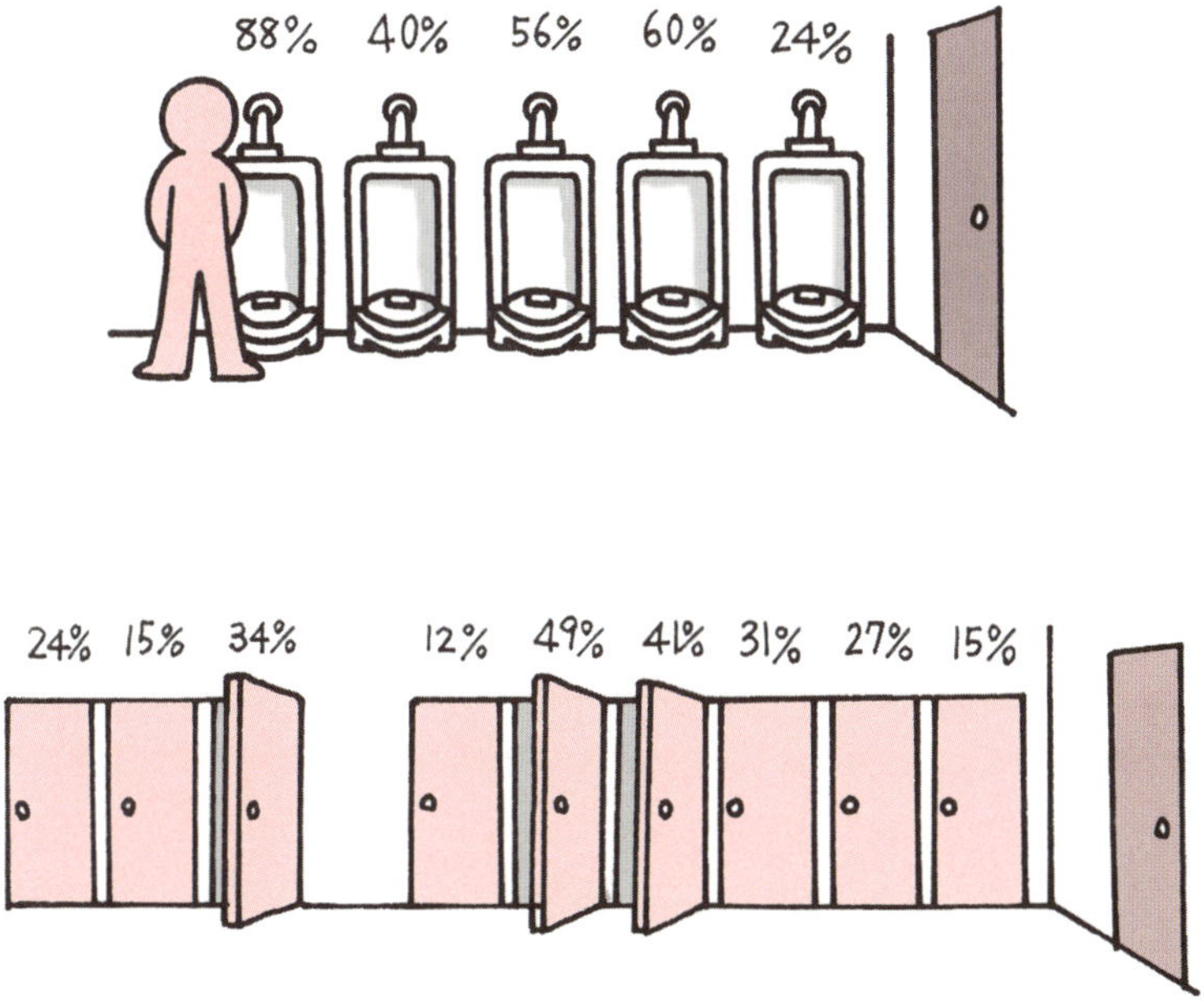
88%
40%
56%
60%
24%
24%
15%
34%
12%
49%
41%
31%
27%
15%

（渋谷、1985,「座る」BOX60-3より）

電車に乗っても席が空いていれば他人の隣に座るのを避け、なるべく離れて座ろうとする心理と一緒だよ！

③誰もいないトイレで、1人で排尿する

結果は、①の条件では排尿しはじめるまでの時間が②と③の場合よりも長くかかり、排尿が終了するまでの時間は短くなりました。ところが、②、③では、ほとんど時間差は見られませんでした。

つまり、ほかの人がすぐ隣で排尿していると、人は自分のパーソナル・スペースが確保できないので、それがストレスになってふだんのペースで排尿ができなくなるわけです。一方、両隣に誰もいなければ、それ以外の位置に誰がいようと、パーソナル・スペースが十分確保されているので、リラックスして排泄行為に集中できるということです。

よく会社の上司や同僚とトイレで隣り合ってしまったり、トイレが混んでいて行列ができているときに落ち着いて排泄ができないのは、パーソナルスペースを侵害し合っているからにほかなりません。

集団生活のストレスが身体に及ぼす影響

対人関係を円滑にするために相手との距離や空間の広さが重要であることは、すでに説明した通りですが、集団が大きくなるほど心理的圧迫は大きくなり、身体へも影響を及ぼすことがわかっています。

刑務所で行われた研究ですが、1人あるいは2人の監房と、26人以上が同居する監房に入っている受刑者の精神的・身体的症候を比較してみました。

その結果、共同監房で生活する受刑者のほうが、背中の痛み、むかつき、発疹、便秘、胸痛、喘息《ぜんそく》などを訴える頻度が、在監期間の長さと関係なく高かったのです。

また、共同監房で生活する受刑者のほうが血圧が高く、心拍数が多いことも確かめられています。

私たちは学校や職場、広くは社会という集団の中に所属する以上、相互にストレスを与え合う存在であることは避けられません。ただし、よりよい人間関係を築くことで、こうしたストレスを減らすことはできるはずです。

言葉遣いも距離感が大事

人間関係における距離感を近接度といいます。近接度の高い表現は、親密さや好意を示します。逆に近接度の低い表現は、忌避や悪感情を伝えてしまいます。相手を「あなた」や「彼女」などの代名詞で呼ぶよりも「○○さん」と固有名詞で呼ぶほうが近接度は高まりますし、互いの関係を表現するときには過去形よりも現在形や未来形で話をしたほうが近接度が高まります。

意思や欲求を表現する言葉遣いをすることも、近接度を高めるポイントになります。たとえばあなたが上司なら、あまり親しくない部下にものを頼むときには、どんな言葉遣いをするでしょうか。

口頭でものを頼むことを「単純依頼」といいますが、それには次の10パターンがあります。

①命令型（書類を持ってこい！）
②目的語型（書類！）
③不履行非難型（書類を持ってこないのか！）
④直接依頼型（書類を持ってきてください）
⑤意向打診型（書類持ってきてくれる？）
⑥願望型（書類を持ってきてほしいのだけど）
⑦提案型（書類あるかな？）
⑧話し手行動型（書類持っていくよ）
⑨話し手事情型（この書類ちょっと使うよ）
⑩受け手事情型（この書類もういい？）

ある研究によると、相手があまり親しくなく、しかもその仕事にかかるコスト（時間や労力など）が大きいときは、④の直接依頼型より⑤の意向打診型が好んで使われると報告されています。

何気なくものを頼むときの口調こそ人柄がにじみ出るものですが、逆にあなたが部下であったら、上司からあまりにやさしい言葉でものを頼まれたときこそ、それは大変な仕事だと覚悟したほうがよいでしょう……。

本音を知るための心理テクニック

感情や表情とはなんだろう?

人は毎日怒ったり、笑ったり、喜んだり、憎んだりと、あらゆる感情を体験しながら生きています。しかし、感情の定義は非常に難しく、心理学史上でもこれまでさまざまな理論が展開されてきました。

ところで、感情は身体に表出されて他人に伝えられます。その身体的な変化を「表情」といいます。表情とはたいてい顔に表出されたものを指しますが、ときには身振り手振り、あるいは体格なども含みます。また、表情には意識的につくられる**随意運動**と、外部刺激にともなって反射的に生ずる**不随意運動**があります。

随意運動による表情は、学習や経験を通して獲得される反応であり、文化に大きく影響されます。ウインクやあいさつするときのにっこり笑顔などは、ほとんど言語的な記号の役割を果たしているといえるでしょう。

また、不随意運動による表情には、生物学的な一定のパターンが見られます。**エクマン**の研究によると、幸福、驚き、怒り、嫌悪、悲しみ、恐れ、軽蔑をあらわす7つの表情は、国や文化を超えて共通しているとされています。

表情から相手の気持ちを見抜くのは難しい

私たちは相手がなにを考えているのか気になるときは、相手の表情から心理を読もうとします。しかし、かなり親しい人でも7割、親しくない人同士では6割程度の正解率に過ぎません。

　アメリカの心理学者**シュロスバーグ**によると、感情は「快―不快」と「注目―拒否」の二次元で表現され、それぞれの感情は目や口を大きく開いたり、固く閉じたりする表情と対応するとしています。

　また、「楽しい・幸せ」と「怒り・決意」のように、まったく相反する表情を勘違いすることはありませんが、似通った表情の「軽蔑」と「驚き」になると、見分けにくくなるようです。

　これは、話をしていた相手に笑われたときに「この人は本当に楽しくて笑ったのか、バカにして笑ったのか」と判断に迷うことがあることからも、うなずける話です。

瞳の大小で相手の本心を見抜く

　表情だけでは相手の本心はわからないものですが、瞳孔の大きさ、つまり瞳の拡大縮小から、その人の本心を見抜くことができます。一般的に、興味のないものや嫌悪しているものに対しては瞳が縮小

人の気持ちを理解するために大切な非言語コミュニケーション

　感情や気持ちをしぐさや表情、あるいは視線などの**非言語コミュニケーション（ノンバーバル・コミュニケーション）**によって表現することを「符号化」といいます。

　たとえば、「好き」という感情を伝えるときは、相手に近づく、視線を合わせる、微笑むなどの表出行動を駆使して感情を符号化します。そして相手は、それらの表出行動を「好き」という感情として解読します。この符号化と符号の解読が成功したとき、お互いの感情をよく理解することができたということになります。

　言語は情報交換には力を発揮しますが、感情の理解には限界があります。むしろ、感情の理解には、非言語コミュニケーションによる符号化と符号解読のほうが重要です。この能力は社会的なプロセスの中で育てられるものですが、一般に女性のほうが優れているといわれています。また、生まれつきこの能力に優れている人と、そうではない人がいるようです。

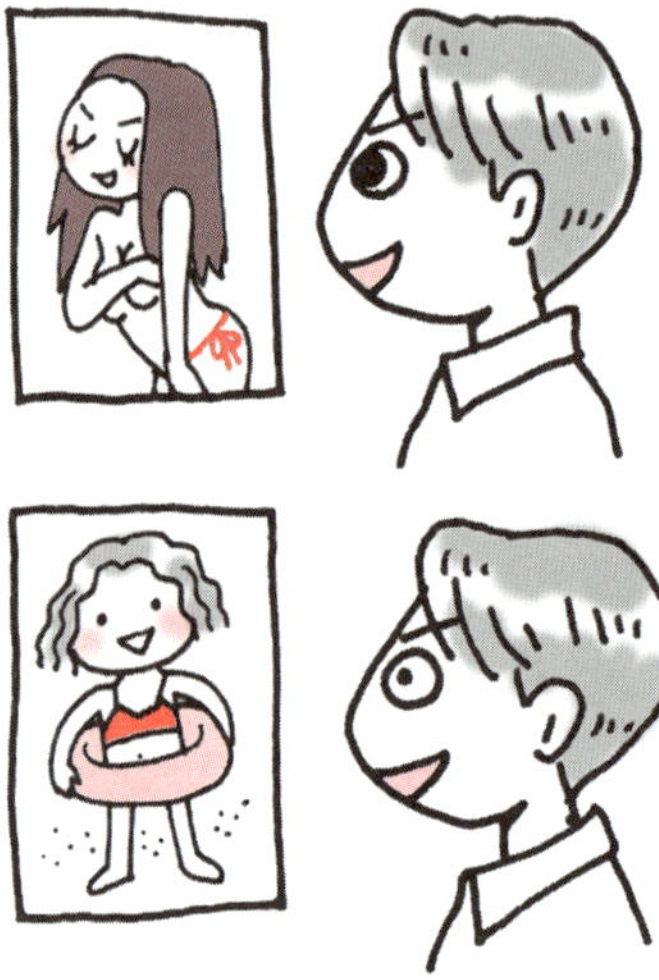

興味があるものを見ると瞳孔が開いてしまう。

します。

これを証明したのが、ヘスの実験です。女性のヌード写真を男子学生に見せたところ瞳が拡大し、同様に男性のヌード写真を女子学生に見せても瞳が広がりました。ところが、子どもの写真を女子学生に見せると瞳が拡大しましたが、男子学生の場合にはあまり変化は見られませんでした。

セールスマンの中には、この瞳の拡大縮小で客の購買意欲を判断している人もいるそうです。家庭訪問して客に商品を見せるとき、口では断わっていても、瞳がしっかり開いていて、視線がその品物に注がれているときには、購買欲があると考えられます。

したがって、相手を説得しようというときには、瞳の拡大縮小に注目して相手の本心を見抜き、説得を続けるかどうか判断したほうがよさそうです。ただ、日本人の目は黒いので、とっさに瞳の大小を見分けるのは難しいかもしれません。

逆に売り込まれたくないときには、意図を悟られないように、なるべく品物から視線を離して、セールスマンの顔も見ないようにするとよいでしょう。

視線の合わせ方で相手の性格を見抜く

人と話しているときの視線の動きは、言葉と同じくらい重要な働きをしています。実は、その視線の合わせ方が、相手の性格を知る手がかりとなります。

打ち合わせの場面などで、相手と視線を合わせる回数が多い人は、**親和欲求**が高いといえます。

親和欲求とは、他人と一緒にいたいという欲求です。この欲求の高い人は、いつも自分の周りに人がいないと落ち着かないので、１人になることを嫌う傾向にあります。一般に、女性のほうが親和欲求が高いため、話し手と視線を合わせることが多いようです。

また、商談など値引き合戦を繰り広げているような場面で、相手の目をじっと見る人は、相手を支配しようとする欲求の高い人といえます。

そのほか、視線を合わせて会話をしようとする人の傾向としては、周囲の人によく気を遣い、ちょっとした言動にも影響されやすい人や、依頼心の強い人といわれます。また社交的な人も、内向的な人より相手を見る頻度が高く、相手を見ている時間も長いという報告もあります。

相手の視線の合わせ方でその性格を見抜ければ、よりよい対人関係を築くことにつながるのではないでしょうか。

コミュニケーションを豊かにするパラランゲージの力

言葉にともなって表出される情報、たとえば会話のよどみ、笑いやあくびなどを**パラランゲージ**といいます。

言葉による情報自体は変わらなくても、言葉が発せられるときの声の調子や口調が付随するだけで、その人の人柄や気持ちの状態がとてもよく伝わります。笑いながら話してくれれば、話し手の楽しさが伝わりますし、あくびをしながら話されれば、退屈していることがわかります。

ところで、あなたが話をするとき、聞き手が返事をするたびに、うなずいてくれたとしたらどうでしょう。あなたは相手の同意が得られたものと安心して、ついつい口数が多くなってしまうのではないでしょうか。ある実験では、聞き手がうなずいただけで、話し手の話の長さは50パーセントも上増ししたといわれています。

パラランゲージをうまく使うことができれば、コミュニケーションはもっと円滑になるでしょう。

COLUMN

人の印象はどのように決まるのだろう？

たった一言で印象が大きく変わる

アメリカの社会心理学者のケリーは、人を紹介するときに使う性格特性を示す語が、印象形成にどのような影響を及ぼすのかを調べるために、次のような実験をしました。

ある授業を履修している大学生に新しい教師が来ることを伝え、事前にその教師についての略歴と紹介文を配布しました。紹介文は2種類あり、一方には性格特性を示す言葉として「温かい」という語が挿入され、もう一方には「冷たい」という語が挿入されています。それ以外は、まったく同じ文章です。

実験の結果、「温かい」と記された紹介文を読んだ学生たちはその教師を、うちとけた、社交的な、

会ったこともない有名人を友人のように語ってしまう理由は？

私たちは会ったこともない政治家や芸能人の話をするとき、まるで旧知の友人のように、「小泉さん」などと呼び、その人柄まで語ってしまいます。このように会ったこともない人の人柄を、新聞やテレビから得た情報をもとに判断することを**間接認知**といいます。一方、直接会ってその人を判断することを**直接認知**といいます。

間接認知と直接認知は本来、質の違う情報から成り立っていますが、私たちはこれらの違いをふだん意識し区別することなく、他者を判断しています。このように、ある手掛かりを通じて他者の性格や態度を判断することを**対人認知**といいます。対人認知は直接会ったことがあるのか、それとも間接的に知ったのか、それがいつのことであったのかなどの状況の違いで評価が変わってきます。

「中心語」がもたらす効果

ブランク氏は、マサチューセッツ工科大学の社会科学部の卒業生である。彼は、ほかの大学で、3学期間、心理学を教えた経験があるが、この大学で講義をするのははじめてである。彼は、26歳、経験が豊かで、結婚している。彼を知る人は、どちらかというと、温かくて、勤勉で、批判力にすぐれ、実際的で、決断力があるといっている。

ブランク氏は、マサチューセッツ工科大学の社会科学部の卒業生である。彼は、ほかの大学で、3学期間、心理学を教えた経験があるが、この大学で講義をするのははじめてである。彼は、26歳、経験が豊かで、結婚している。彼を知る人は、どちらかというと、冷たくて、勤勉で、批判力にすぐれ、実際的で、決断力があるといっている。

（ケリー、1950）

人気のある、親切な、ユーモアのある人物として好意的に評価しました。また、クラス討論を行ったところ、56パーセントの学生が参加し、積極的な討論を交わしました。

　ところが、「冷たい」と記された紹介文を読んだ学生たちは、教師についてあまり好意的な評価をせず、クラス討論にも32パーセントの学生しか参加しませんでした。

　このような実験を重ねた結果、社会心理学者の**アッシュ**は印象形成にはいろいろな性格特性が均等な重みで関与しているのではなく、「温かい」や「冷たい」などのある特定の特性が中心的な機能を果たしていると考えました。そして、そのような特性を持つ語を**中心語**といいました。

　つまり、中心語をうまく使って相手に情報を与えれば、同じ情報であっても受け手の印象を操作できるというわけです。

言葉の順番でも印象は変わる

さらにアッシュは人物像を言いあらわす性格特性の提示順序によって、違った印象が形成されることを見出しました。〔知的な→勤勉な→衝動的な→批判力のある→強情な→嫉妬深い〕の順でこれらの刺激語を提示した場合、「多少欠点はあるものの、能力がある人物」との人物評価がなされました。

　ところが、提示する順番を逆にすると、その評価は「能力はあるが、欠点があるためにその能力が発揮されない人物」に変わりました。これは、前半に提示された語の印象に、後半の語の持つ印象が左右された結果と考えられます。

　このように、最初に与えられた情報が後の情報に影響を及ぼすことを**初頭効果**といいます。一方、後半に提示された性格特性が、前半に提示された特性より人物評価に強く影響することもあります。これを**親近効果**といいます。

最初の印象に左右される初頭効果

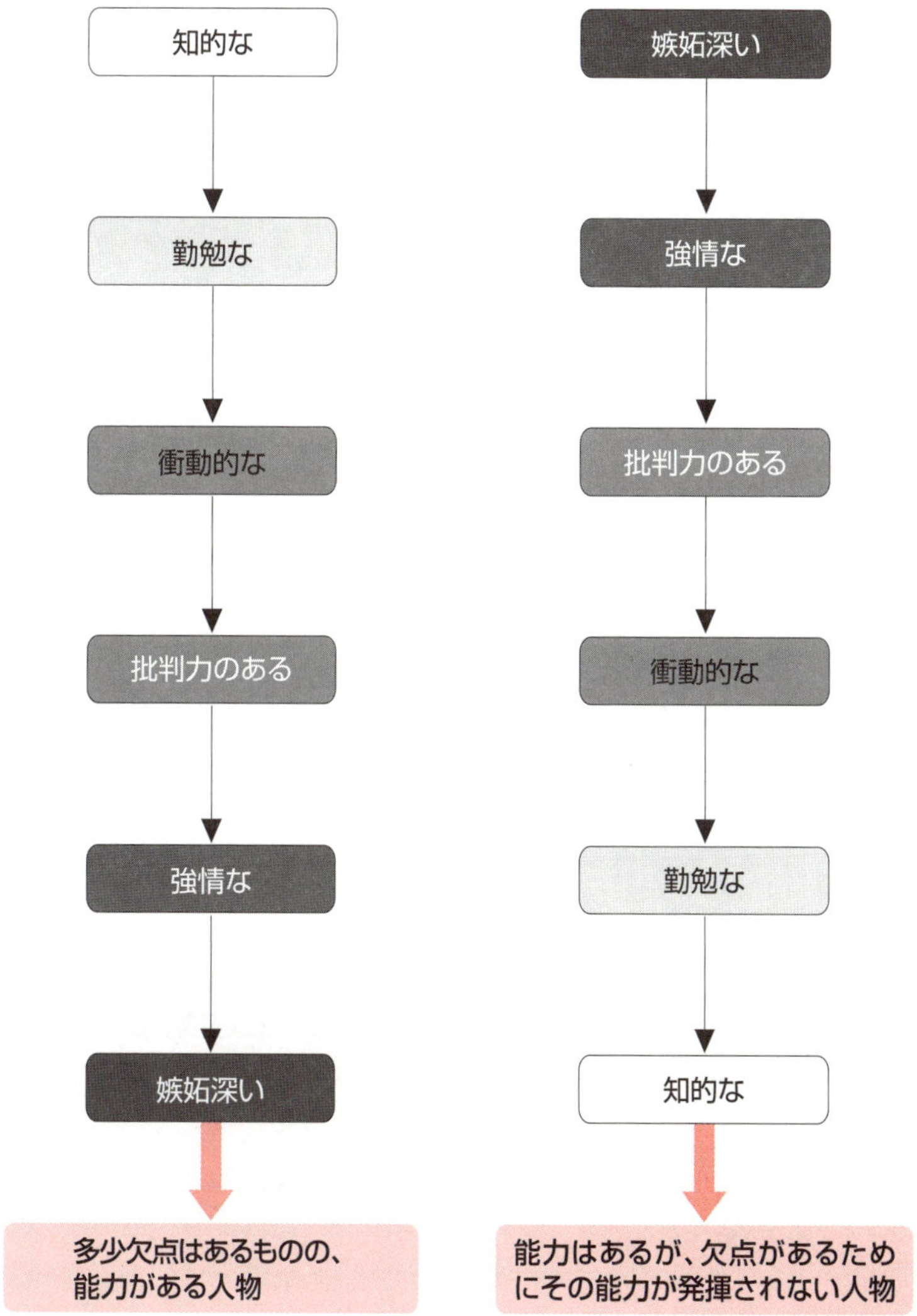

矛盾したイメージを受け入れられる？

アメリカの心理学者メイヨーとクロケットが、この親近効果についての実験を行っています。

この実験では、あらかじめ被験者を認知的に複雑性の高い群と低い群に分け、相反する刺激語をどちらにも同じ順番で提示しました。すると、後半の語が持つ印象で性格特性を判断しやすいのは、認知的に複雑性の低い群だという結果が得られました。

一般に認知的な複雑性の高い人の性格は、弾力のある構造となっており、他者についての矛盾した情報に対して柔軟な識別ができるようになっていると考えられます。

しかし、認知的な複雑性の低い人の性格は、堅くてもろい構造であり、他者の矛盾した情報に耐えられず、判断のカテゴリーが少ないと考えられます。そのため、認知的な複雑性の低い人は、「良い・悪い」の二値的な次元で他者を極端に判断する傾向があります。同じような傾向は、権威主義的な人や民

ステレオタイプに要注意

ある集団の成員全般に対して、良くも悪くも十把一絡げ的な認知をすることを**ステレオタイプ**といいます。たとえば、「イタリア人はおおらかである」「フランス人は美食家だ」などもステレオタイプの例としてあげられます。しかし、実際は気の短いイタリア人や味覚音痴のフランス人もいるのです。

このようにステレオタイプ的な判断は、ある集団やその成員に対して、過度に一般化したものの見方を強めます。私たちは多量で複雑な情報に耐えられなくなると、それを単純化し、統制感を保とうとします。本来複雑な集団認知に対しても、このようにステレオタイプ化することで、主観的な予測を立てやすくし、安心しようとしているのです。

ステレオタイプはいったん生起すると修正が難しく長く保存されてしまいます。そのため悪質な偏見につながりやすく、社会的な問題となりえます。悪質なステレオタイプを、安易に鵜呑みにしないよう気をつけたいものです。

族的優越感を持った人にも見られます。

自分のイメージをよくするためには?

ジェームズは、「自分についてのイメージを抱いてくれる人と同数の社会的自己がある」と述べました。この言葉からも、自分のイメージというものが、社会との関わりの中でどれだけ大切なものなのかということがうかがい知れます。

相手が持つこの自分のイメージを、意識的にあるいは無意識的に操作しようとする試みを**セルフ・プレゼンテーション**（自己提示）といいます。

これは、印象操作につながる概念ですが、印象操作のほうが、その対象が自己以外にも想定される点でより包括的な概念といえるでしょう。

これらは、本心とは異なる自己を見せて他者を欺《あざむ》くという側面が強調されるせいか、日本ではなかなか表向きには受け入れられないきらいがあります。

しかし、セルフ・プレゼンテーションとは本来、それを見聞きする人たちがある特定の結論を導くように発信する情報を、うまく編集することを意味しています。つまり、自分がよいと思っていることをただ話すのではなく、相手の反応を常に計算しながら進めることがプレゼンテーションの極意なのです。

面接などでも、なんの配慮もなく自分のよいことだけを堂々と言ってのけると、面接官の不愉快をあおりマイナス点になるかもしれません。

人は地位や肩書きに左右される

知名度の高い会社の役員、医者や弁護士など社会的地位の高い職種を肩書きとして持つ人は、それだけで立派な人格の持ち主だと捉えられる傾向があります。これを**光背（ハロー）効果**といいます。

光背とは、聖像を引き立たせるために像の後ろ側に飾られた光輪や後光のことをいいます。光背で飾られると、聖像はますます立派に見えるものです。この光背のように、その人の持っているある顕著な特性が、その本人をますます立派に見せたり、あるいは悪く見せてしまうのです。

COLUMN

相手の意見や態度を変えさせるテクニック

説得により相手を変える

説得とは、相手の意見や態度を意図的なメッセージを送ることによって変えさせることです。この説得のための具体的な働きかけや過程のことを、**説得的コミュニケーション**といいます。

説得的コミュニケーションは、①送り手、②受け手、③メッセージ、④状況、⑤チャネル、の5つの要素があって成立します。そして効果的な説得には、専門知識や魅力も重要ですが、相手の反応に合わせて適切な条件を用意することが大切になります。

ある心理学者は説得の過程を、①接触（DMなどでサンプル品を送る）→②注目（興味を持つ）→③理解（商品説明などを読む）→④承諾（特徴を理解し、好意度が決まる）→⑤保持（商品を記憶している）→⑥検索（買い物のときに思い出す）→⑦決定（気に入った商品を探す）→⑧行動（商品を購入する）という8段階に分けています。

説得のテクニック

説得には、さまざまなかたちがあり、相手により、また内容によっても方法は変わってきます。ここで、説得の方法をいくつか紹介しましょう。

◎逆転の説得——不利な条件は隠しておく

相手が望む好条件で説得してOKを出させた後で、本来の不利な条件を提示し承諾してもらう方法をいいます。

もちろん、多少なりとも相手を騙すことになるので好ましくない方法ともいえるのですが、これをうまくやってのけるのが見合い話を持ち込む仲人さんの口上です。いいことずくめの説得に丸め込まれてお見合いに応じたものの、会ってがっかりという場面はドラマでも見覚えがあるでしょう。

それでも、一度、関わりができると人間、義理や人情が発生してしまうものです。はじめから正直に悪い条件を提示されるよりは、ＯＫを出す可能性が高くなります。

イメージと違うけど…？
まー やっぱり
お似合いよ！
会わせてしまえばこっちのもの!?

ただし、最初の好条件を撤廃して不利な条件を提示するとき、説得者は言葉巧みに弁明しなくてはなりません。これができなくてはトラブルのタネになるだけです。弁明に自信のない人は使わないほうが無難なテクニックかもしれません。

◎一面提示／両面提示――プラス面だけ伝えるか、マイナス面も伝えるか

相手が自分と同じ立場で同じ考え方なら、プラス情報だけを伝えることが効果的な説得方法になります。これを**一面提示**といいます。

しかし相手が自分と違う立場なら、プラス情報だけ伝えることは、かえって説得する側の利益を疑われかねません。場合によっては、説得者の意図と反対の方向に態度や意見を変えてしまう**ブーメラン効果**を起こすこともあるでしょう。

このような場合は、はじめからプラス情報もマイ

相手のレベルに応じて与える情報を変える

ナス情報も伝えてしまうことが予防策となります。これを**両面提示**といいます。

一般的に、「一面提示」と「両面提示」のどちらがより効果的なのかは、相手の理解度や知的水準の程度、お互いの立場などを考慮して考えなくてはなりません。

たとえば、薬局で薬の説明をするときは、薬の購入者はたいていの薬学についての知識は少ないものなので、薬の効能だけを伝える一面提示が向いています。一方、知的水準が高い人や、自分とは意見が違う人、あるいはものごとを自分で決めたがる人を説得するときは、両面提示が向いています。

また、説得的コミュニケーションがうまくいくかどうかは、説得者の信頼性も重要なポイントとなります。アルコール中毒や麻薬中毒者の自助グループでは、経験者が説得者になることで信頼性が高まり、よい効果を上げています。

◎接種理論——あらかじめマイナス面を伝えておく

何度も足を運んで説得し、ようやく契約を結んだにも関わらず、後になって「契約を解消したい」といってくる客がいます。

このように説得に応じた後で、考えや態度が変わってしまう場合は、何か新しい情報を手に入れたり、反対の意見（逆宣伝）を聞かされたりしたためだと考えられます。

そこで、商品に欠点やマイナス面があるときには、最初の段階でそれを伝えた上で説得するようにするとよいでしょう。これは説得の**接種理論**と呼ばれているもので、病気が蔓延《まんえん》しないように予防接種を行うのと同様の原理です。

アメリカの社会心理学者マクガイアーは、いくつかの実験でこうした現象を明らかにしています。たとえば、「ペニシリンは人類に多くの益をもたらした」という文章に対して、はじめから賛成と反対の両方の意見書を読んでいた人たちは、その2日後に反対意見とそれを実証する資料を改めて読まされても、高い率で賛成意見を支持し続けました。しかし、はじめに賛成意見しか読んでいなかった人たちの賛成支持率は、ぐっと下がってしまいました。

このように、反対意見に対して抵抗力を高めておけば、逆宣伝にさらされてもむやみに左右させられることが少なくなります。情報に対する免疫ができあがっていると、反対意見を聞いても、それに動じない抵抗力がついているというわけです。

欠点や短所はいいにくいものですが、あらかじめ相手に教えておいたほうが成約率も高くなるわけです。

あらかじめマイナス面を伝えることが効果的なときもある

最大の利益を得る戦略を探る「ゲーム理論」

零和型ゲームでは得点の和が常にゼロになる

誰でも、取引や交渉では最大限の利益を得たいと思うでしょう。ゲームのプレイヤーが最も大きな利得を得るための最良の戦略を見出すことを目的とする理論に**ゲーム理論**があります。

ゲーム理論は、数学者のノイマンや経済学者のモルゲンシュテルンによってはじめられた組み合わせの数学から発展した理論で、はじめは経済問題に関する理論として発表されましたが、人の意思決定にも適用できることから、心理学的研究に応用されてきました。左ページの図はジャンケンの利得行列をあらわしています。数字はAのプレイヤーの得点であり、Bのプレイヤーはその得点だけ点を失います。

このように２人の得点の和が常にゼロになるゲームを**零和型ゲーム**といいます。通常のゲームは零和型ゲームに入りますが、さらに選挙戦、市場占有率、軍事行動などもこの型として考えられます。

また、一方の得点がそのまま一方の損失にならないゲームを**非零和型ゲーム**といいます。代表的な例として、**囚人のジレンマゲーム**があげられます。

非零和型ゲーム「囚人のジレンマゲーム」

アメリカには、共犯証言という司法制度が設けられている州があります。この制度では、共犯の１人が自白すると、自白した者は減刑されますが、黙秘を続ける共犯者はその分だけ刑が重くなります。左ページの図は、このような状況を利得行列にしたも

2人の得点の和がゼロになる零和型ゲーム

通常のジャンケンの利得行列

		B		
		グー	チョキ	パー
A	グー	0	1	-1
	チョキ	-1	0	1
	パー	1	-1	0

A　　　B

グー ＋ チョキ ＝ 0点
+1点　 -1点

グー ＋ チョキ ＝ 0点
-1点　 +1点

グー ＋ グー ＝ 0点
0点　　 0点

チョキ ＋ グー ＝ 0点
-1点　　 1点

チョキ ＋ グー ＝ 0点
+2点　　 -2点
⋮　　　⋮

どちらが勝っても負けても2人の得点はゼロになるよ

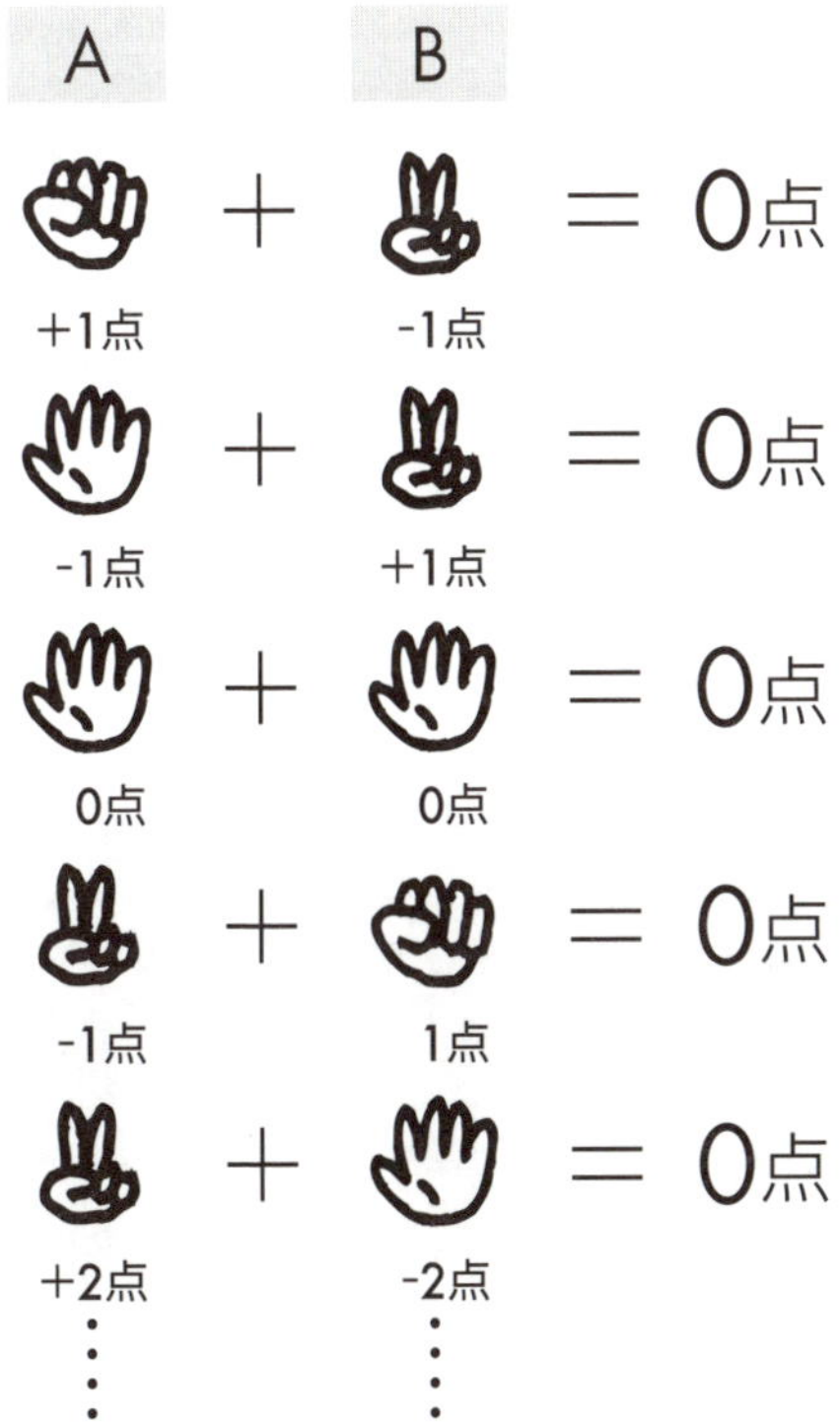

のです。

　自白と黙秘との二者択一を迫られた囚人は、仲間を信頼して黙秘を続けるか、それとも仲間が黙秘している間に自分だけ裏切って自白し減刑してもらうか、ジレンマに陥るというわけです。これが「囚人のジレンマゲーム」で、非零和型ゲームの代表とされるものです。

　非零和型ゲームは戦略の組み合わせによって、両者ともに利益を受ける「共栄状態」、または両者ともに損失を被る「共貧状態」を生じます。これは国際間の軍事シミュレーションゲームとしても用いられています。

宣言すればやらざるを得ない？

　肉不足だった第二次世界大戦中、心理学者**レヴィン**は、家庭の主婦を集めて、ふだん食べることの少ない牛の臓物の消費を促進するための実験を行いました。

　あるグループは、「栄養学の専門家による講演会」に参加し、臓物の料理法と臓物料理を食卓に出すことの勧めに関する話を聞きました。もう一方のグループは臓物料理の利点を討論し、最後に1人ひとりが前に出て、自分が食卓に出す臓物料理のメニューを発表しました。後者のグループのほうが、実際に臓物料理を食卓に並べた率が高かったと報告されています。

　公の場で自分の意見を発表すると、その意見に合った行動をしなくてはという心理が働き、いった通りの行動を起こす確率が高くなります。これを**パブリック・コミットメント**といいます。

　セールスマンの誘導尋問に遭い、ついつい「使ってみます」なんて言わされるのも、この効果を狙ってのことです。

戦略次第で相方が得をし、相方が損をする

囚人のジレンマの利得行列

		共犯者 B	
		黙秘	自白
共犯者A	黙秘	1年 1年	3年 0年
	自白	0年 3年	2年 2年

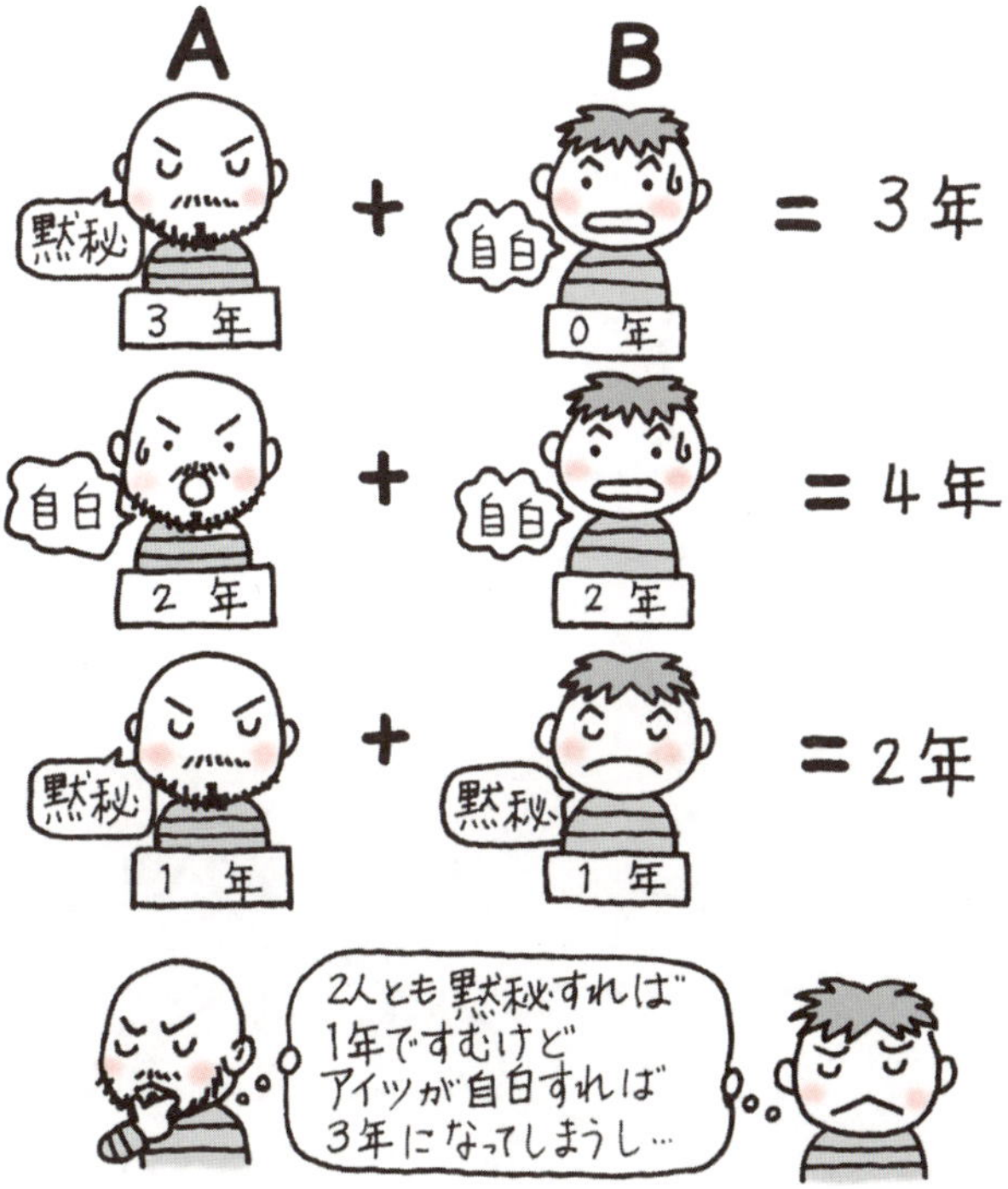
A
B
黙秘
3 年
自白
0 年
= 3年
自白
2 年
自白
2 年
= 4年
黙秘
1 年
黙秘
1 年
= 2年
2人とも黙秘すれば
1年ですむけど
アイツが自白すれば
3年になってしまうし…

よいリーダーは環境が育てる

リーダーは環境でつくられる

リーダーシップは、自分の役割や立場、環境によってつくられることがあります。たとえば、小学生を対象にしたこんな研究があります。

クラス委員を決めるときに、担任の先生が無作為にある児童を委員に指名しました。1学期が過ぎた頃に、「クラスの中で一緒に勉強したい人の名前を書きなさい」というソシオメトリック・テスト（P208参照）を行ったところ、クラス委員を務めた児童の名前が多くあげられたのです。

つまり、それまではリーダーシップがなかった児童でも、リーダーの役割を担わされるとリーダーらしい行動をとるようになり、クラスの中での地位が

上がったのです。

これは子どもだけに限らず、社長になった人は社長らしく、管理職になった人は管理職らしくなるものです。私たちはリーダーとしての意識を持って行動しているうちに、自然とリーダーシップを身につけていくといえるでしょう。

リーダーシップは「PM理論」で説明できる

社会心理学者の三隅二不二氏は、リーダーシップの機能を**目標達成機能**（Performance function＝**Ｐ機能**）と**集団維持機能**（Maintenance function＝**Ｍ機能**）から捉えています。これを**ＰＭ理論**といいます。

Ｐ機能とは、集団の目標を達成するために計画を立てたり、メンバーに指示や命令を与えたりするリーダーの行動を指します。一方、Ｍ機能とは、メンバーの立場を理解し、集団内に友好的な雰囲気をつくったり、集団の結束を維持し、強化するリーダーの行動を指します。

リーダーがこれらの要素を多く持っている場合をＰ、Ｍ、少ない場合をｐ、ｍとすると、２４１ページの図のような４つの類型に分けられます。一般に、集団の生産性やメンバーの満足度は、ＰＭ型リーダーのもとで最大となり、ｐｍ型リーダーのもとでは最低になることがわかっています。

状況に応じてPとMを使い分ける

ただし、ＰＭ型リーダーはあくまでも理想です。ふつうは、ＰとＭのいずれか一方が疎《おろそ》かになるのが人間というものでしょう。

ですから、皆さんがリーダーの立場についているならば、状況に応じて仕事中心に行動するか、人間関係中心に考えるかを使い分けることが必要です。

たとえば、重要なプロジェクトを立ち上げるときや深刻な事態に直面しているときは、仕事中心の強力なリーダーシップが必要とされます。

仕事が軌道に乗り、順調に動きはじめたら、人間関係にも配慮することを忘れてはなりません。部下の自己実現欲求を触発し、その欲求を達成できるような環境をつくってあげることも、リーダーとして求められる重要な事項です。

といっても、完全に軌道に乗った段階では、業績を伸ばすために、再び仕事中心のリーダーシップが必要とされるでしょう。

あなたのリーダーシップ類型は？

あなたが最も望ましいと思う上司のタイプは、次の4つのうちのどれに当てはまりますか。

①仕事中心に考え、適切な計画が立てられ、目標達成に向かって部下に適切な指示を与え、また時に励まし、自分も率先垂範《すいはん》して行動する。人間関係にあまりこだわることはないタイプ。

②人間関係を中心に考えて、部下に配慮を示し、仕事の達成にはあまりこだわることはないタイプ。

③仕事中心にものごとを考えて、部下に指示を与え、励まし、自分も率先して行動してみせる側面と、人間関係中心的な側面とを併せ持つバランスがとれたタイプ。

④仕事にも人間関係にも、積極的な態度や行動を示さず、部下の自由な判断と行動にすべてを任せるタイプ。

三隅教授の研究によると、それぞれ選んだタイプによって次のような回答になります。

①Ｐ型タイプ―仕事一筋で、出世したい、金持ちになりたいと望んでいる「猛烈派」

②Ｍ型タイプ―レジャー志向の「遊び派」

③ＰＭ型タイプ―仕事第一だが、家族も大切にする「勤勉派」

④ｐｍ型タイプ―地域社会の活動やボランティア活動を重視する「仕事ほどほど派」

ただし、この結果があなたのタイプをズバリ言い当てているわけではありません。どちらかというと人間は、こうありたいという姿を選ぶ傾向があり、その確率のほうが高いといえるでしょう。

PM理論で考えるリーダーシップの類型

集団維持機能
M機能（行動）
高
低
M
遊び派
仕事よりも、週末の趣味や、アフターファイブを楽しく過ごそうとするタイプ
オー
M
PM
勤勉派
仕事を第一に考えつつも、家族も大切にするバランスのとれたタイプ
調子はどう？
PM
pm
仕事ほどほど派
仕事以外の地域活動やボランティアに精を出すタイプ
ボチボチたのむわ
まあ
pm
P
猛烈派
家庭も顧みずに働く仕事一筋なタイプ
行け
P
P機能（行動）
目標達成機能
高

人は「平等」よりも「公平」を求めている

「公平分配」と「平等分配」は異なる

モンゴルの英雄チンギスハンは、部下の人心掌握術に優れた手腕を発揮したことで知られています。彼は戦いの中で、しだいに臣下の者を増やしていきました。

その理由のひとつには、戦利品を独り占めにしたり直属の部下に優先して与えたりせずに、誰に対してもその働きに応じて公平に分配したことがあげられます。

各人の貢献度に応じて報酬を分配する方法を**公平分配**と呼びます。一方、働き具合に関係なく各人が等しく同額の報酬を受け取る方法を**平等分配**といいます。

人間は自らが投入した労力、賃金、知識などと、それに対する報酬として自らに配分された評価や処分などとの釣り合いを気にします。

したがって、きょうだい間や学校、職場などで不公平感が生まれるのは、とくに同じ状況のもとで行った行動に対して、他人の仕事ぶりとその結果与えられた評価や報酬の割合が自分と比べて不当に多い場合や、逆に少なすぎると感じた場合だといえます。

不公平感を感じた者はどんな行動をとるか？

では、こうした不公平感が生じたときは、どうすればいいのでしょうか。

公平理論を提唱したアダムスによれば、不公平感が生じた場合、人間は自らの労力とその結果の割合に見合うように、労力を減らすように手抜きをするようになるといいます。

また、自分の労力に見合うだけの評価を上げてほしいとか、報酬を増やすように働きかけたり、どうにもならないときには、その場から逃げ出そうとしたりして、釣り合いを回復しようとするといっています。

ですから、親や上司としての立場にある人は、きょうだい、部下の働き具合に注目し、それぞれが十分に納得するような評価を下すなり、報酬を与えることが大切です。

公平分配と平等分配

どの席に座るかで会議の行方が変わってくる

参加者の気持ちが席順に出る

会議や話し合いで、あなたはどの席に座ろうとしますか。席の座り方には、参加者の気持ちが反映されていることが多いことがわかっています。

たとえば左ページの図のようなテーブルの場合、①、③はリーダーの席といわれています。会議のリーダーシップをとりたいと思う人は、積極的にこの席を選びます。また、リーダーが決まっている場合は、参加者はこの席に座るのを避けようとします。

課題の解決に主眼を置き、討論をどんどん引っ張っていくタイプのリーダーは、①の席を好む傾向があります。参加者との対人関係を重視するタイプのリーダーは、③の席を好みます。会議に積極的に参加したくないと思っている人は、②と④のような目立たない席を選ぶ傾向が見られます。

公式の会議では①の席にリーダーが座り、③の席にサブリーダーや腹心の部下を座らせると議事がスムーズに進行します。また、ブレーンストーミングのような全員参加型の会議では、③の席にリーダーが座ったほうが会議が活発に進行するといわれています。

正面の相手には要注意

小集団の生態を研究していたスティンザーは、会議などの集団行動の中にいくつかの興味深い現象を見出しました。

①かつて口論した相手が会議に参加しているとき

テーブルの座り方で相手の心理を見抜く

会議などの場合

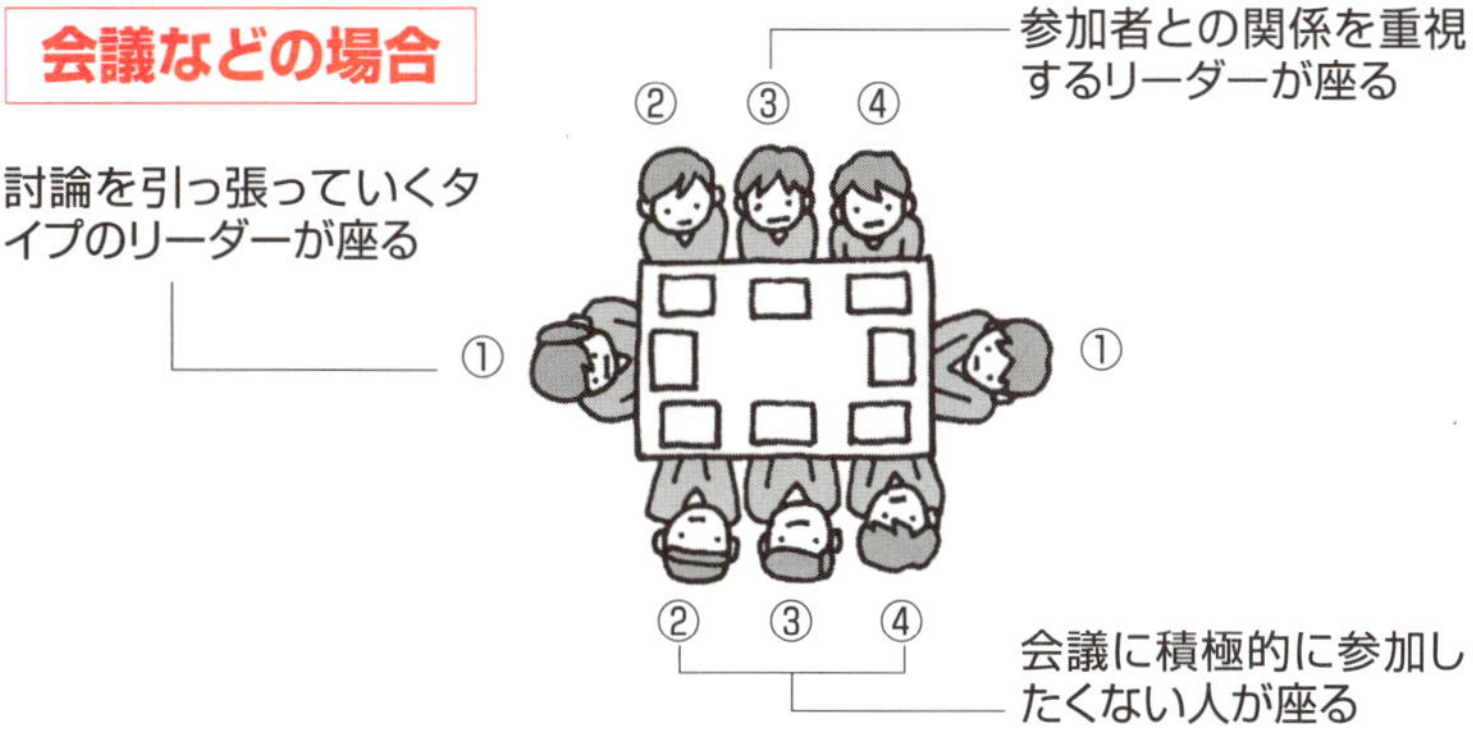

1対1の場合

Ⓐお互いにリラックスして会話ができる。最も一般的な座り方

Ⓑ2人が共同で何かをしようというときの座り方

Ⓒ改まった話をするときの座り方。説得するときに使われる

Ⓓ個別に仕事をしたいときに適した座り方。会話を避けようとする気持ちのあらわれ

スティンザーが見つけた会議の法則

かつて口論した相手は正面に座る
リーダーシップの強さで私語の相手が変わる

次に発言する人は反対する

は、その相手の正面に座りたがる。

②メンバーの発言が終わったとき、次に発言する人はその意見の賛成者ではなく反対者である場合が多い。

③リーダーシップが弱いときは、メンバー間の私語は正面に座っている者同士で起こり、リーダーシップが強力なときは、隣り合う者同士で私語が交わされる。

これらの現象はスティンザーの名をとって、**スティンザー効果**と呼ばれています。会議のときには、自分の正面に座った人の言動には注意をし、味方の発言の後には、反対意見が出ないうちに援護射撃の発言をしたほうがよいでしょう。

おいしいもので会議や交渉を有利に

おいしいものを食べることは、それだけで実に幸せな気分になる快体験です。おいしい食事の快体験は、後日、食事中のさまざまな記憶と結びついて再生されます。その結果、おいしい食事をした後は、食事を共にした人々や、そのとき交わした会話までがよい印象としてよみがえります。

これを**連合の原理**といいます。このことを利用して、軽い昼食（ランチョン）をとりながら、会議をしたり、交渉ごとを有利に進めようとすることを**ランチョン・テクニック**といいます。このため政財界では、立派な会議室があるにも関わらず、交渉を有利に進めるために高級レストランや料亭で会合を開きます。

ただし、なにも特別なご馳走でなくとも、おいしいお茶やコーヒー、おやつやお土産、あるいは楽しい会話や笑顔など、快体験をもたらすものならなんでも十分に同じ効果を発揮してくれます。身近な間柄でも、日々のおいしい食事やおやつが人間関係を快適に保つために一役買ってくれているのです。

バンドワゴン・アピールで発言に花を添える？

祭りを盛り上げるために、にぎやかな笛や太鼓の楽隊を乗せて練り歩く車をバンドワゴンといいます。派手な楽隊の音が近づいてくるだけで、気分は高揚して街は祭りのムード一色となります。これにならって、人の心を掌握するために派手なアピールで周囲を盛り上げることを**バンドワゴン・アピール**といいます。

国会中継でも、オーバーアクション気味に賛成の声をあげながら挙手をしたり、拍手の嵐でほかの人たちの同意を促したりといった光景が見られます。そうされると同席している人たちは、なんとなくつられて挙手したり、一緒に拍手をしてしまうものです。

なかにはこの効果を狙って、自分が発言しているときだけ腹心の部下に賛同の拍手をさせ、会議の進行をはかる策略家もいるのではないでしょうか。

COLUMN

商売の心理

商売のウラにある顧客の心をつかむためのテクニック

商売はテクニック!?

商売をする人ならば、1人でも多くの顧客をつかみ、ひとつでも多くの商品を売る努力をしていることでしょう。ここでは、商売のウラにあるさまざまなテクニックについて、心理学的に解説していきましょう。

◎「買わなきゃ損」と思わせる

デパートや専門店などのバーゲンセールで、衝動買いをしてしまった経験は、誰にでもあると思います。バーゲン会場では、大勢の人が商品に群がっているのを見ているうちに、自分も買わないと損をするような気がしてきたりします。

また、ブランド品のバーゲン広告に「先着10名様のみ」などと書いてあるのを見かけますが、これは人より得をしたいという人間心理に働きかけたものです。広告を見た人は、「急いで買わなくちゃ」と

いう気持ちになり、購入できれば優越感を抱くことができるわけです。

このように大勢の人が集まった場合に起きる、他人の言動に同調しやすい現象を**同調行動**といいます。売り手の巧みな心理操作にひっかからないように、ご用心を…。

◎高いものはいいものだ

ビールの利き酒実験をしたところ、味や質に関係なく、高い値段がつけられたものから高級ビールと判定されました。また、売れ残った洋服に高い値札をつけておいたところ、すぐに売れてしまったという話もあります。

「高いものはいいものだ」の論理は、マーケティングの分野ではよく知られた現象ですが、心理学的にいうとどういうことなのでしょうか。

アメリカのスーパーで、同じ食パンに異なる金額のキャッシュバックサービスをつける広告が配られました。もちろんこれは実験です。キャッシュバックの金額は、25セントと35セントの2通りです。実験の結果、25セントの広告を受け取った人は60パーセントの人がパンを買いにやって来ましたが、35セントの広告を受け取った人は40パーセントの人しか買いに来ませんでした。

キャッシュバック分の金額を差し引きすると、前者は高い食パンで、後者は安い食パンということになりますから、高い食パンのほうが売れ行きがよく、安い食パンはあまりよくなかったことになります。

ものの価値がよくわからない場合、あまりに安すぎたり、または過大な報酬を約束されたりすると、人は他人から「絶対に買うべきだ！」と選択を強要されているような気分になってしまいます。

　こうした圧力を感じた人は、脅かされた行動の自由を回復しようとして、勧められた行動をあえて敬遠しようとします。食パンの実験も定価に見合わない高額のキャッシュバックが、逆に購買行動を敬遠させる原因となったのです。

　そうとはいえ、金銭問題で背に腹はかえられないのでは、と思う人は、とてつもないほど莫大な財産を持った相手とお見合いすることを想像してみてください。なぜか自由が奪われそうな気がして、あえてお断りしたくなるでしょう。

◎コントラスト効果

　0がいくつも並ぶ値札をつけた宝石店を見てきた帰りに、いつものスーパーに立ち寄ると、ふだんは手が出ないメロンや牛肉がずいぶんと安く感じられることがあります。これを**コントラスト効果**といいます。この効果は、不動産会社や自動車メーカーの営業部員がよく使う手でもあります。

　住宅を買うときに、はじめに高級物件の見学に連れていかれ、予算がついつい上増しになっていたという経験はありませんか。あるいは、数百万円の自動車の商談をしているうちに、勧められるままなん

となく数万円程度のオプションをいくつもつけてしまったということもあるでしょう。

また、叱責《しっせき》した後にプレゼントをあげるなど、批判した後に好意を伝えることも、コントラスト効果の原理にかなった作戦です。

◎悪徳商法のウラにある心理効果

悪徳商法には、さまざまな心理法則が働いています。１９８５年に起きた豊田商事事件を例に、その効果を見てみましょう。

第一に、有名人や放送局、新聞社などのマスコミを徹底利用し、その社会的な信用を自分たちの会社の信頼性に置き換えさせる**光背効果**（**ハロー効果**Ｐ２２９コラム参照）があげられます。

たとえば、支店の開店にはタレントを1日店長に呼び、立派な会社であることを印象づけています。それぞれのタレントのファン層と被害者層の一致を指摘している人もいます。また、日刊紙や情報誌を発行したり、テレビや雑誌に広告を載せて、徹底的な宣伝活動も行っていました。

第二に、女性、若者、老人などが抱える心理を逆手にとったことです。30代の主婦の被害者が多いのは、夫に内緒でヘソクリをつくりたいという心理につけ込まれたせいでしょう。20代のサラリーマンの場合は、金を儲けて一国一城の主になりたいという出世欲を触発されたのでしょう。孤独で将来が不安な老人も、親切と優しさを装ったセールスマンにだまされ、財産を根こそぎとられてしまいました。

第三に、徹底的なセールス教育と法外な報酬が、セールスマンの人間性を変えてしまったことです。契約が成立しないと会社で罰（ムチ）を受けなければならず、逆に成功すれば大金（アメ）が手に入ることになります。この**条件づけの原理**が、セールスマンを動かしたと考えられます。

また、セールスマンのほうも、客をだましているのは上司のいいつけだからと責任転嫁することで、あくどいセールスも平気で行えたのです。ここには**服従の心理原則**が働いています。

同じCMを何度も繰り返す理由は?

CMは繰り返すことに意味がある

テレビを見ていると、1日に同じCMが何度も繰り返し放映されています。何度も見ているうちに、なんとなくそのCMの商品がよさそうだなどと感じ、店に行ったときに類似商品の中から無意識にその商品を買い求めてしまったことはありませんか。

こうした人間心理は、**熟知性の原則**といわれている現象です。社会心理学者の**ザイアンス**は、次のような実験で接触頻度と好意度の関係を調べています。

大学の卒業アルバムから12枚の顔写真を抜き取り、被験者となった大学生に、その顔写真を見せます。それぞれの顔写真は見せる回数を変え、どの程度好きかを答えてもらうようにします。その結果、見せる回数の多かった顔写真ほど好きになるという傾向が見られました。同じ方法で、実際に相手の人物に会ってもらうと同様の結果になります。

つまり、顔を合わせる回数が多い相手ほど好感度が高かったのです。この実験から、人でも物でも、見たり、聞いたりする回数が増えるにつれて、その対象に対する関心や好意も増加するという熟知性の原則が明らかにされました。

したがって、街頭の広告塔などは購買層がよく通る場所に設置することが販売効果を上げることにつながり、またCMソングを繰り返し流すのも購買意欲へつなげるための効果的手段といえます。

おもしろい宣伝は視覚的にも選別される

テレビや本を読んでいて、あまりのおもしろさに瞬きも忘れるという表現を使うときがありますが、これは実際に起こっていることなのです。瞬きが、見つめている対象への興味と関係することが、心理学では立証されています。

実験では、男女にプロレス、歌舞伎、笑っていいとも、NHKの科学情報番組、ワイドショーなど6本のビデオを見せ、それぞれのビデオを見ているときの瞬きをする回数と、好き・嫌いという評価との関係を調査しています。

結果は、男女ともプロレスを見ているときが一番瞬きする回数が少なくなり、最も瞬きの回数が多かったのが歌舞伎でした。さらに、どの番組が好きかという評価でも、プロレスには高い評価点がつけられ、歌舞伎への評価は低くあらわれました。

つまり、おもしろい番組を見るときほど、瞬きが少なくなるということができます。最近では短いCM時間の中でドラマ性やシリーズ性を持たせ、興味をひくよう工夫されたものも増えています。こうした苦心が報われるといいのですが。

「いじめ」には複雑な背景がある

子ども同士のいじめの背景とは？

学校内における子ども同士のいじめが社会問題となっていますが、いじめが多発化したのは１９８５年前後からです。

その原因には、校内暴力への対策として、学校が生徒への支配的、管理的な指導を強化したことがあげられています。結果、校内暴力は減少しましたが、子どもの欲求不満がいじめへと向けられ、陰湿化したのではないかというのです。

もうひとつ、今の子どもたちの対人関係の訓練不足もあげられています。少子化によって家庭の中で自分の主張がなんでも通るようになった結果、家から一歩外に出ると自分の欲求を我慢できない子どもが増え、限度をわきまえないいじめ方が多くなっているのではないかというわけです。

統計によると、いじめの発生数は一般的には小学校では学年が上がるにつれて増加し、中学校や高校では学年が上がるにつれて減少しています。

いじめの問題は、受験や塾通いなどによる生活上でのストレスが子どもたちに増えているという社会的背景とは別に、文化や生活習慣の違い、性別・年齢などによる差別とも関係があり、とても根深い問題だといえます。

「いじめる心理」と「いじめられる心理」

いじめるという行為には、他人に心理的、物理的苦痛を与えることで満足を得るというサディズムの心理がひそんでいます。たとえば、子どもたちが「むかつく」という理由でいじめ、いじめた結果「すかっとした」というのは、こうした心理で説明できるでしょう。

いじめる心理と行動は、徒党を組むことで強化されます。「みんなで渡れば怖くない」という群集心理が働いて、1人ではできないような凶暴な行為に及ぶことさえあるのです。

いじめられる心理は、人格全体を否定された屈辱感を味わうことになります。

いじめる側は嫌がらせ、無視、脅迫、暴力といじめ行為をエスカレートさせていきます。

いじめられた子どもは誰にも相談できないまま追いつめられて、学校に行きたくなくなったり、ついには自殺を考えたりするケースも出てくる可能性があります。

ただし、いじめる側には、いつ自分がいじめられるほうに回るかという不安から、いじめをエスカレートすることで、その不安を打ち消そうとしている場合もあるようです。

その意味では、いじめる心理といじめられる心理は表裏一体の構造といえるのです。

生徒の心をケアする
スクール・カウンセラー

近年、多くの学校で**スクール・カウンセラー**が置かれるようになってきました。これはいじめ問題の解決や不登校の子どもの心のケアなどを積極的に行っていくために、1995年、文部省（現、文部科学省）が制度を導入したためといえます。

それまでは、担任の教師が生徒の教育相談にあたることが当たり前とされていました。しかし、担任であると成績に影響するのではないかと生徒たちは危惧し、本当の悩みを話せないでいる現実がありました。

専門的なカウンセリングの知識を持ったスクール・カウンセラーの配備によって、生徒たちの悩みや諸問題が少しでも解決できればよいと思います。

COLUMN

恋は〈生理的興奮→性的興奮〉で生まれる!?

恋愛感情を芽生えさせるコツがある?

私たちは、なぜ人を好きになり、恋に落ちるのでしょうか。

誰でも、好きな人を前にして胸がドキドキした経験があると思います。実はこの現象は、私たちがスポーツで興奮したときの胸の動悸《どうき》と、まったく同じものなのです。

しかも、スポーツの後のように生理的に興奮しているときに異性に接した場合は、目の前の相手に恋をするようになるという話もあります。あまり信じたくはありませんが、本当なのでしょうか。

これを証明した実験があります。ダットンとアロンが、カナダの2つの橋でこんな実験を行いました。

得難いものほど価値がある——ロミオとジュリエット効果

引き裂こうとすればするほど愛は燃え上がる……そんな言葉をどこかで聞いたことはありませんか?トリスコールが140組の恋人や夫婦を対象に調査を行い、恋愛感情の強さを規定する要因を調べたところ、親が妨害した（している）と感じているカップルほど、お互いの恋愛感情が強いという相関関係が見られました。そして、トリスコールはこの現象をシェークスピアの名作を引用して**ロミオとジュリエット効果**と名づけたのです。

ちなみに、この現象は恋愛関係にだけ見られるわけではありません。加入するときに難しい関門のあるクラブのほうが、加入が易しいクラブより魅力度が高いというアロンソンとミルズの実験結果もあります。

ドキドキすれば恋がはじまる？

ドックン
ドックン
ドックン

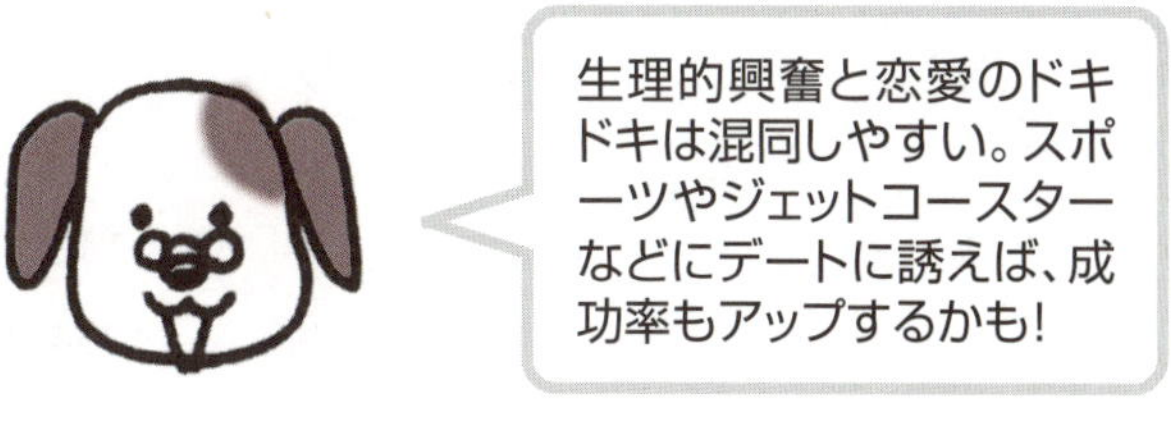
生理的興奮と恋愛のドキドキは混同しやすい。スポーツやジェットコースターなどにデートに誘えば、成功率もアップするかも！

ひとつは深い峡谷にかかる吊り橋で、もうひとつは浅い小川にかけられた頑丈な橋です。どちらの橋のたもとにも同じ女性を立たせ、その女性に電話番号が書かれたメモを渡してもらいます。後日、男性が女性に電話をかけるかどうかで、彼女に興味を持つ度合いを知ろうというわけです。

その結果は、グラグラ揺れる吊り橋を渡った男性の約半数が女性に電話をかけてきたのに対して、頑丈な橋を渡った男性はわずか12%でした。吊り橋で恐怖感を味わった男性は、心臓がドキドキしていたので、そのときに出会った女性がとても魅力的に見えたというのです。

ドキドキの勘違い

アメリカの心理学者バリンズはこんな実験を行っています。自分の心拍音が聞こえるようにヘッドホンをつけた男子学生に、プレイボーイ誌の女性のセミヌード写真のスライドを何枚か見せます。特定のスライドを見せたときに、ヘッドホンから実際よりも大きな心拍音が聴こえるように設定しておきます。

スライドを見終わった後、男子学生にどの写真が魅力的だったかを回答してもらうと、心拍音が大きく聴こえたスライドと答える人が多かったのです。また、実験の謝礼として好きな写真を持ち帰ってもらうと、同じく心拍音が大きく聴こえた写真を選ぶ人が多いこともわかりました。

バリンズはこの結果について、実験では本人の実際の状態とは異なる偽りの心拍音を聞かせたにもかかわらず、それを聞いた人は、見せられた写真が刺激的で魅力的だったために興奮したと思い込んだからであると解説しています。

つまり、生理的な興奮によって生じた感情を、女性の魅力によって生じた興奮や感情と間違って解釈してしまうわけです。したがって、好きな相手とデートするときは、スポーツやジェットコースターなど生理的な興奮を誘うことをすると、恋が実りやすくなるかもしれません。

青年期は一目惚れが起こりやすい？

青年期に生まれる恋愛感情には、いくつかの特徴があります。青年期は、心臓や血管などの循環機能も未発達で、性的成熟にともなう生理的変化が起きやすい時期です。ちょっとした刺激で、鼓動が早くなったり、赤面したりします。また、性ホルモンの分泌も盛んになるため、性衝動も高まりやすくなります。

このような生理現象は、これまでにない経験であるため、本人には原因を見定めにくく、ドキドキした相手を好きだと思い込んでしまうのです。青年期の恋愛が、しばしば「恋に恋する」とか「一目惚れ」「片思い」「盲愛」などの形をとりやすいのも、このためと考えることもできそうです。

知れば知るほど好きになる —— 単純接触の効果

人は他人と単純な接触を繰り返すだけで、その人に対して好意を持つようになるという仮説があります。これを**単純接触の効果**といいます。この仮説を実証するために、**ザイアンス**は顔写真を利用して、次のような実験をしました。

まず見知らぬ人の写真を10枚用意し、2枚1組に分け、それぞれ1回、2回、5回、10回、25回と、ランダムに被験者に呈示しました。その後、これらの写真にまだ見せていない写真2枚を加えて被験者に呈示し、それぞれの写真に写った人についての好意度を尋ねました。結果は仮説の通りで、顔写真を見る回数が増加するほど、写真の内容に関係なく、単純に好意を増していくことが明らかにされました。

しかし、この原則が正しく働くためには、初対面の印象が悪くないことが前提となります。好意を得るため、しゃにむに誰かに会おうとしても、最初の印象が悪ければ嫌われるだけです。

COLUMN

自分と似ているけど違う人に愛情を感じる

人間は分相応の相手を選ぶ

街で通り過ぎるカップルを観察していると、美女と野獣のような魅力のかけ離れたカップルよりも、美男と美女あるいはどちらもほどほどというような魅力の似通ったカップルのほうが多いことに気がつきます。

このように釣り合いのとれた人同士が結びつきやすいことを、**マッチング仮説**といいます。その理由としては、自分より魅力がある相手には断られるかもしれないし、逆に自分より魅力のない相手では本人のプライドが許さないからです。

結局、人は自分に見合った相手を無意識のうちに選んでいるといえそうです。

また、アメリカでコンピュータ紹介で結婚したカップルと、結婚しなかったカップルを比較してみたところ、おもしろいことがわかりました。

スポーツへの興味や身長に差がありすぎたり、女性より男性のほうが美術や音楽に強い関心を示したり、愛情を求めすぎたり、緊張しすぎているカップルは結婚にいたらず、「具体的—抽象的」「まじめ—行き当たりばったり」という各次元の尺度が、男女とも一致していたカップルがゴールインしていたのです。

こうしたことから、結婚するカップルは興味や性格が似ていることがわかります。結婚相手を選ぶ場合には、相手と自分がどの程度似ているかをチェックしてみるといいでしょう。

人は釣り合いのとれた相手と結びつく

結婚から3年経つと女性は幸福でなくなる!?

アメリカの心理学者**ターマン**は、結婚生活に関する幸福度を次のような項目によって測定しました。

たとえば、戸外の娯楽をともにする、家計の扱いについて夫婦の意見が一致している、相手を配偶者として誇りに思っている、もう一度生まれ変わることができたとしたら現在の配偶者と結婚する、などの質問です。

この項目によって日本人の結婚の幸福得点度と結婚年数との関係を検討した調査によると、結婚直後は妻の幸福度は夫よりも高いのですが、結婚して3年を過ぎる頃から妻の幸福度は夫よりも低くなり、二度と夫を上回ることがありませんでした。6年以降、夫婦ともに幸福度は高くなり、12～14年で最高になりますが、その後、幸福度は急激に低下し、妻は21～23年で最低になってしまいます。

アメリカの夫婦の幸福度は、夫婦間で違いがないという調査結果を見ると、日米の夫婦関係は質的に異なっていることが示唆されます。

似ていればよいというものではない

似た者同士がカップルになりやすいことはわかりましたが、似ていればよい、というものではないようです。

社会心理学者**バーン**は、自分と相手の態度の類似性と好意の関係を調べる質問紙調査を行いました。まず、被験者に政治に対する態度の調査をし、それをもとに本人の回答に類似したものと類似していないものの2種類の偽りの回答用紙を作成しました。後日、それを本人である被験者に見せ、匿名の人が回答した結果と偽り、その架空の相手にどれだけ好意を感じるかを尋ねました。結果は簡潔で、態度の類似性が高いほうに強い好意が向けられました。

一般に、態度や性格が似ている相手に惹かれる理由としては、相手から同意を得られやすいこと、無用なケンカをせずに一緒に活動できること、相手の行動が予測しやすいことなどがあげられます。

ウィンチは、25組を対象に調査を実施しました。

愛と憎しみは紙一重

夫が浮気をしていたことがわかっても、妻の夫への愛が冷めていたら、激しい憎しみは生まれてこないでしょう。愛しているからこそ、愛が憎しみに変わり、ときには殺意さえ生じてしまうのです。

愛が憎しみに変わる瞬間は、突然やってきます。このように相反する感情が突然入れ替わる心理を、心理学では「カタストロフィー理論」といいます。人間の心には、常に矛盾した感情があります。たとえば、不快なものを避ける心理と同時に、不快なものに近づきたいという矛盾した気持ち（陰性感情）が潜んでいるわけです。

相反する感情のうち、陰性感情のほうは、ふだんは心の奥深くに抑圧されていますが、興奮状態におかれると突然表面に出てくる場合があります。女性に多い悲劇のヒロイン願望も、そのひとつでしょう。幸せが怖いと愛する人と別れたり、仕事を１人で引き受けたり、これもカタストロフィー理論によって、突然目覚める不快への接近と解釈することができます。

似ているけど違うから互いに補い合える

その結果によると、支配と服従の欲求次元に関して違いが見られるカップルのほうがうまくいっていることがわかりました。つまり、どちらかが威張りたがり（支配的）で、もう一方が従順（服従的）であるほうがうまくいくというわけです。

　このように違う特性を持った者同士が補い合ってうまくいくことを**相補性**《そうほせい》といいます。似ている相手を選ぶか似ていない相手を選ぶか、つまり「類は友を呼ぶ」のか「破れ鍋にとじ蓋」なのかと言い換えることができます。

PART 5

「心の病気」と心理学

身体的・心理的な刺激によって体にさまざまな障害が起きる

外部の刺激で心と体が歪む

ストレスとは、もともと「歪み」を意味する物理学用語です。生理学者**セリエ**が1930年代に、この語を精神科学分野に応用して、外側から働いて人間に影響を与える環境因子をストレッサー、それに反応して引き起こされた心身の変化をストレス反応と呼びました。

その後、ラザラスとフォルクマンが、これに**コーピング**（困難や問題を克服しようと努力すること）という変数を取り入れ、環境と個人との相互作用を強調する心理的ストレスモデルを提唱しました。環境が直接ストレスを引き起こすのではなく、それを有害でありコントロール不可能であると認知することがその環境をストレッサーにして、ストレス反応を引き起こすということです。

ある人にはなんでもないのに、別の人にとっては強いストレスを引き起こすことがあるのは、このように認知プロセスが違うからです。

ストレスの原因はさまざまですが、暑さ・寒さなどの物理的ストレス、睡眠不足・餓え・過労などによる生理的ストレス、人間関係などから生じる心理的・社会的ストレスに分けることができます。

ストレスが人間の体に生じると、それを解消しようとして防御反応（ストレス反応）が働き、脳《のう》下《か》垂《すい》体《たい》、副腎《ふくじん》皮質《ひしつ》系《けい》を介してホルモン分泌に異常を起こします。この防御反応のあらわれにより、「疲れやすい」「疲れがとれない」「腹痛・下痢・便秘」「不

ストレスの原因は人それぞれ

たとえばものすごい悪臭がしてきたとしたら
風呂入ってなくて二日酔いだよ〜
ニンニクフルコース食べて
気になる
ストレスになる
気にならない
ストレスにならない

眠」「イライラしやすい」など、さまざまな症状が引き起こされます。

ストレスは行動のエネルギーでもある

一般的に「ストレス」というと、よくないものと思われがちです。しかし、たとえば仕事ができないことにストレスを感じたら、努力して実力をつけようとするでしょうし、上司との人間関係でストレスがたまったら、カラオケに行ってうっぷんを晴らそうとするでしょう。ストレスを感じれば、そのストレスを解消しようとする反応が起こります。その反応が、やる気や次の行動を引き起こす原動力になることもあるのです。したがって、ストレスは行動のエネルギー源になるともいえます。

ただし、ストレスを解消しようとがんばりすぎると、血圧が上がって脳や心臓に影響が出たり、タバコの量が増える、偏食になるなど、二次的なストレスを生み出す危険性もあります。過度のストレスが有害であることは、間違いありません。

性格や心の状態から病気になることもある

身体の病気に隠された「心の病気」

心の病気は、身体にもさまざまな影響を与えます。人間の精神活動を担う大脳が、ストレスなどを受けて、身体の働きをコントロールする自律神経《じりつしんけい》のリズムが乱れてしまうからです。

ストレスが原因で胃炎や胃潰瘍《いかいよう》が起こることはよく知られていますが、摂食障害《せっしょくしょうがい》なども自己嫌悪や自己否定などの心の病気が原因となっていると考えられます。

また、不登校の子どもに見られる、学校に行こうとすると頭痛がする、お腹が痛くなるという症状も、なんらかの強い精神的ストレスが原因であると考えられています。

「笑い」で健康になる

カリフォルニアの大学で、笑いが血液中のＴ細胞と抗体（身体の細菌、腫瘍、感染に対する防衛力）に及ぼす影響を調べるために、男子学生にコメディ番組を見せ血液採集をしました。そうしたところ、笑った学生の血液中の抗体は増加していることがわかりました。また、ニューヨーク州立大学では、既婚男性が家族と楽しく遊んだり、会話しているときの唾液は、抗体レベルが上昇していると報告しています。逆に卒業試験など強いストレスにさらされているときは、ガン細胞を攻撃するＮＫ（ナチュラルキラー）細胞がふだんより著しく低下していることがわかりました。

笑いは、周囲の笑いを誘って人間関係を良好にするうえに、さらに免疫力を活性化して健康増進にも役立ちます。まさに「笑う門には福来たる」といったところです。

摂食障害はなぜ起きる?

摂食障害になりやすい人

- 10代半ばから20代の女性
- いわゆる「よい子」でまじめな人
- 完璧主義者
- 容姿になんらかのコンプレックスがある人

無理なダイエットをきっかけに、
食欲をコントロールできなくなる

性別とストレスの関係では、一般に柔軟性のある女性のほうがストレスに強いといわれています。ただし、女性は対人関係でストレスを受けやすく、生きる気力や自信を失ったり、疲れやすく、何もしたくなくなるなどの抑うつ状態に陥りやすい一面も持っています。

心の状態によって引き起こされる代表的な病気を見ていきましょう。

◎摂食障害——やせ願望が引き起こす病

摂食障害には「神経性無食欲（拒食）症」と「神経性大食（過食）症」の2つの病態があり、青年期の女性に多く見られます。最近の若い女性たちの中に、摂食障害はかなり増えています。「神経性無食欲症」は、一般には「拒食症」といわれており、食欲がないので痩せ、食べないので内臓に障害があらわれ、無月経になっていきます。本人は自分が異常だと認めていないことが多いようです。

一方の「神経性大食症」は「気晴らし食い」とい

われるように、お菓子などをコンビニで買ってきては気持ちが悪くなるまで食べ続け、嘔吐《おうと》や下痢を繰り返します。無気力、抑うつ的になり、自分でも異常行動だと自覚している人が多いようです。両者はまったく正反対のように見えますが、拒食の人が過食になったり、またその逆になったりと病態は変化します。

摂食障害《せっしょくしょうがい》は、いくつかの要因が重なって起こります。患者に10代中頃から20代の女性が多いことを考えてみてもわかるように、痩身願望《そうしんがんぼう》がきっかけで食事制限をはじめ、食行動に変調をきたし摂食障害へと進むケースが大半を占めています。

摂食障害の人にはいくつかの共通点があります。たとえば、お母さんの言うことをなんでも聞いてきたいわゆるよい子・素直な子、完璧主義者、まじめな人、容姿になんらかのコンプレックスを持っている人、長女、などがあげられます。

つまり、親からいわれたことを小さいときからきちんと守り、なにに対してもまじめに取り組もうとするお姉さんタイプの女性が、ダイエットを引き金に食行動に異常をきたすという場合が多いのです。

よい子の自分をやめて、自由でありのままの自分を出していくことが摂食障害から抜け出すひとつのきっかけとなります。

◎虚血性心疾患――中間管理職に急増

アメリカの**フリードマン**と**ローゼンマン**は、虚血《きょけつ》性心疾患《せいしんしっかん》にかかりやすい人には、共通の行動パターンがあることを指摘し、それを**タイプA行動**と呼んでいます。このタイプの人は、

①高い達成努力の意識（目標に向かって過剰なまでに努力する）
②競争心が強い
③時間的切迫性が強い（せっかちでイライラしている）
④攻撃性が高い

などの行動特性が見られます（Ｐ２７２、２７３参照）。

慢性的な緊張状態にあり、交感神経系《こうかんしんけいけい》をたえず刺

激しているために、内分泌、新陳代謝《しんちんたいしゃ》、心臓血管などに悪影響を及ぼし、虚血性心疾患《きょけつせいしんしっかん》を引き起こすと考えられます。タイプA行動の特性にあてはまる人は、慢性的なストレスを避け、リラックスして過ごす時間をつくるようにしたほうがよいでしょう。

◎ガン――傷つきやすく孤独な人がなりやすい？

心理学者のリディア・テモショックは、ガン患者には次のような3つの性格傾向が共通して見られることを発見し、ガンを意味するcancerの頭文字をとって、**タイプC性格**と名づけました。これには、

①対人関係に傷つきやすく、孤独に逃げ込みやすい
②悲しみや不安などの不快感情を無理やり押さえ込もうとして、不平不満をいわず、周囲に合わせようとする
③慢性的に抑うつ的で幸福感が低く、社会的に孤立しがち

などの特徴があるといわれています。

タイプC性格がガンを発症するとは一概に言えませんが、病気の発見をしたり、悪化させたりする可能性はあります。

◎過敏性腸症候群――ストレス過剰で腸内環境が悪化

職場や家庭でのストレスや人間関係のトラブル、過労、睡眠不足などが原因で起きる腸のトラブルを**過敏性腸症候群《かびんせいちょうしょうこうぐん》**といいます。

健康な腸には、ビフィズス菌などの「善玉菌」が生息しています。ところが、ストレスが過剰になると、これに代わってウェルシュ菌や大腸菌などの「悪玉菌」が増えて便秘や下痢を起こすのです。

几帳面で神経質、緊張しやすい性格の人に多い、いわゆる身体症状に隠されたうつ病だといえます。ストレスが継続すると腸が過敏になり、下痢と便秘を繰り返したりします。大切な試験のときに便意をもよおしたり、ひどい場合は、毎朝トイレに何度も行かないと出社できなかったりと、日常生活にも支障をきたします。また、不登校や出社拒否などにつながることもあります。

【時間的切迫性】

1. セカセカしていることが多い
2. 時間をいつも気にしている
3. レストランなどで注文したものが遅れるとイライラする
4. ものごとを手早くやるほうである
5. 1週間のスケジュールがつまっている
6. 約束の時間に相手が来ないと腹が立ってくる
7. 早口である
8. 仕事をたくさん引き受けてしまって忙しがることが多い
9. 早足で歩く
10. 時間に追われた生活をしている

合計　　点

【攻撃性】

1. 怒りっぽいほうである
2. 意見が合わないときには他人を批判したくなるほうである
3. 口論などになると相手を言い負かすほうである
4. 人の話を最後まで聞かずに割り入って話し出す
5. 腹が立つと相手を傷つけるような発言をしてしまう
6. 自分の意見に反対されるとムキになって言い返すほうである
7. ちょっとしたことで腹を立てるほうである
8. 人（友人、家族など）を怒鳴りつけたことがある
9. 言葉遣いが荒々しくなることがある
10. 物事に批判的である

合計　　点

総合得点　　点

40点以上になった各カテゴリーに注意しよう。また、すべての項目の合計が160点以上になった人も要注意！　心にゆとりを持って生活をするよう心がけよう。

「タイプA」行動をはかる4つカテゴリー

次の文章を読み、現在のあなたに非常にあてはまる場合は5、ややあてはまる場合は4、どちらともいえない場合は3、あまりあてはまらない場合は2、全くあてはまらない場合は1を、回答欄に記入してください。

【達成努力】

1. 長い間、気を散らさずに仕事（勉強）に熱中する
2. なにごとにも全力を投入する
3. 努力家である
4. 目標を決め、その達成に向かって人一倍努力する
5. なにかはじめると、コツコツとねばり強くするほうである
6. やりかけた仕事はなにがあっても一生懸命やる
7. 仕事や勉強を仕上げるためには夜遅くまででもがんばる
8. 熱中するとどうしてもやめられなくなるほうである
9. 仕事や勉強に没頭できる
10. 自分の能力以上の仕事（勉強）に挑戦しようとする気持ちが強い

合計　　点

【競争心】

1. ゲームで負けるとひどくくやしい
2. 他の人より自分のほうを認めてもらいたいという気持ちが強い
3. 競争心が強いほうである
4. 他人の成績が気になるほうである
5. 人一倍負けず嫌いである
6. 勝敗にこだわるほうである
7. 人に自分の弱みを見せたくない
8. グループの中で進んで中心的な役割を演じている
9. 自分と同じタイプの人に合うと張り合ってしまうほうである
10. 人から「あなたにはかなわない」と思われたい

合計　　点

人はなぜ心を病むのだろうか？

さまざまな精神疾患

ＷＨＯ（世界保健機関）では、「健康とは単に病気がないというわけではなく、肉体的にも精神的にもそして社会的にも意欲を持って生きること」と定義されています。

しかし現代を生き抜いていくには数多くのストレスや悩みはつきもので、そうした状況に適応できないために身心の不調をきたしている人々がたくさんいます。

私達が日常何気なく使っている「精神病」という言葉は精神病理学的分類に従うと一般的に次のように大別されます。

①外因性精神障害…脳腫瘍などの脳障害によるもの、および尿毒症・肝疾患などの身体疾患によるもの

②心因性精神障害…人格障害や不安神経症・強迫性障害などの神経症

③内因性精神障害…統合失調症や気分障害

ここでは、精神の病としてしばしば取り上げられている統合失調症や気分障害、さらには不安神経症などについて、DSM-Ⅳ-TR（左ページコラム参照）の定義に従って簡単に見ていくことにしましょう。

◎統合失調症

統合失調症は、日本では２００２年まで「精神分裂病」と呼ばれてきました。青年期に発症すること

が比較的多いので遺伝的要因が強いと考えられてきましたが、その原因はいまだはっきり解明されていません。統合失調症の特徴的症状としては次のものがあげられています。

①妄想……日常生活の出来事に対して不可解な意味づけをしたりします。全く見知らぬ男性なのに自分の恋人だといい出したり、誰かに狙われているという思い込みを持ったりします。

②幻覚・幻聴……誰かが自分に対して大声で怒鳴ったり、脅したりする声が頭の中から聞こえてきたりします。

③まとまりのない会話……話が途中で途切れて続かなくなったりします。

④ひどくまとまりのない一貫性にかける行動……悲しむべきときに喜ぶなど、状況にそぐわない感情反応を示します。

⑤無表情・無関心……自分の殻に閉じこもりがちで、周囲との接触を拒絶します（感情の平板化、思考の貧困または意欲の欠如）。

精神疾患の診断マニュアル――DSM-Ⅳ-TRとは？

DSMとはDiagnostic and Statistical Manual of Mental Disordersの略で、アメリカ精神医学界の精神疾患の分類と診断の手引きです。1948年に発表された世界保健機関WHOのICD（国際疾病分類：International Classification of Diseases）を基に、アメリカに合った形の診断分類を加えて、1952年にDSM-Ⅰが発表されました。

それ以降、DSM-Ⅱ（68年）、DSM-Ⅲ（80年）、DSM-Ⅲ-R（87年）、そして1994年にはDSM-Ⅳ（94年）と改訂が行われました。さらに2002年にDSM-Ⅳ-TRが出版されています。このTはTextのことであり、RはRevision（改訂）の頭文字をとったものです。

DSMは、DSM-Ⅲで「操作的診断基準」と「多軸評定システム」を採用したことから、客観性と公共性が高まり、世界的にも広く使われるようになりました。

COLUMN

しかし、これらの症状がすべてあらわれるのではなく、人によってさまざまに組み合わさって発症するため、統合失調症は大きく次の3つのタイプに分類されています。

①解体型（破瓜《はか》型）……意欲の減退・感情鈍磨・自閉傾向などの陰性症状が進行する型です。思考や会話の不統合（解体）が見られます。

②緊張型……顕著な精神運動性障害を特徴とします。目的もなく動き回り周囲の刺激に反応しない「昏迷」、指示に自動的に服従する「命令自動」、あらゆる指示に抵抗する「拒絶反応」などが見られます。

③妄想型……前の2つの型に見られる症状は少なく、妄想と頻繁な幻聴にとらわれている型です。発症が比較的遅く、症状が穏やかなときでの生活機能は他の型よりも良好です。

◎気分障害

一般的に躁うつ病と呼ばれることが多い精神疾患の1つです。気分が落ち込んだり（抑うつ状態）、もしくは異常に高揚する（躁状態）といった気分の変化を症状としています。

躁うつ病は躁状態とうつ状態が交互にあらわれるもので、正式には「双極性気分障害」といいます。また、躁《そう》状態のみを示す躁病、うつ状態だけを示すうつ病もありますが、これらの中ではうつ病がもっとも多く約80%を占めています。うつ状態、躁状態でみられる症状には、それぞれ次のようなものがあります。

【うつ状態における主な症状】

①暗い気分になり興味や喜び、楽しいと思えることが少なくなる。

②活動性が下がり、何をするのも億劫《おっくう》になる。

③睡眠障害（早朝に目が覚めてしまう。時に過眠）

④食欲減退。体重の減少や性欲の減退。

⑤症状が一日の中でも変動する。

【躁状態における主な症状】

①爽快気分。疲れを覚えない爽快感が持続する。
②多弁で話題が豊富だが、話がすぐに脱線する。
③活動性が非常に高くなり、抑制がきかなくなる。
④睡眠時間の短縮（しばしば早朝に目が覚めるが、不眠を訴えない）

治療法は薬物療法が中心です。気分の障害が主な症状ですから、その状態が治ると平常に戻ります。ここが統合失調症との大きな違いです。

◎不安障害

気がかりなこと、心配なことは誰にでもありますが、誰もが感じる不安の程度をはるかに超えると、日常生活に支障をきたしてしまいます。こうした障害を**不安障害**と呼んでおり、次のようなものが含まれます。

①全般性不安障害

身の回りでおきる様々な出来事に対して異常なほどの不安を示し心配し過ぎる人がいます。こうした状態が続いていくと、集中困難、イライラ、不眠、落ち着きのなさといった症状が出てしまう場合があります。こうした症状を「全般性不安障害」と呼んでいます。

②パニック障害

突然、動悸がしてきてドキドキという心拍数が上がり、汗が出て息苦しくなって気が遠くなってしまう感じがしたりする症状です。

こうした症状を何度か経験すると、また同じことが起きるのではないかと不安になり（予期不安）、乗り物にのったり人と接したりすることができなくなってしまう人もいます。

また、逃げたくても逃げられない状況や場所にいるときの強い不安を「広場恐怖」と呼んでいます。

③強迫神経症

外出する前にガスの栓を締めたがどうかが気になって何度も確認したりすることは誰にでもあることです。しかし、ある観念が浮かんでくると、不安を打ち消すために儀式的な行為を何度も繰り返しする人がいます。たとえば、手を何度も洗わないと気がすまないとか……。

　このように、自分でも不合理だと思うのに強迫的にある行為を繰り返す症状を「強迫神経症」といいます。

◎身体表現性障害（心気症）

　病気でもないのに自分の体調の変調にこだわり、苦痛を訴える症状のことです。頭痛やめまい、吐き気や疲労などを訴えて病院を転々としますが、どこにも病気が見つからなかったり、自分はガンに侵されているという誤った考えに固執してしまったりします。

　身体表現性障害はさらに転換性障害（身体的に異常が認められないのに、手足が動かない、声が出ない、耳が聞こえないなど、運動や感覚に機能不全が見られる）、疼痛性障害、身体醜形障害（鼻が大きくて嫌だ、ホクロがあるのが気になるなど、自分の容姿について気を病んで悩み苦しむこと）などに分類されます。

◎解離性障害

　私たちは、日頃は意識することのない、無意識とか潜在意識というものを持ち合わせています。**解離性同一性障害**では、この心の中の隠された部分が、別の人格となってあらわれます。

　従来は異なった人格同士は互いに他を意識できていないとされ、「多重人格」あるいは「二重人格」と呼ばれていました。

　古くはスティーヴンソンの『ジキル博士とハイド氏』、最近ではダニエル・キイスの『24人のビリー・ミリガン』などの小説のテーマとなりました。

　解離状態とはあまり聞くことのない言葉かもしれません。たとえば、ハッと気づくと自分の住所や父・母の名前が思い出せなかったり、今なにをやっていたのかを忘れて、長い時間ボーとしていたりすることです。精神分析的にいえば、超自我の強い人の無意識の中に抑圧された欲求が分離し、独立した別の人格として意識の上にあらわれ、その願望を充足させようとする状態です。

解離性同一性障害の原因は、幼児期の衝撃的体験にあるのではないかと考えられています。衝撃的体験の多くは、性的、身体的、心理的虐待があげられます。

この解離性障害の中には、**解離性とん走**というものもあります。突然家出をして放浪した末に遠くの地で発見されたのに、自分の名前や過去を思い出すことができない、という人の話がまれにニュースになることがありますが、これは解離性とん走のひとつの症状なのです。

世の中にいる、ちょっと風変わりな人々

性格の偏りのため、生きにくい

普通の人とは違った偏った考え方や行動のために、社会生活がうまくいかなくなってしまう状態を**パーソナリティ障害**とよんでいます。

DSM-Ⅳ-TR（P275参照）では、パーソナリティ障害とはその人の属する文化から期待されているものよりも著しく偏った内的体験と行動の持続的様式であり、この様式は自他への認知、感情性、対人関係機能、衝動制御といった領域であらわれると定義されています。ドイツの精神病理学者クルト・シュナイダーが述べているように、性格の偏りのために自分で苦しんだり、周囲を苦しめる状態に陥っている人々だといえるでしょう。

パーソナリティ障害は大きく下記のようにA群、B群、C群に分けられています。簡単にその特徴をあげておきます。

A群パーソナリティ障害……奇妙、風変わりな信念や習慣を持つ人

①妄想性パーソナリティ障害……他人の言葉によく傷つけられることがある。友達や仲間といえども信じられないときがある

②シゾイドパーソナリティ障害（統合失調質人格障害）……孤独が好きで、誰とも親密な関係を持ちたいとは思わない。心から信頼できる親友はいない

③失調型パーソナリティ障害（統合失調型人格障害）

……予言、霊、テレパシーのような不思議な現象を感じることがある。場違いな反応をしたり、ズレていると言われることがある

B群パーソナリティ障害……情緒や感情のあらわれ方が適切でなかったり、劇的で過度な人

④反社会性パーソナリティ障害……危険に無頓着で命知らずなところがある。違法なことを繰り返してしまったことがある。

⑤境界性パーソナリティ障害……大切な人に見放されるのではないかと不安になる。衝動的に危険なことやよくないことをやってしまうことがある。

⑥演技性パーソナリティ障害……外見やファッションにはかなり凝るほうである。相手の態度やその場の雰囲気に影響されやすい。皆の注目の的になるのが好きだ。

⑦自己愛性パーソナリティ障害……自分には人が気づかない才能があると思う。大成功して有名になりたいと思っている。

C群パーソナリティ障害……対人関係のとり方に自信がなく不安な人

⑧回避性パーソナリティ障害……嫌われたくないので自分を抑えて人とはつき合う。人に会ったり出かけるのを直前になってキャンセルする。

⑨依存性パーソナリティ障害……些細なことでも自分では決められない。面倒なことは人にやってもらうことが多い。

⑩強迫性パーソナリティ障害……細かいことが気になりこだわってしまう。完璧に何でもならないと気がすまない。

A群、B群、C群それぞれの人々は、一風変わった極めて個性的な人々だといえるでしょう。

パーソナリティ障害の原因としては、大きく遺伝的要因と環境的要因が考えられますが、どちらかというと環境的要因の重要性が指摘されています。つまり、幼少時の親子関係や、学校における人間関係などが、こうした障害を引き起こす一因であるといえるでしょう。

アルコール、買い物、人間関係……さまざまなものに依存する

アディクションは、大きく3つに分けられる

アディクション（**嗜癖《しへき》**）とは、自ら進んである刺激を絶えず求める病的な傾向、あるいは、ある快感を脅迫的に求める衝動の繰り返しのことです。

アディクションは、その嗜癖の対象によって**物質嗜癖**、**プロセス嗜癖**、**人間関係嗜癖**（**共依存症**）の3つに分けられます。

物質嗜癖の代表――アルコール依存症

物質嗜癖の代表的なものに、**アルコール依存症**があります。「酒は百薬の長」といわれるように、適度な飲酒はストレス解消や食欲増進の効果があるのは知られています。ただし、ストレス解消のための飲酒も、度を越すとかえってストレスを高め、さらに酒量が増えるという悪循環を繰り返しがちです。

ストレスと飲酒回数の関係を調べた調査によると、1週間あたりの飲酒回数が2～3回の人よりも、毎日飲んでいる人のほうがストレスに対する抵抗力が弱いという結果が出ています。

はじめから「嫌なことをお酒で忘れよう」などと精神的な依存をしていると、やがてコントロールが利かなくなり、身体的にも依存する常習飲酒者になってしまいます。

常習飲酒者になるとアルコールの耐性が高くなり、常に一定のアルコールを体内に入れておかないと、幻覚、妄想、手指のふるえ、じっとしていられないなどの症状があらわれるようになります。そう

アディクションとは？

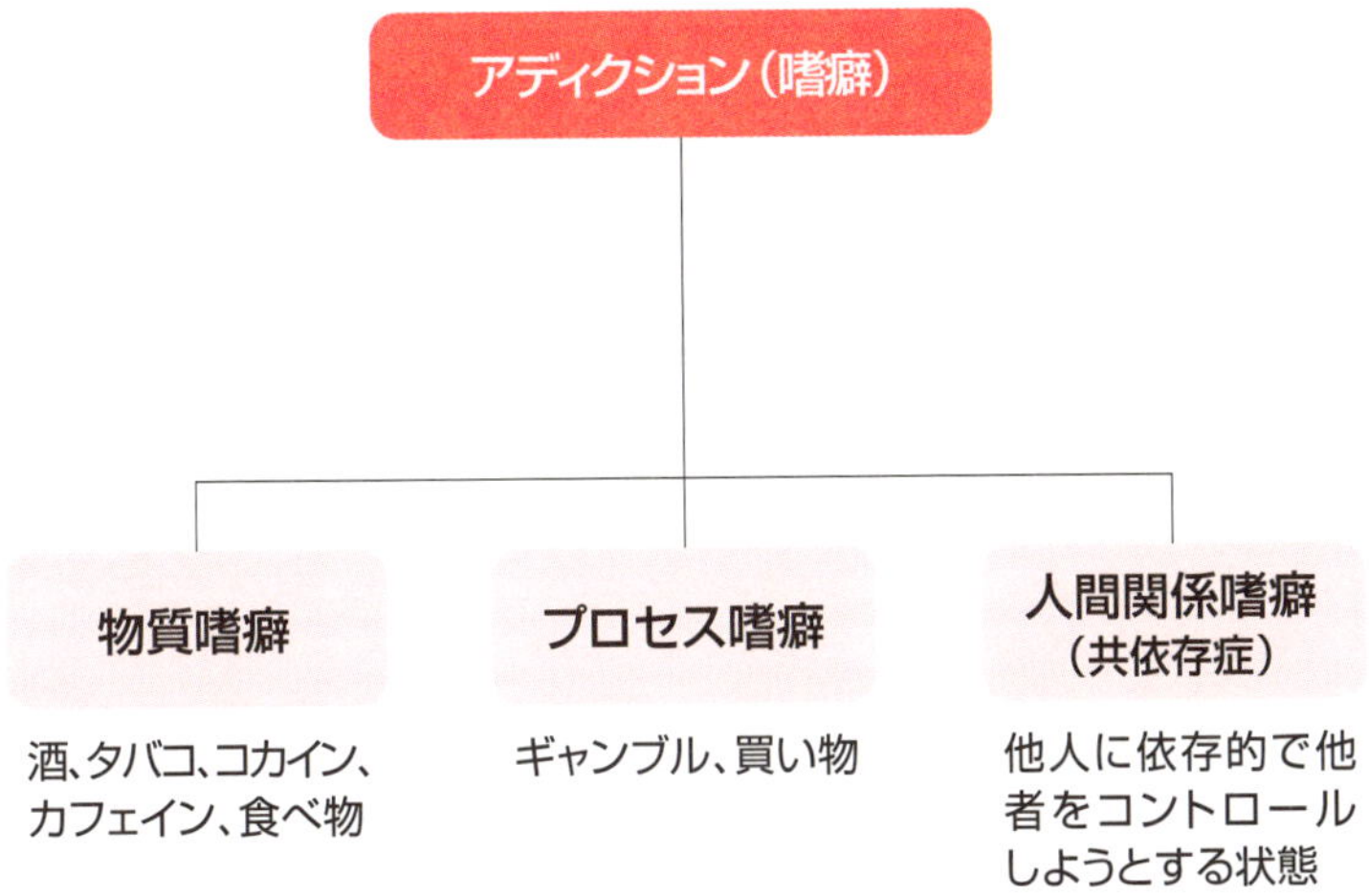

生きにくさを乗り越える「アダルト・チルドレン」

アルコール中毒患者を親に持つ家庭や、親が離婚を繰り返すことの多い機能不全家族の中で、精神的に不安定な状態で育ったことが大人になってからの生きにくさの原因になっていると本人が認めた場合、その人を**アダルト・チルドレン**といいます。この言葉は症状をあらわす名称ではないので、同じ症状を呈していても、本人がそう告白しない場合はアダルト・チルドレンとはいいません。自分をアダルト・チルドレンと認めることで、生きにくさを乗り越えようとするときに使う前向きな言葉です。

もともとは、アルコール中毒患者を親に持ちながら成長した人のことをいいましたが、今ではギャンブル狂、麻薬中毒患者を親に持つ人、さらには機能不全家族で育ったと自ら認識している人、すべてを含んでいます。

アダルト・チルドレンと名乗る人たちの主な症状としては、孤立感や周囲への不信、抑うつ傾向、無気力、離人感、過剰反応、一貫性の欠如や自己評価の低さなどが見られます。

COLUMN

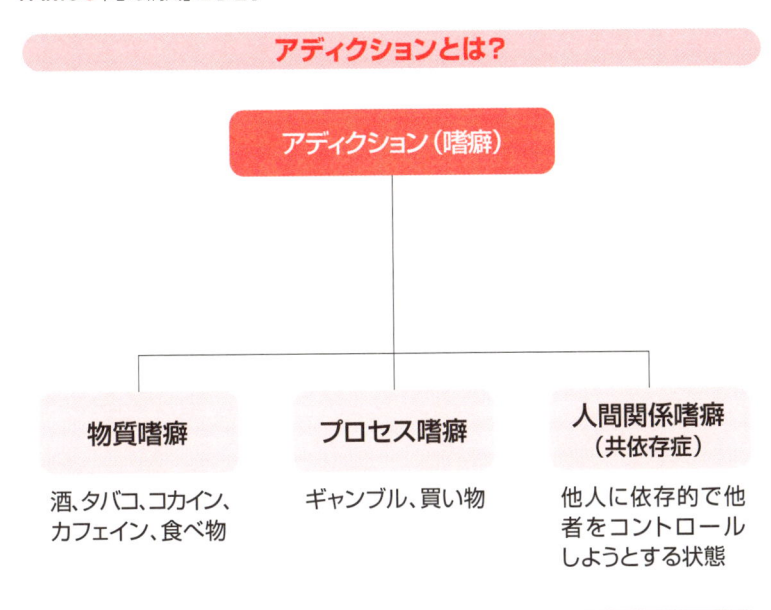

なるとアルコールを手に入れることばかりにエネルギーを費やすようになり、二次的な精神的依存を起こし、さらに悪循環を繰り返します。

ただし、最近では、アルコールに関連する問題に応じてその見解も多様化しています。専門家の間でもアルコール依存症の概念はきわめてあいまいなままで、明確な定義はされていません。

生理的な渇望からお酒を手放せずに、常習飲酒している状態を「アルコール中毒」、アルコールに嗜癖している状態を「アルコール依存症」とする考え方もあります。ですが、アメリカ精神医学界による診断基準ＤＳＭ-Ⅳ-ＴＲ（Ｐ２７５参照）では、どちらも「アルコール使用障害」という同一の診断基準に含まれています。

アルコール依存症は、常習飲酒者に限らず、定期的に飲酒する人やまれにしか飲酒しない人にもあてはまる場合があります。そのため、社会的に適応している人たちの中にも、自覚症状のないままアルコール依存症に陥っている人が、大勢潜んでいると考えられます。

夫婦・恋人間の暴力――ドメスティック・バイオレンス

ドメスティック・バイオレンス（通称ＤＶ）の正確な訳語は「家庭内の暴力」です。しかし、これまで日本社会で家庭内の暴力というと、子どもから親への暴力と理解されてきました。そのため1992年以来、ＤＶは「夫、恋人からの暴力」と定義されています。

社会心理学者の大渕は、ＤＶのような衝動的攻撃性は、非挑発性（普通ならば攻撃性を誘発することのないことに対して攻撃性を感じること）と非機能性（攻撃しても何の問題解決にもならないこと）が特徴だと述べています。

アメリカの臨床心理学者ウォーカーは、妻に暴力を振るう夫の特徴として、①自己評価が低い、②男性至上主義者で家庭における男性の性役割を振りかざす、③病的なほど嫉妬深い、④自分のストレス発散のため酒を飲み妻を虐待する、などをあげています。

COLUMN

プロセス嗜癖の代表――買い物依存症

プロセス嗜癖《しへき》の代表的なものに、**買い物依存症**があります。買い物をしたいという衝動を抑えきれず、ムダなお金と時間を使ってしまいます。買い物をするときは気分がハイになり、買い物が終わったときには、罪悪感にさいなまれます。バカらしいのでやめようと思ってもやめることができない、広い意味での「強迫性障害」です。

発症年齢は10代後半からで、金額がかさんで問題化するのは30代くらいからです。また、買い物依存症に苦しむのは9割が女性といわれています。

人間関係嗜癖の代表――共依存症

自己の存在証明となるような他人との人間関係に依存することを、**共依存症**といいます。

たとえば、酒癖が悪く暴力を振るう夫と別れずにいる妻は、苦しみながらも心のどこかで「どうしようもない夫をかいがいしく面倒を見ている自分」に満足しているのかもしれません。また一方の夫は、本当は妻に面倒を見てもらいたいからお酒を飲んで暴れるのかもしれません。

共依存症の根底には、他者をコントロールしたいという強い欲求が潜んでいます。一見、被害者である妻のほうが、夫の酒癖の悪さに甘んじている場合もあります。**ドメスティック・バイオレンス**など望ましくない人間関係を苦しみながら続けている人の背後には、共依存症の関係があることが多く、その関係を絶ち切るためにも自分で共依存症であることを自覚することが必要となります。

共依存症のある家庭に育った人は、自らも共依存症を起こしやすく、また物質嗜癖やプロセス嗜癖に陥っている人も、家庭の中に共依存関係がある場合もあります。

強いショックやストレスはトラウマやPTSDとなる

つらい経験がトラウマを引き起こす

個人的に処理できないくらい強いショックやストレスを受けたとき、その経験が抑圧され、心の傷となり、その影響がいつまでも続くことがあります。これを精神分析の用語で**トラウマ**といいます。

トラウマを引き起こす事態としては、幼児期の性的な外傷体験、重要な依存対象の喪失、不適切な母子関係がもたらす蓄積された心の傷、戦場や災害地で受けた異常な体験などをあげることができます。

外傷体験を再体験するPTSD

心的障害によって引き起こされるのが、**PTSD**(Post Traumatic Stress Disorder)です。PTSDは外傷後ストレス障害と訳され、トラウマと同様に戦争、災害、殺人、レイプなど、生命にかかわるような重篤な危機による心的外傷体験を受けることによって、事件後も激しい恐怖感や無力感を引き起こす不安障害の一種です。

この症状はベトナム戦争から帰還した復員兵たちに多く見られたことから着目されはじめ、日本では1993年の北海道南西沖地震、95年の阪神淡路大震災以来、広く知られるようになりました。

阪神淡路大震災から2カ月後、この大震災を経験した女子大生にアンケートが行われました。その結果、大きな被害を受けた人ほど、「自分の被害は小さかった」という罪悪感を強く持っていることがわかりました。

PTSDを引き起こすさまざまな要因

- 戦争体験
- 震災体験
- 近親相姦
- レイプ
- 殺人事件に遭遇
- 虐待
- 離婚　など

強いショックやストレスはそのときだけでは終わらず、心に影響を与え続けるんだね

ＰＴＳＤになると、外傷体験のきっかけになった出来事を悪夢やフラッシュバックによって何度も再体験してしまいます。そして、それを思い出さないようにしているうちに感覚が鈍麻してしまい、極度のうつ病を発症します。

また、睡眠障害や、ちょっとした音やにおいで引き起こされる驚愕《きょうがく》反応、神経の異常なたかぶりなど、苦痛をともなう症状に苦しみ、アルコール依存、自殺などの二次的な障害を引き起こす可能性が高くなります。

薬物療法やカウンセリングといった療法では十分な効果がなかった場合には、行動療法（Ｐ２９８参照）、認知行動療法（Ｐ２９９参照）が功を奏することがあります。

時代が生み出すさまざまな流行症候群

時代と共に移り変わる

「症候群」とは、その時代の社会背景の中から生まれたものが多いようです。そして、時代が移ると新しい症候群が生まれるという傾向が見られます。

名称のおもしろさがマスコミに取り上げられて、一般の人の関心を引くようになることもあります。かつて話題となった、ピーターパン・シンドロームや青い鳥症候群はこの例です。

では、現代の代表的な症候群をいくつか紹介しておきましょう。

◎無気力症候群（ステューデント・アパシー）

１９６０年代後半、学園紛争の波に大学が揺れ動いていた頃、たくさんの留年学生が出ました。その中で学業に興味を示さず、学校にも行かず、新しい感動を求めて何かに挑戦しようとする意欲もなく、対人関係を恐れてひきこもりがちな学生が注目され、彼らのことを**ステューデント・アパシー**と呼びました。**無気力症候群**ともいわれます。

このような学生の存在が、**青年期延長説**（Ｐ１１５コラム参照）のひとつの根拠と考えられました。こういう傾向を示す人は、中学・高校までは順調にきた人が多く、受験競争に打ち勝って大学に入学し、自由な生き方が許された時点での挫折であり、自分がいかに生きるべきかを見出せないでいる、高学歴社会がつくり出した産物のひとつといえるでしょう。

この現象は、学生に限らずサラリーマンたちにも見られます。せっかく一流企業に就職しても働く意欲がなくなり、無気力になる男性がいます。こうした状態は**サラリーマン・アパシー**と名づけられています。

◎燃え尽き症候群（バーン・アウト）

１９７０年代半ば、アメリカでは医師や看護師、教師、ソーシャル・ワーカーなどの専門職の人が疲れを訴えたり、無感動や無気力などの心身症状を訴えるケースが増加しました。

そのきっかけとなったのが１９７１年の、ベトナム戦争に従軍したカレー中尉がベトナム人を殺害した責任を問われた事件です。中尉は「上官の命令にしたがっただけだ」と主張しましたが、有罪判決が下りました。

ところが、このとき行われた世論調査では、75％の人が有罪判決に反対でした。国のために自らを犠牲にして戦ったのに、その苦労が報われなかったことになるからです。

この事件が、「社会の要請を受けて精一杯がんばってきたのに、その労苦が報われない」との風潮を広げることになったのです。これが今でいう、**燃え尽き症候群**と呼ばれる現象の発端でした。

高い理想に燃え、仕事に真剣に取り組んでいた人が、自分がどんなに努力しても期待通りの結果が得られないとわかったとき、目標を見失い、精神的・身体的な「燃え尽き状態」になる現象をいいます。

あんなに
がんばったのに
報われない
なんて…

最近では、**バーンアウト**という呼び方でも知られています。

燃え尽き状態になると、無力感、疲労感、不満足感、無感動などの兆候が見られ、社会生活にいろいろな支障が生じます。

第一の特徴としては、思いやりがなくなり、仕事への意欲も減って、機械的にやり過ごす傾向が見られます。

第二に、ストレス性の潰瘍《かいよう》やアルコール中毒、薬物依存、不眠症など、精神的・身体的な病気を招くことがあります。自殺したり、夫婦間の問題とは別に離婚する人もいます。

たとえば、かつて行われた国立精神・神経センター精神保健研究所の実態調査によると、燃え尽き状態にある教師は全体の41%、看護師は32%、医師は16%にも上っていました。

予防法としては、自分の心境を正直に話せる上司や先輩、同僚または家族、友人などに相談することです。自分に自信を持ち、解決策を探すきっかけをつくることが大切です。

◎荷おろし症候群

いわゆる「五月病」とは、難関を突破して希望の大学や会社に入った新入生や新入社員が、5月頃になると勉強や仕事に身が入らなくなり、無気力な状態に陥ってしまうことをいいます。

これは一過性の不適応現象ですが、不登校や出社拒否にまでいたる人もいます。また、5月に多く見られる傾向ではありますが、それ以外の月に見られるケースもあるため、こうした現象を**荷おろし症候群**と呼びます。代表的な兆候は、①寝つきが悪くなる、②新聞やテレビを見る気がしなくなる、などがあげられます。

荷おろし症候群の原因は、大学や会社に入ることを最終目標としてきたために、その目標を達成した後にはなにもやることがなくなってしまうという目標喪失感によります。傾向として、友人もなく、親にいわれていやいや受験勉強をしていたような人に多く見られます。

荷おろし症候群にならないためには、誰かにいわれたからというのではなく、自分で目的を見出すなどの自発的な発想や行動が必要です。目先の成功や失敗にとらわれず、自分の可能性を追い求める気持ちが大切です。

◎ピーターパン・シンドローム

誰もが知っている『ピーターパン物語』ですが、アメリカの精神医学者カイリーは、思春期以降の男子に多くあらわれる社会的不適応現象を**ピーターパン・シンドローム**と命名しました。

社会的に自立したくない、大人になりたくない子どもの状態、すなわち成熟拒否のことを意味しています。

こうした人は、現実から離れた夢の国で空想を体現しようとします。つまりこの症状は、実は傷つきやすく怒りっぽい未熟な人間に多いのです。自分を信じ愛することがない分、ほかの人の気持ちを受け入れ共感することができずにいます。

大人のふりをしていても対人関係でうまくいかないことが多く、無責任、不安、孤独、性役割葛藤がその特徴です。母親へのとらわれから、女性と安定した関係をつくることができない場合もあります。

◎青い鳥症候群

メーテルリンクの有名な小説に、『青い鳥』があります。それは主人公のチルチルとミチルが幸せの青い鳥を追い求めてさまよい歩きますが、結局、青い鳥は自分の家にいたという話です。

そのことから、今の自分は本当の自分ではないと思い込み、もっと自分に合った仕事があると信じ、職を転々と変えていく若者たちに見られる傾向を**青い鳥症候群**と呼んでいます。

この症候群に陥りやすい若者には、

①子どもの頃から勉強に追われていた
②過保護に育てられていた
③遊ぶにも親の監視下に置かれていた

といった共通点が見られました。

すなわち、社会性を養う訓練をしないまま大人になってしまい、忍耐力に欠け、自分の思うようにならないと我慢できず、失望し離職してしまうという特徴があります。

◎退《たい》避《ひ》症候群

激しい競争社会であるニューヨークに生きる人たちは、競争に勝ち残るために会社が終わった後も社交クラブやパーティに出席するなど、常に新たな刺激に耐え続けなければなりません。

しかし、そのような状況のなか、1988年には、若者を中心に「カウチポテト族」と呼ばれる集団の出現が見られるようになりました。これは競争から降りて過剰な活動をやめた若者たちが、ポテトチップスを手にソファー（カウチ）に横たわり、ひきこもるという現象です。このような現象は日本でも見られ、コタツとカタツムリを掛け合わせ、「コタツムリ」などと呼ばれました。

このように、若者がテレビやゲームを楽しむことで長い時間を1人で過ごし、他人との接触を避ける傾向を**退避症候群**といいます。

◎代理ミュンヒハウゼン症候群

養育者が健康な子どもに危害を加え、病人に仕立てて病院に連れていき、自分が献身的に看護する姿を演出して見せるという特殊型の児童虐待のことです。近年増加傾向にあり、注目されている症候群です。

ミュンヒハウゼンとは、18世紀にいた男爵の名前です。この人は居酒屋を訪れては自分で考え出した冒険談や旅行話をして歩き、「ほら吹き男爵」と呼ばれていました。

1951年にロンドンのアッシャーという医師が、自分を病人に見立てて病院を渡り歩く患者のことを、この男爵にちなんでミュンヒハウゼン症候群と名付けたことがこの言葉の由来です。

自殺の深層心理を探る

死にたい・殺したい・殺されたい欲求

精神医学者のメニンガーによれば、自殺者の心理には3つの要素が入り交じっているといいます。ひとつは絶望感、落胆、疲労など慢性的に生じてくる「死にたい欲求」です。次に、敵意や復讐心のような「殺したい欲求」です。憎しみの対象は自分と密接な関係を持つ人である場合が多く、それを表に出せずに内的葛藤を抱えています。そして3つ目は「殺されたい欲求」です。自責感、罪悪感などの感情で、死んでお詫びをするなどがこれにあたるでしょう。

自殺者の遺書を分析したシュナイドマンの研究では、青年の自殺者は「殺したい欲求」の占める割合が高く、高齢者の自殺者には「死にたい欲求」が強く認められることを指摘しています。

また、青年は睡眠薬やガス中毒など成功率が比較的低い手段を選ぶことが多く、女性のほうがこの傾向は強いようです。これに対して高齢者では、首つりや入水など確実な方法を選ぶことが多くなっています。

自殺未遂者は青年に多い

実際の自殺未遂者の数は不明ですが、一般に自殺者の数倍から数十倍はいるのではないかと推定されています。

自殺未遂者の多くは、青年に占められるようです。自殺の理由としては、「世の中が嫌になった」「学業で失敗した」という本人自身の問題よりも、「失恋」「家庭不和」など人間関係によることのほうが未遂で終わる傾向が高くなっています。また、青年の自殺には何かを訴えようとする傾向があり、長い遺書を残したりするのもそのあらわれです。

年齢別自殺者数の推移

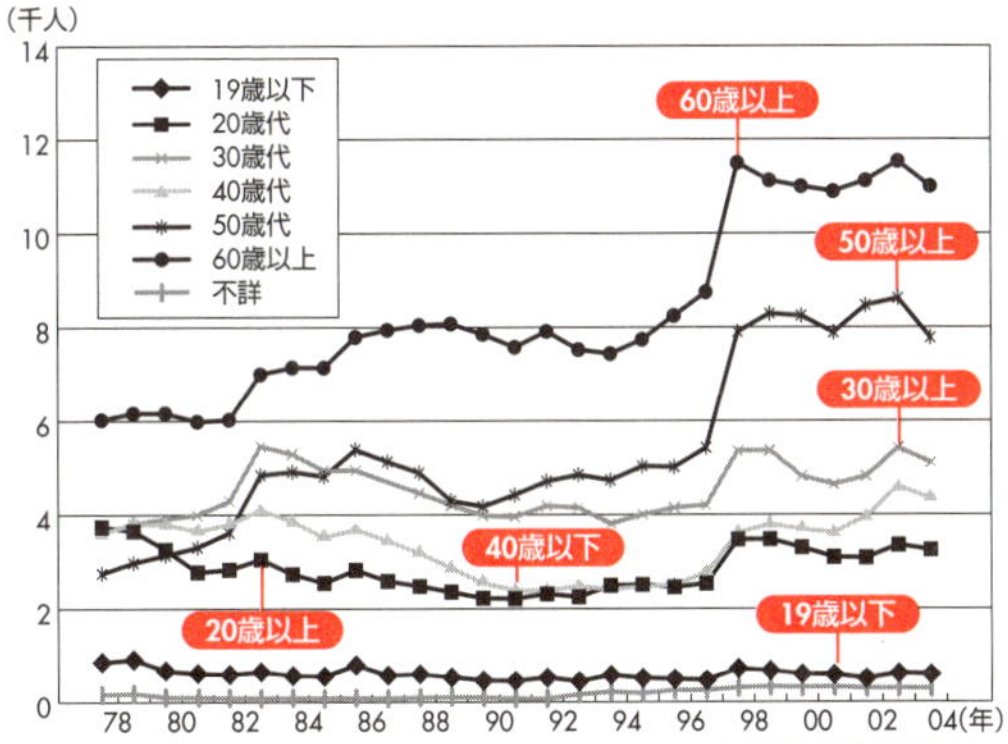

(警視庁統計より作成)

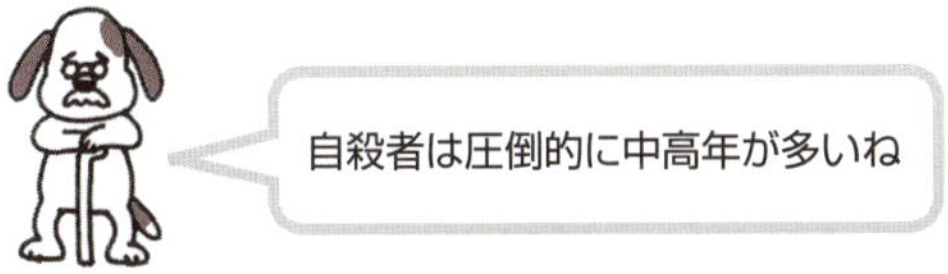

青年の自殺は「憧れ自殺」と呼ばれることもあるように、生死を賭けて再生への望みを残そうとする逆説的な心理が読みとれます。高齢者に多いあきらめ自殺とは異なり、一方で「助けてほしい」という願望が残されているといえるでしょう。

自殺者の半数はサインを送っている

自殺を考えている人は、孤独感、疲労感、絶望感、不安感などに陥っているため、口数が急に減るなどの態度になってあらわれやすいものです。

また、「生きるのが嫌になった」「死にたい」などと口走ったり、身辺の整理をはじめたり、大切にしていたものを身近な人にあげる（形見分け）などの行動が見られることも多いようです。

自殺者の60％は自殺未遂歴を持っていて、はじめて自殺を実行した人でも、その半数はなんらかのサインを送っているといいます。自殺を防ぐには、これを救助を求める叫びとして見逃さないことが重要です。

心の健康を取り戻すための さまざまな心理療法

心理療法の種類はさまざま

心の悩みや問題を抱えている人に対して、専門的な訓練を受けた**臨床心理士**や**カウンセラー**が、心の負担を軽くするために行う心理的治療やその技法を**心理療法**といいます。

薬物療法や外科療法、物理療法、身体的療法などの医療的手段以外のものをさし、原則的に診断よりも療法（治療）を大切にしています。

心理療法は、大きく「個人療法」と「集団療法」とに分けられます。個人療法は、治療者と患者（クライエント）とが1対1で行う治療です。精神分析療法や行動療法、森田療法などがその代表です。

一方の集団療法は、患者の家族や同じ悩みを持つ患者同士による計画的、組織的な集団組織の中で、痛みを分け合い、共感しながら治療に取り組む方法です。アルコール依存症の患者と回復者による患者自助集団に代表される治療法です。

現在、行われている心理療法にはさまざまなものがありますが、そのうちの主なものを紹介しておきましょう。

◎精神分析療法

神経症の治療法として、１８８５年に**フロイト**が提唱した療法です。

治療法としては、患者に頭に浮かんだことをすべて話してもらう「自由連想法」や、不自然な判断や言動を対象とした「行動分析」、「夢分析」などがあります。これらの治療により、患者の無意識に抑圧されている欲求や葛藤《かっとう》、不安要素が何であるかを患者自身に気づかせ、その原因を克服することを目的としています。

この療法は、治療者にも患者にも長い時間と負担を要すること、理論が複雑でわかりにくいなどの問題点はありますが、さまざまな心理療法に大きな影響を与えた技法です。

◎クライエント中心療法

クライエント中心療法とは、**ロジャーズ**により創始された心理療法です。

ロジャーズは、クライエントの潜在的な成長力に対して強い信頼感を寄せており、何が本当に大切なものかを一番よく知っているのはクライエントだと考えました。そのため、治療者はいたずらにクライエントに指示的な介入をすべきではなく、クライエントを中心にすえた態度で治療を行うべきだと主張しました。

カウンセラーに対する特殊な感情「転移」

カウンセリングの中で、クライエントがカウンセラーに対してある特殊な態度や感情を向けることを、**転移**といいます。フロイト派の精神分析では、クライエントが父母に向けるべき感情をカウンセラーに向けている現象と考えます。

ありのままに自分を受け入れてくれたカウンセラーに対し、クライエントははじめに恋愛感情にも似た感情を持ちます（陽性転移）が、カウンセラーがその枠組みを超えて個人的な興味を向けてくれないことを知ると、今度は嫌悪や攻撃的な感情を向けるようになります（陰性転移）。

しかし、カウンセラーが転移について考える手助けをすることで、クライエントが自分の依存や不安に気づき転移を乗り越えたときには、カウンセラーとの信頼関係はより一層深まり、スムーズなカウンセリングを行うことができるようになります。また反対に、カウンセラー側が転移を受けて、クライエントに特殊な感情を持つようになることを「逆転移」といいます。

COLUMN

そして、治療者のとるべき3つの態度として第1に、クライエントの状態や言動を、どんなものであろうとあるがままに受け入れる「無条件の肯定的配慮」、第2に、クライエントの主観的世界をあたかも自分のものであるかのように感じ取る「共感的理解」、第3に、治療者がクライエントに対してありのままの自分を見せる「純粋性」があります。

また、うなずきやあいづち、あるいは適切な言葉でクライエントの気持ちをまとめるなどして、治療者が共感的な理解を得ていることをクライエントに伝えることが重要となります。

◎行動療法

アイゼンクは行動療法を「人間の行動と情動とを現代学習理論の諸法則にしたがって改善する試み」と定義しています。学習理論では、不適応行動は誤った学習の結果として形成されたか、適切な学習が不足した状態で起こったものと考えます。

そこで行動療法では、誤った学習で形成された不適応行動には、学習理論による消去を行い、さらに正しい再学習で行動修正を行います。また、適切な学習が不足しているために起こった不適応行動には、適切な学習を行うことで治療を進めます。

代表的なものに、**ウォルピ**によって考えられた「系統的脱感作法」があります。系統的とは「段階的に」の意味で、脱感作とは「敏感でなくする」の意味です。クライエントは不安や恐怖を抱く状況を特定し、それらの強さを段階的（多くは10段階）にあらわした表を作成したりします。つまり、段階を経て少しずつ克服していくことで行動変容を期待する治療法です。

不登校の子どもが、今日はあの信号まで、明日は校門まで、次の日は保健室までという具合に、少しずつ訓練して学校へ行けるようになるのがこの方法です。

行動療法は、１９５９年頃から台頭してきた療法ですが、それは精神分析論の無意識の関与を否定することから発展してきました。そのため、観察可能で客観的に捉えられるものだけを扱うといった特徴があります。

◎認知行動療法

認知行動療法は、行動療法と認知療法の2つを源流として成立してきた療法です。セルフモニタリング法をはじめとするホームワークにより、自ら日常生活を観察し、感情・思考のパターンに気づき、変化へのきっかけをつくることを目指しています。

たとえば、うつ症状に悩む人は、〝自分はなんてダメな人間なんだろう〟とか〝これから先もうまくいくはずがない〟といった否定的な考えが繰り返し思い浮かび（自動思考）苦しめられます。

認知行動療法では、いつ、どんな状態でこの否定的な考えが浮かんでくるかを自分でよく観察、記録（セルフモニタリング）して、少しでも合理的な考え方ができるように変えていこうとする方法がとられます。

◎ゲシュタルト療法理論

アメリカの精神分析家**パールズ**が創始した心理療法です。パールズは、その治療の原理をゲシュタルト心理学（P34参照）の考え方を応用して説明しています。

たとえば、口うるさい姑のせいで嫁姑関係がうまくいかないと悩んでいる女性が、ロールプレイングに参加したとします。

はじめは姑役に対して激しい怒りや不満をぶつけますが、ひとしきり感情をあらわにした後は、相手に対する依存や、相手から認められたいという気持ちが湧いてきてハッとします。

このように、自分自身があらゆる感情や行動の責任ある主体者であることに気づくと、それまで地として背景に埋もれていた感情が、はじめて図となって明確に認知できるようになります。

そして、そのような気づきにいたるには、出来事を観念的にまとめたり知的な解釈をすることをやめて、「いま、ここで」体験しているその時々の感情や感覚に素直になりきることが大切だとしました。

つまり、自分の感情や欲求をありのままに表現することで、自己の全体性が回復され、より高次の新たなゲシュタルト（心的現象の全体制）を再体制化できるようになるとし、それを援助するのが治療の目的であるとしました。

◎芸術療法

芸術療法のうち、主として「絵画」を媒介とする心理療法に絵画療法があります。これには個別の方法と5～8人前後のグループでやる集団方法があります。

「療法」として絵画をとりあげたのは、**ユング**だといわれています。彼は１９１３年にフロイトと別れたあとの数年間、マンダラを描くことで精神を癒し、その体験を多くの患者にも使ったのです。

しかし真の意味での「芸術療法」はアメリカ人のナウンバーグが１９６６年に始めたスクリブル法（なぐり描き法）です。これは画用紙にサインペンでクライエントが自由にグルグルなぐり描きを行い、治療者が「なにか見えてこないか？」と尋ね、見えたものに色を塗って、絵を完成させる方法です。また、ウィニコットは相互になぐり描くスクイッグル法を考案しました。

また、芸術療法にはコラージュ療法、音法療法（Ｐ66参照）などもあります。

◎箱庭療法

砂が6～7分目入っている54センチ×72センチ×7センチの箱に、ミニチュア（人物、動物、植物、建物、乗り物、怪獣など）を使ってひとつのドラマをクライエントがつくっていく療法を**箱庭療法**と呼んでいます。

この療法は、１９２９年にローウェンフェルトによって創始された世界技法が基礎になっています。そして56年にカルフがこの技法を学び、ユング心理学の理論を使って説明し発展させたのが砂遊び(Sandspiel) でした。日本では、カルフのもとで学

イメージの世界を大切にする箱庭療法

びユング派精神分析家の資格をとった河合隼雄《かわいはやお》氏が、１９６５年に箱庭療法としてはじめて紹介しています。

河合はこの療法は言語なしに視覚的に物事を判断することに優れた日本人に適した療法であると指摘したため、その後日本で急速に広まっていきました。

箱庭の中で表現されている世界は単なる静的な場面ではなく、常にクライエントのイメージの中で動いている世界であり、その表現されている世界はクライエントの無意識の世界を投影していることが多くあります。

したがって、治療者（セラピスト）は箱庭づくりの過程をクライエントのそばでじっと見守り、寄り添っていく姿勢をとることが大切です。

◎サイコドラマ

オーストリアの精神科医であったモレノが考案した、即興劇の形式をとった集団精神療法です。モレノはフロイトと同時代のユダヤ人でしたが、フロイトの精神分析学には批判的立場をとり、演劇による独自の精神療法を生み出しました。

サイコドラマの基本構成は、①主役（選ばれたテーマを表現するために選ばれた演者）、②補助自我（劇中で「重要な他者」の役割をする人々）、③観客（劇を見る人々で一般社会を代表する）、④舞台、⑤監督（セッションの各段階で参加者を指導する訓練を受けたサイコドラマの監督）となっています。ときには小道具としてスリッパ（よく音が出るので）やクッション（気持ちを受け止めるものとして）を使ったりします。

参加者はそれぞれの現実の問題をテーマとして選び交代で劇を演じ（ロールプレイング：役割演技）、その中での感情の表出、演者と観客との相互交流を通して、内面の自己と向かいあい、新しい自分を模索していきます。

また参加者は、劇を行った後で感想や体験をみんなで共有する作業を行います（シェアリング）。

◎遊戯療法（プレイ・セラピィ）

子どもは遊ぶことが大好きで、一日中遊んでいても飽きることはありません。遊ぶことに自分の全エネルギーを注ぎ込み、疲れ果てるまで遊んで寝てしまう姿は子どものごく自然な姿なのです。しかし、子どもの遊びをよく観察してみると、そこには子ども自身の攻撃性や不安といった、さまざまな感情が象徴的に表現されています。

遊戯療法（プレイ・セラピィ）は、セラピストが子どもとの遊びを通して、子どもの感情表現を引き出して行う心理療法です。子どもが興味を示しそうな多くの玩具が置かれているプレイルームで原則週に1回、1時間ぐらいを使って、セラピストと子どもがごく自然に遊ぶことにこの療法の中心は置かれています。

初期の段階では、セラピストは子どもに受容的態度で接し、共感的であたたかい治療的関係（ラポール）が樹立できるように心がける必要があります。次の段階では、セラピストは子どもの情緒的表現を受け止めながら、その子どもの内的世界を引き出し、子ども自身が自己に気づく援助を行うことが大切です。

さらに段階が進むと、子どもの防衛が緩みだし、キーパーソンに対する否定的な感情や攻撃的態度が表出されるようになります。

ともすると周囲は子どもが乱暴になった、悪くなったと捉えがちですが、これは治療的にあらわれてくる必然の現象だということを理解しておく必要があります。そして子ども自身が自己を統合できるようになると、肯定的な感情が優位になり、子どもに変化があらわれてセラピィも終了することになるのです。

◎催眠療法

催眠は言語による暗示によって人為的に引き起こされた意識の変容状態と定義されています。睡眠とは異なり、まどろみ状態に近いものです。

催眠中は被暗示性（暗示に対する対応のしやすさ）が非常に高くなるので、覚醒しているときに比べて運動、知覚、思考などに異常性が容易に引き起こされます。この意識の変容状態を催眠性トランス状態といいます。また、催眠状態の特徴として、イメージが活性化されること、心身のリラックス状態（アルファ波）が得られること、注意集中が受動的でかつ狭くなることが知られています。

催眠療法には多くの技法がありますが、たとえば直接暗示の場合は車酔いのときに「もう車には酔わない」という暗示を与えます。また、間接暗示の場合は、夜尿症の子に「おしっこがしたくなったらぐっすり眠っていても目が覚めるよ」というような暗示を与えます。

さらにイメージを利用する方法もあります。これはメンタル（あるいはイメージ）リハーサルと呼ばれていますが、覚醒時には不安や緊張で適応的に遂行できない行動を、催眠中にイメージの中でうまく遂行できるという体験をさせるやりかたです。スポーツ選手のあがり対策にも用いられています。

◎森田療法

森田正馬が１９２０年頃確立した、神経症の精神療法です。森田は、神経症の患者は内省的で完全主義、そしてよりよく生きたいという「生の欲望」が強く、ささいな身体の変化でも不安を持ちやすい「ヒポコンドリー性基調」であると考えました。

この性質の人は、ちょっとした心身の変化に注意を集中しているうちに、感覚が鋭敏になり、さらに自己に注意を向けてしまうという悪循環を繰り返し、その結果、主観的な苦悩を増大させ神経症にいたると考えられます。

このような固着状態の「とらわれ」から脱して、「あるがまま」を受け入れ、「生の欲望」の発揮に向かうことが森田療法の目的です。

治療は、最初の一週間は一切の活動を禁じられ、絶対臥褥《がじょく》で不安への直面と活動意欲への活性化をはかります。その後、軽作業期、重作業期、生活訓練期を経て、注意が離れていく瞬間を経験します。症状の軽い人は、日記指導などの併用で外来でも行われます。

◎交流分析

アメリカの精神分析医**バーン**によって創始されました。**交流分析**とは、精神分析を基盤にした理論を、より平易な言葉や記号であらわしたもので、理解しやすく親しみやすいことが特徴の療法です。

しかし、もともとは精神分析理論への批判的な流れの中でできた理論のため、無意識の存在は仮定されておらず、〝いま、ここに〟を重視した自己分析と集団療法が中心となっています。

それは、パーソナリティの特徴を親（P）、大人（A）、子ども（C）の3つの自我状態で分析する「構造分析」、自我状態のベクトルの向きで対人関係を分析する「交流分析」、人生の脚本を書き換えて新しい人生を歩み出すことを目的にした「脚本分析」、の3つが大きな柱になっています。

技法的には、精神分析よりも、認知行動療法と共通するものを多く含んでいます。

ある夫婦の会話を交流分析してみると

夫:「そろそろ夕食の時間だな」
妻:「あらっ ちょっと待ってて!」

夫(内心):「まったくもう! まだできてないのか、なにやってるんだ」
妻(内心):「頭にきたわ! たまには自分でつくればいいでしょう」

Parent → Child
Adult ⇄ Adult
Parent → Child

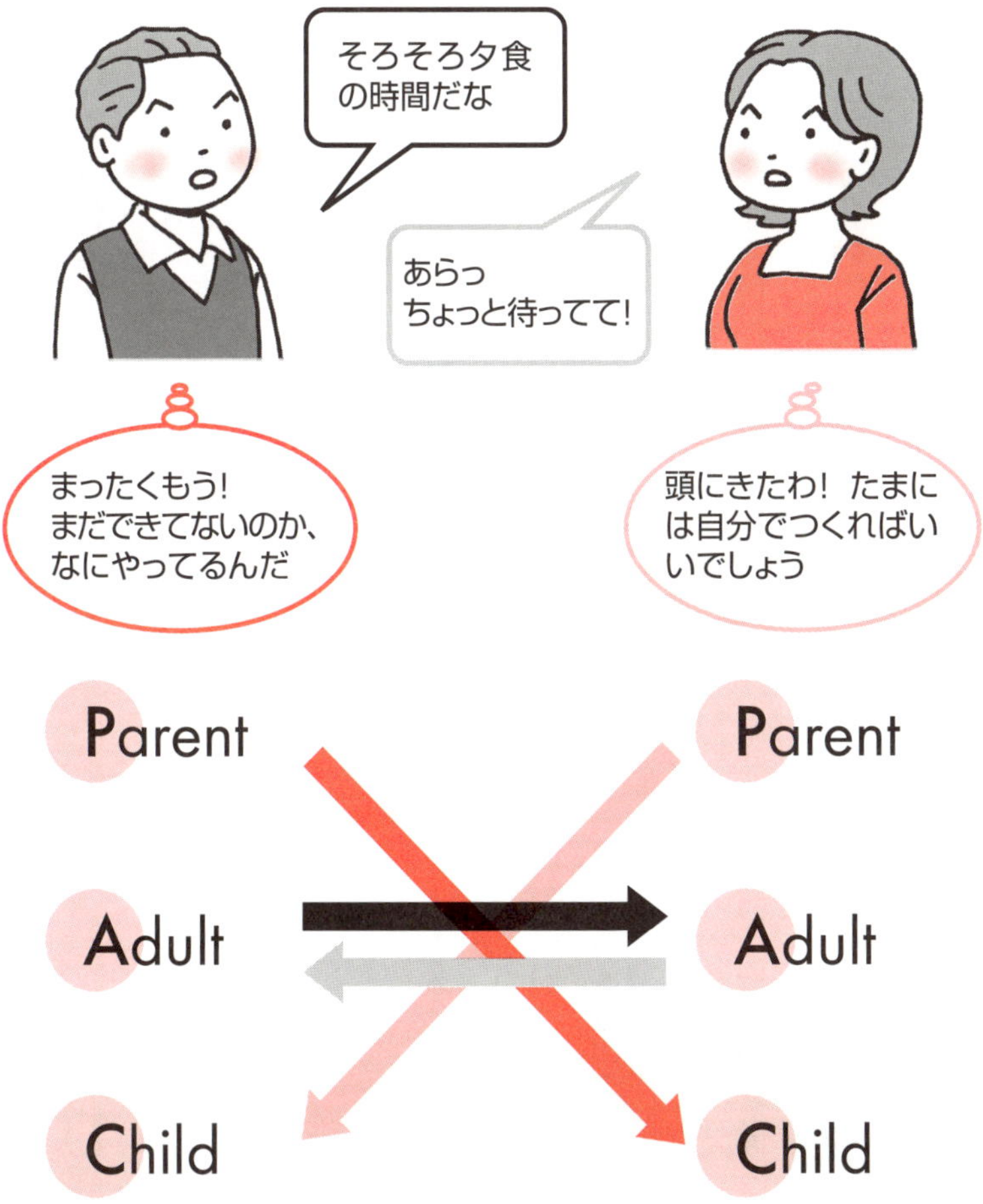

表向きにはお互いにA主導型だが、裏面ではP主導型である。

心の病を癒すカウンセラーという仕事

カウンセラーに必要な「聴く」技術とは？

最近、心理学を学びたいという人は増え続け、とくにカウンセラーになりたいという人が増えています。では、カウンセラーにはどのような姿勢が求められているのでしょうか。

カウンセリングの発展に重要な貢献をした**ロジャーズ**は、カウンセラーの3条件として①無条件の肯定的配慮、②共感的理解、③純粋性をあげています。

さらに大切なのは相手の話をいかに上手に聴くか（傾聴）というカウンセラーとしての技術です。カウンセラーとしての技術を身につけていくひとつのモデルにアイビィーのマイクロカウンセリング技法があります。その中で重要な観点を説明しておきましょう。

◎関わり行動

カウンセラーの基本的態度となるのが「かかわり行動」です。具体的には①視線を合わせる、②身振りや表情などの身体言語に注目する、③声の質に注意する、④話の内容に集中する、などが基本的態度として重要になります。

◎閉ざされた質問／開かれた質問

クライエントに対する質問は大きく「閉ざされた質問」と「開かれた質問」に分けられます。

「閉ざされた質問」とは、「はい」「いいえ」のどちらかで答えられるものです。会話がそこで終わってしまうという欠点はありますが、緊張が強いクライエントには有効な場合もあります。

「開かれた質問」とは「どうして～」「どのような～」などクライエントが自由に語ることを促す質問です。クライエントの気持ちを自由に表現でき、その中から問題解決の糸口が見つかることもあるという点で効果的な質問方法です。

◎反映技法

相手の言ったことを受け止め、それを伝え返す技法です。「うなずき」や「言い換え（クライエントの言葉を繰り返したり、言い換えたり、要約したりすること）」さらには「感情の反映（クライエントの感情に焦点をあて、その感情をカウンセラーが言い換える）」などがあります。

「聴く」姿勢は、日常生活でも非常に大切なものです。カウンセラーに必要な技法をマスターしておけば、よりよい人間関係を築いていくことができるでしょう。

心理学に関する仕事にはなにがある？

○**教育関係**：スクールカウンセラーとして活躍（P255コラム参照）。

○**医療関係**：精神科、小児科、心療内科などにおいて心理アセスメントや心理療法を実践したりする。

○**福祉関係**：児童相談所（全国に182箇所設置）で子どもの心のケアーを行ったり、各都道府県の女性相談所でドメスティックバイオレンスや夫婦関係の問題などの相談に応じている。

○**産業関係**：企業内にある健康管理室などで従業員の精神的ケアー、キャリアカウンセリングなどを実践している。

○**司法関係**：警察の少年相談、家庭裁判所の調査、観察、少年鑑別所における心理鑑別、面接、指導などの仕事をしている。

また、心理学関係の認定資格には臨床心理士（日本臨床心理士資格認定）、学校心理士（日本教育心理学会）、認定カウンセラー（日本カウンセリング学会）、臨床発達心理士（日本発達心理学会）などがあります。

COLUMN

ビア大学における講演で、観察可能な刺激や反応に着目する自然科学としての心理学を提唱し、行動主義心理学を創始した。

●索引

理性主義心理学 …………28
離巣性 …………74
リビドー …………136
両面提示 …………232
臨床心理学 …………25
臨床心理士 …………296
類型論 …………130
零和型ゲーム …………234
レヴィン（Kurt Lewin） …………236
1890年〜1947年。ドイツの心理学者、1934年渡米。ゲシュタルト心理学の影響を受けた。物理的な環境とは独立した心理学的な存在である生活空間の概念を用いて行動を理解しようとし、トポロジー心理学と呼ばれる力学的な理論を提唱した。
連合の原理 …………247
連想心理学 …………28
ローゼンマン（Roseman,R.H.） …………270
フリードマンとの共同研究で、タイプAと呼ばれる性格特性と虚血性心疾患との関係を調べた。
ロジャーズ（Rogers,C.R.） …………35,297,306
1902年〜1982年。アメリカの心理学者。非指示的カウンセリングを提唱。これはのちに来談者中心療法と称され、さらにパーソンセンタードアプローチへと発展した。ロジャーズのパーソナリティ理論は、自己理論と呼ばれ、自己概念が中心的な役割を果たしている。
ロック（Rock,John） …………28
1632年〜1704年。イギリスの経験主義の哲学者。人間は生まれたときは、いわば白紙（タブラ・ラサ）の状態であり、全ての観念に由来する経験は感覚と反省の２種類あり、感覚は５感の刺激から来るもの、反省は自分自身の心の作用を知覚することであると提唱した。
ロミオとジュリエット効果 …………256
ロリータ・コンプレックス …………182
ロールシャッハ（Rorschach,H.） …………160
1884年〜1922年。スイスの精神科医。ユングに師事して精神分析を学ぶ。インク・ブロットを利用したテストであるロールシャッハ・テストを創案した。
ロールシャッハ・テスト …………160
精神病や異常性格を検査するための、スイスの精神科医ヘルマン・ロールシャッハが考案した投影法のひとつ。
ローレンツ（Lorenz,Konrad Zacharias） …………78,80
1903年〜1989年。オーストリアの動物行動学者。自然な姿で生活する動物の行動の観察とその記述を行い、比較行動学を確立した。動物に固有な行動型の形成メカニズムを研究し、インプリンティング（刻印づけ）の概念を唱えた。また衝動の累積仮説を提唱した。

わ

Y・G性格検査 …………159
ワトソン（Watson,John Broadus） …………32,173
1878年〜1958年。アメリカの心理学者。行動主義心理学の創始者。コロン

1893年～1988年　アメリカの心理学者。欲求-圧力理論に基づく投影法心理検査のＴＡＴ（主題統覚検査）が主な業績である。人間の行動は内面的な要求と環境からの圧力の相互作用により規定されると考え、欲求ー圧力理論を提唱した。

満場一致の幻想……192

ミルグラム（Milgram,S）……188,190

1933年生まれ、アメリカの社会心理学者。援助行動、服従の心理などに関する心理学実験を精力的に行っている。

無気力症候群……288

無意識……35,134

メニンガー（Menninger,K.A.）……294

1893年～1990年。精神分析学の精神医学者。禁欲主義、神経症的な病弱、アルコール中毒、不運続きなどによる慢性自殺の概念を提唱した。

メモリー・ブロック……50

燃え尽き症候群……289

目標達成機能……239

モデリング……102

元良勇次郎……35

1859年～1912年。心理学者。ジョンズ・ホプキンス大学でG.S.Hallのもとで学び、帰国後東京帝国大学で講師として精神物理学を教えた。後に日本最初の心理学教授に就任し東京帝国大学哲学科に心理学講座を開いた。

物語構成法……52

モラトリアム……114

森田正馬……304

1874年～1938年。精神医学者。ヒポコンドリー性基調（神経質性格）を基盤として精神交互作用が発展し、その結果として神経症になると考えた。それを森田神経質という。さらにその治療法である森田療法を創始した。

森田療法……304

モンタージュ……55

や

遊戯療法……302

ユング（Jung,Carl Gustav）

……35,116,130,138,148,180,300

1875年～1961年。スイスの精神科医で分析心理学の創始者。フロイトに一時師事していたが、離反した。フロイトの提唱した無意識を、個人的無意識と集合的無意識に分けた。意識と無意識の相補性と心の全体性に関心を持ち続け体系化した。

欲求の発達階層説……178

欲求不満説……193

ら

ラタネ（Latané,B.）……198

1937年～。アメリカの社会心理学者。緊急事態における援助行動を研究し、人が側にいると援助行動は行われにくくなる傍観者効果を提唱した。その他社会的インパクト理論、社会的手抜きに関する研究がある。

ランチョン・テクニック……247

フロム（Fromm, Erich） ……35
1900年～1980年。新フロイト派の精神分析学者。ユダヤ系ドイツ人、1939年渡米。社会的性格の概念を提唱した。後の大衆社会論に大きな影響を与えた。『自由からの逃走』ではナチズムの台頭の理由を、ナチスを信奉した下層中産階級の社会的性格に注目して明らかにした。

防衛機制 ……135

ボウルビィ（Bowlby,J.） ……76
1907年～1990年。イギリスの児童精神分析学者、精神医学者。愛着（アタッチメント）の創始者。ボウルビィは十分な母子関係が得られなくなった子どもの状態を マターナル・デプリベーション（母子性養育の喪失）と呼び、この概念は愛着理論の出発点となった。

ホーナイ（Horney,Karen） ……35
1885年～1952年。ドイツの医師。渡米後新フロイト派の中心メンバーとなる。孤立感、無力感の源泉を、個人が最早期に母親との間で体験する「基本的不安」に求め、人のパーソナリティ形成における対人関係の重要性を強調した。

ポリグラフ ……38

ホール（Hall,E.） ……214
1846年～1924年。アメリカの文化人類学者。人間の社会的・個人的空間の知覚とその利用の仕方を研究し、「隠れた次元」の中で、人間の行動が無意識のうちに、生物学的基盤と文化的背景にいかに囚われているかを唱えた。

ポルトマン（Portmann,A） ……72,74
1897年～1982年。スイスの生物学者。哺乳動物は離巣性と就巣性の２つに大きく分けることができるが、人は他の動物に比べて未成熟な状態で生まれてくる。これを二次的就巣性と呼び、生理的早産という考え方で説明した。

ま

マイノリティ・インフルエンス ……194

マザー・コンプレックス ……182

マジカルナンバー ……53

マズロー（Maslow,Abraham Harold） ……35,178
1908年～1970年。アメリカの心理学者。行動主義と精神分析を第一、第二の心理学の勢力と呼び、自らの提唱した人間性心理学を第三の勢力の心理学として位置づけた。マズローの欲求段階説は自己実現欲求を最高段階に置いている。

マッチング仮説 ……260

松本亦太郎 ……35
1865年～1943年。心理学者。実験心理学の創設者ヴントに学び、帰国後1903年には東京大学に日本で初めて心理学実験室を創設、1906年には京都大学にも設置した。

マーラー（Mahler,Margaret S） ……84
1897年～1985年。ハンガリーの精神分析家・児童心理学者。1938年渡米。乳幼児の体系的な観察を行い、実証的な精神分析的発達心理学をつくり上げた。分離ー個体化過程を対象関係論的自我心理学の観点から詳細に理論化した。

マレー（Murray,Henry Alexander） ……96

比較心理学　29
比較文化心理学　27
P機能　239
ピグマリオン効果　101
非言語コミュニケーション　221
ピーターパン・シンドローム　291
ビッグ・ファイブ説　132
PTSD　286
ビネー（Binet,Alfred）　88
1857年〜1911年。フランスの心理学者。1905年に文部大臣の委嘱を受けて、精神発達遅滞児識別のため、医師シモンの協力を得てビネー式知能検査を完成させた。

ヒューム（Hume,David）　28
1711年〜1776年。イギリスの経験主義の哲学者。それ以前の哲学が人間本性がなにかについての知に達することが原理的に保証されていないと考える徹底的な懐疑論を打ち立てた。

平等分配　242
非零和型ゲーム　234
ファミリア・ストレンジャー　190
ファンツ（Fantz,R.L.）　82
視知覚を研究する心理学者。乳幼児の形の成立を実験によって明らかにした。

不安障害　277
フェヒナー（Fechner, Gustav Thedor）　24
1801年〜1887年。ドイツの精神物理学者。ヴェーバーの研究を発展させ、ヴェーバー・フェヒナーの法則として定式化した。精神物理学という学問を創始し、心理学の成立に大きな影響を与えた。

服従の心理原則　251

物質嗜癖　282
不敗の幻想　192
不随意運動　220
普遍感　194
普遍的無意識　140
ブーメラン効果　231
プライミング効果　43
フラッシュ・バブル記憶　47
フランクル（Frankl,Viktor Emil）　178
1905年〜1997年。オーストリアの精神医学者。第二次世界大戦中のアウシュヴィッツ収容所の体験から、独自の実存分析およびロゴセラピーを提唱した。

ブリッジス（Bridges,K.M.B.）　78
1897年生まれ。情動の分化過程を分類した心理学者。情動は発達とともに分化し、5歳頃に大人と同じような情動が備わると考えられている。

フリードマン（Friedmann,M.）　270
ローゼンマンとの共同研究で、タイプAと呼ばれる性格特性と虚血性心疾患との関係を調べた。

プレイ・セラピィ　302
フロイト（Freud,Sigmund）
　　35,134,146,296
1856年〜1939年。精神分析学の創始者。東欧系ユダヤ人の家庭に生まれ、1938年にイギリスに亡命。神経病理学者を経て精神科医となり、神経症研究、自由連想法、無意識の研究、自我防衛理論を提唱し精神力動論を展開した。

プロクセミックス　214
プロセス嗜癖　282,285
プロダクティブ・エイジング　122

ハヴィガースト(Havighurst,R.J.) 116

1900年〜1991年。アメリカの教育学者。発達課題論の代表的提唱者。乳児期から高齢期までの全発達段階の発達課題を設定した。

パヴロフ(Pavlov,Ivan Petrovich)
......32,100

1849年〜1936年。ロシアの生理学者。パヴロフの条件反射説は後に、行動主義心理学の古典的条件づけに大きな影響を与えた。

パヴロフの犬 32
箱庭療法 300
場所法 52
パーソナリティ 128
パーソナリティ障害 280
発達心理学 24,70
発達性協調運動障害 111
パブリック・コミットメント 236
パーソナル・スペース 174,214
パラランゲージ 223
ハル(Hull,Clark Leonard) 34

1884年〜1952年。アメリカの新行動主義をとる心理学者。行動の心理学に公準と法則からなる数学体系を導入しようとした(ハルの公準)。概念や適性検査、催眠の研究の後、学習理論の数理的体系に一生を奉げた。彼の理論は仮説演繹が特徴である。

パールズ(Perls Frederick S.)
......35,299

1893年〜1970年。アメリカの精神医学者。ゲシュタルト療法の創始者。ゲシュタルト療法は過去の経験の分析ではなく、全体を見、今・ここにおける体験を重要視し、現在における統合を目指している。

ハーロー(Harlow,Harry Frederick) 78

1905年〜1981年。アメリカの心理学者。アカゲザルの子どもを対象にして、針金製と布製の代理母親模型を用いた実験など、数多くの実験を行った。

バーン(Berne,E.) 262,304

1910年〜1970年。アメリカの精神医学者。精神分析から出発したが、行動主義やヒューマニスティック心理学から多くのものをとりいれ、TA(Transactional Analysis 交流分析)の体系を築きあげた。

バーン・アウト 289,290
犯罪心理学 25
バンドワゴン・アピール 247
バンデューラ(Bandura,A.) 102

1925年〜。カナダ人の心理学者、アメリカで活躍。自己効力感の理論は心理学にとどまらず、教育学や社会学にも大きな影響を与えた。また、当時優勢であった行動主義学習理論の中で、社会的学習理論(モデリングによる学習)を提唱した。

ピアジェ(Piaget,Jean) 86,105

1896年〜1980年。スイスの心理学者。発生的認識論を提唱。発達心理学者として、子どもの知的能力の発達プロセス、言語発達、数や量の概念などの研究を展開した。

P-Fスタディ 160

多因子説 ……88
ターマン（Terman,Lewis Madison）……261
1877年～1956年。アメリカの心理学者。知能測定の研究に従事し、1916年、スタンフォード=ビネー改訂知能検査を作成した。また、知能指数（ＩＱ）の考え方を実用化した。
短期記憶 ……46
単純接触の効果 ……259
知的障害 ……110
知能テスト ……88
知能指数 ……90
チャンキング ……53
注意欠陥多動性障害 ……109
中心語 ……226
長期記憶 ……46
超自我 ……35
直接認知 ……224
DSM-Ⅳ-TR ……274
デカルト（Descartes,Renè）……28
1596年～1650年。フランスの哲学者。近代哲学の父といわれる。考える主体としての自己とその存在を定式化した「我思う、ゆえに我あり」（Cogito ergo sum コギト・エルゴ・スム）は哲学史上でもっとも有名な命題のひとつである。
手続記憶 ……47
転移 ……297
投影法 ……158
統合失調症 ……144,274
特性論 ……130
ドメスティック・バイオレンス ……284,285
同調 ……67
同調行動 ……63,249
動物心理学 ……29
トラウマ ……139,286
トールマン（Tolman,Edward Chase）……34
1886年～1959年。アメリカの実験心理学者。ゲシュタルト心理学の影響を受け、行動を目的別に捉えようとした。また、仲介変数を行動の説明に取り入れた。認知心理学の先駆者としても評価されている。

な

内観法 ……30
内向型 ……130
内発的動機づけ ……98
二因子説 ……88
荷おろし症候群 ……290
人間関係嗜癖 ……282,285
認知心理学 ……24,41
認知行動療法 ……299
ネガティヴィズム ……107
能力心理学 ……28
ノンバーバル・コミュニケーション ……221

は

初頭効果……226
白雪姫コンプレックス……184
心気症……278
新行動主義心理学……34
親近効果……226
身体表現性障害……278
心的外傷……139
シンデレラ・コンプレックス……185
心理療法……296
親和欲求……222
随意運動……220
スキナー（Skinner,B.F.）……34,100
1904年～1990年。アメリカの心理学者。徹底的行動主義の立場で行動分析を創始した。スキナーボックスと呼ばれる箱を考案し、動物の行動を観察、オペラント条件づけを提唱した。行動療法の分野にも影響を与えた。
スクール・カウンセラー……255
スタンフォード・ビネー検査……90
ステレオ・タイプ……228
ステューデント・アパシー……115,288
スティンザー効果……246
ストレス……266
スポーツ心理学……27
性格心理学……25
精神分析（学）……32,35
精神分析療法……296
青年期延長説……115,288
性役割……162
生理心理学……38
赤面恐怖……213
接種理論……232
摂食障害……269
説得的コミュニケーション……230
セリエ（Selye,H.）……266
1907年～1982年。ウィーン生まれ、カナダの生理学者。ストレス理論の提唱者。ストレスを受けた生体の典型的な反応パターンは汎適応症候群と呼ばれる。
セリグマン（Seligman,Martin E.P.）……100
1942年～。アメリカの心理学者。イヌを用いた実験により学習性無力感を明らかにした。また人における帰属過程の研究など実験心理学、臨床心理学、社会心理学に及ぶ数多くの研究をしている。
セルフ・プレゼンテーション……229
宣伝的記憶……46
相補性……263
ソシオメトリー……208

た

第一反抗期……106
第二次性徴……112
第二反抗期……106
対人恐怖症……212
対人認知……224
退避症候群……293
タイプA行動……270
タイプC性格……271
達成動機……96
代理ミュンヒハウゼン症候群……293

コンプレックス ……………… 139,180
コーピング ……………………………… 266

さ

ザイアンス（Zajonc,R.） ……… 252,259
1923年〜。ポーランド生まれのアメリカの社会心理学者。社会的態度の研究、社会的促進の問題、知的発達に及ぼす家庭の影響などの研究を行った。

サイコドラマ ……………………………… 301
錯視 ………………………………………………… 57
催眠療法 ………………………………………… 303
作業検査法 …………………………………… 158
サクセスフル・エイジング ………… 122
錯覚 ………………………………………………… 56
サブリミナル効果 ……………………… 60
産業心理学 ………………………………………… 26
サラリーマン・アパシー …………… 289
残像 ………………………………………………… 60
ジェンダー ……………………………… 163,164
ジェンセン（Jensen,A.） ………………… 152
1923年〜。アメリカの心理学者。特性によって環境要因から受ける影響の大きさが異なり、環境がある一定の水準に達したときにその特性が発現するという環境閾値説を提唱した。

自我 ………………………………………………… 35
自己成就予言 …………………………… 98,167
シーショア（Seashore,C.E.） ……… 66
1866年〜1949年。アメリカの実験心理学者。音楽的才能の個人差を検出するテスト法（シーショア・テスト）を考案した。音楽才能を5要素に分けて（後に6要素）、それぞれを客観的に測定しようとした。

シーショア・テスト ……………………… 66
視線恐怖 ………………………………………… 213
実験心理学 ……………………………………… 24
質問紙法 ………………………………………… 158
自伝的記憶 ……………………………………… 47
自閉症スペクトラム ………………… 108
社会化 …………………………………………… 104
社会心理学 ……………………………………… 26
囚人のジレンマゲーム ……………… 234
就巣性 …………………………………………… 74
収束的思考 ……………………………………… 92
集団思考 ……………………………………… 192
熟知性の原則 ………………………………… 252
シュテルン（Stern,William） ……… 168
1871年〜1938年。ドイツの心理学者。差異心理学の祖。精神発達は、生まれつきの素質と外的環境の両者が輻輳してあらわれるという輻輳説、知能指数、転導推理、一語文などの概念を提唱した。

シュロスバーグ（Schlosberg,H.） … 221
1904年〜1964年。表情の心理学研究の先駆者。基本的情緒を円環上に並べ、隣り合った情緒に対応する表情は区別しにくいことを明らかにした。

集団維持機能 ………………………………… 239
熟年離婚 ………………………………………… 120
生涯発達 ………………………………………… 70

●索引

学習性無力感	100
カクテルパーティ効果	42
過剰負荷環境	188
数の圧力	194
数の止め釘法	52
家族心理学	27
過敏性腸症候群	271
感覚貯蔵の記憶	44
環境閾値説	152
環境音楽	66
間接認知	224
感染説	203
記憶	44
記憶錯誤	48
幾何学的錯覚	57
既知性効果	55
吃音恐怖	213
気分障害	276
逆転の説得	230
キャラクター	128
ギャング・エイジ	104
教育心理学	25
共依存症	282,285
虚血性心疾患	270
クライエント中心療法	297

クレッチマー（Kretschmer,Ernst）
................................132

1888年～1964年。ドイツの精神医学者。精神病と体型の研究を基に、体格と性格の関係を分析し、やせ型、闘士型、肥満型の3つに類型化した。

経験主義心理学	28
芸術療法	66,300
軽度発達障害	108
ゲシュタルト心理学	32,34
ゲシュタルト療法理論	299
化粧心理学	26
ゲーム理論	234

ケーラー（Köhler,Wolfgang） 34

1887年～1967年。ドイツの心理学者、1935年渡米。ゲシュタルト心理学の創始者の一人。チンパンジーの問題解決の研究を基に、学習における洞察の重要性を唱えた。

健康心理学	26
原始反射	86
行為障害	111
行動主義心理学	32,173
行動療法	298
交通心理学	26
向社会的行動	200
構成主義	30
更年期	118
更年期障害	118
光背効果	229,251
広汎性発達障害	108
公平分配	242
交流分析	304
個人的無意識	140
古典的条件づけ	32,100

コフカ（Koffka,Kurt） 34

1886年～1941年。ドイツの心理学者、1927年渡米。ゲシュタルト心理学の創始者の一人。「ゲシュタルト心理学の原理」を著した。

コミュニティ心理学	27
ごろ合わせ	53
孤立効果	54
コントラスト効果	250

アパシーという新しい診断カテゴリーを提唱した。
ウォルピ（Wolpe,Joseph） ……298
1915年～1998年。南アフリカ生まれの精神科医。行動療法の創始者の一人。ネコを用いた実験神経症の研究によって、不安や恐怖はそれに拮抗する新しい反応を学習することで消去できるという逆制止理論を打ち立て、パヴロフの条件づけの原理が神経症の治療に応用できると考え、系統的脱感作法を開発した。
ヴォルフ（Wolff,Christian von） …28
1679年～1754年。ドイツの哲学者。「心理学」という言葉を著書に用いた最初の人。能力心理学を提唱し、とくに認知能力と欲求能力を重視した。
内田・クレペリン作業検査法 ……160
ヴント（Wundt,Wilhelm） ……30
1832年～1920年。現代の心理学の父といわれ、1879年にライプチヒ大学に心理学実験室を開設した。内観法を用いて意識を分析・観察し、意識の要素と構成法則を明らかにしようとしたことから、ヴントの心理学は構成主義と呼ばれる。
運動残像 ……60
AHA症候群 ……176
エクマン（Ekman,Paul） ……220
1934年～。アメリカの心理学者。顔の表情や感情研究の第一人者。表情の基本的種類の検討、文化比較を行った。
エス ……35
ADHD ……109
エディプス・コンプレックス ……136
エピソード記憶 ……47
MMPI ……159
M機能 ……239
エリクソン（Erikson,E.H.） ……70,112
1902年～1994年。フランクフルト生まれ、1933年渡米。自我心理学者。渡米後、フロイトの精神発達の理論に文化的・歴史的な視点を導入し、自我同一性の理論へと発達させた。また、人格発達を体系化した漸成発達理論は、後の生涯発達の先駆けともなった。
LD ……110
オナリ・コンプレックス ……183
オペラント条件づけ ……34,100
オルポート（Allport,Gordon Willard） ……48,107
1897年～1967年。アメリカの心理学者で、パーソナリティの研究で知られる。
音楽療法 ……66

か

外向型 ……130
階層理論 ……88
外発的動機づけ ……98
買い物依存症 ……285
解離性障害 ……278
解離性同一性障害 ……278
解離性とん走 ……279
カイン・コンプレックス ……182
カウンセラー ……296,306
拡散的思考 ……92
学習障害 ……110

50音順索引&人物解説

あ

IQ ……………………………………… 90
アイゼンク（Eysenck,Hans Jürgen）
……………………………………… 298
1916年～1997年。ドイツ生まれのイギリスの心理学者。パーソナリティ理論と測定、知能、社会的態度、行動遺伝学、行動療法の研究を行い、多くの業績を残した。
愛他的自己像 ………………… 200
アイデンティティ ……………… 112
青い鳥症候群 ………………… 292
アジテーター ………………… 206
アスペルガー症候群 ………… 109
アタッチメント …………………… 76
アダルト・チルドレン ………… 283
アッシュ（Asch,S.E.） …… 196,226
1916年～1996年。ポーランド生まれの社会心理学者、1920年に渡米。ヴェルトハイマーやケーラーの影響を受ける。印象形成における初頭効果や特定の性格特性の効果を見出し、同調行動の実験を行った。
アディクション ………………… 282
アトキンソン（Atkinson,Richard Chatham） …………………… 44,96
1929年～。アメリカの教育者、研究者。知覚や記憶の数学的モデルの研究を行う。なかでもシフリンと提唱した記憶の二重貯蔵モデルは有名である。
アドラー（AdlerAlfred） … 35,139
1870年～1937年。ウィーンの精神医学者、1935年アメリカに亡命。フロイトの影響を受け、その協力者であったが、後にユングとともに離反。個人心理学を樹立した。劣等感を補償するために、より完全になろうとする意志を「権力への意志」と呼び、重視した。
アフォーダンス知覚 ………… 124
アルコール依存症 …………… 282
アルコール・ブラックアウト …… 51
暗示・模倣説 ………………… 203
アンドロジニー ………………… 164
EQ …………………………………… 94
一面提示 ……………………… 231
意味記憶 ………………………… 47
意味処理優位性効果 ………… 54
インプリンティング ………… 78,80
ウィンチ（Winch,R.F.） ……… 262
アメリカの社会心理学者。対人魅力研究の中で、親密な男女関係には相補性の要因がみられることを明らかにした。
ヴェルトハイマー（Wertheimer,Max）
………………………………………… 34
1880年～1943年。ドイツの心理学者、1933年渡米。ゲシュタルト心理学の創始者。仮現運動の実験を行い、ゲシュタルト理論を構築した。視覚世界の成立に体制化の過程、プレグナンツ傾向があることを説いた。
ウォルターズ（Walters,P.A.Jr） … 115
精神医学者。1961年、神経症的抑うつ反応や精神病質と異なるものとして、

【著者紹介】

渋谷　昌三（しぶや しょうぞう）

◉──1946年、神奈川県生まれ。東京都立大学大学院博士課程修了。心理学専攻、文学博士。山梨医科大学教授を経て、現在、目白大学教授。

◉──主な著書に、『しぐさ・ふるまいでわかる相手の心理』（日本実業出版社）、『恋愛心理の秘密』（大和書房）、『リーダーシップのある人、ない人』『かくれた自分がわかる心理テスト』（PHP研究所）がある。

小野寺　敦子（おのでら あつこ）

◉──1954年、東京都生まれ。84年東京都立大学大学院博士課程修了。心理学専攻、心理学博士。現在、目白大学教授。専門は発達心理学、人格心理学。

◉──主な著書に、『生涯発達心理学』（共訳、新曜社）、『子どもの発達と父親の役割』（共著、ミネルヴァ書房）、『父親と娘関係』（共著、ブレーン出版）などがある。

手《て》にとるように心理学《しんりがく》がわかる本《ほん》　〈検印廃止〉

2006年５月１日　　第１刷発行
2006年９月12日　　第10刷発行

著　者──渋谷　昌三・小野寺　敦子©
発行者──境　健一郎
発行所──株式会社　かんき出版

東京都千代田区麹町4-1-4西脇ビル　〒102-0083
電話　営業部：03(3262)8011㈹　総務部：03(3262)8015㈹
　　　編集部：03(3262)8012㈹　教育事業部：03(3262)8014㈹
FAX　03(3234)4421　　振替　00100-2-62304
http://www.kankidirect.com/

印刷所──大日本印刷株式会社

乱丁・落丁本は小社にてお取り替えいたします。

ISBN4-7612-6339-3 C0011